Nicolas Rinal Nault
2005

J'achète!

Combattre l'épidémie de surconsommation

John de Graaf • David Wann • Thomas H. Naylor

en collaboration avec le groupe Redefining Progress

J'achète !

Combattre l'épidémie de surconsommation

Traduit de l'américain par Michel Saint-Germain
Préface de Laure Waridel

FIDES

Couverture : Au centre, illustration © Katy Lemay.
En haut, photographie © Philip Bailey / Corbis / Magma.

Catalogage avant publication de la Bibliothèque nationale du Canada

De Graaf, John

J'achète! : combattre l'épidémie de surconsommation

Traduction de : Affluenza.

Comprend des réf. bibliogr.

ISBN 2-7621-2542-1

1. Qualité de la vie - États-Unis. 2. Richesse - États-Unis. 3. Consommation
(Économie politique) - États-Unis. 4. États-Unis - Conditions sociales - 1980-   .
5. États-Unis - Conditions économiques - 1981-2001. 6. États-Unis - Civilisation - 1970-   .
I. Wann, David. II. Naylor, Thomas H., 1936-   .
III. Titre.

HN60.D3914 2004   306'.0973   C2004-940797-X

Dépôt légal : 2ᵉ trimestre 2004
Bibliothèque nationale du Québec

Titre original : *Affluenza. The All-Consuming Epidemic.*
© John de Graaf, David Wann, Thomas H. Naylor, 2001, 2002.
Édition originale © Berrett-Koehler Publishers inc., San Francisco, Ca., États-Unis. Tous droits
réservés.
Traduction française © Éditions Fides, 2004.

Les Éditions Fides remercient de leur soutien financier le ministère du Patrimoine canadien, le
Conseil des Arts du Canada et la Société de développement des entreprises culturelles du
Québec (SODEC).
Les Éditions Fides bénéficient du Programme de crédit d'impôt pour l'édition de livres du
Gouvernement du Québec, géré par la SODEC.

IMPRIMÉ AU CANADA EN MAI 2004

À la mémoire de
DAVID ROSS BROWER (1912-2000)
un géant de la pensée et de l'action écologistes
du xxᵉ siècle. Il espérait qu'un jour

Nous verrons que le progrès n'est pas
La vitesse croissante de notre multiplication
Et de notre domination de la Terre, ni le nombre croissant
De biens auxquels nous nous accrochons,
Mais la voie qui nous permet de chercher la vérité,
De trouver la sérénité, l'amour et le respect de la vie,
De faire partie d'une harmonie durable...

Et à la mémoire de
DONELLA MEADOWS (1941-2001)

En se consacrant à la science
et à l'élevage,
elle nous a montré la voie
d'une société plus durable.

Préface

J'ai mal à la Terre
Mal aux océans
Mal à mes artères
Aux poissons dedans
Mon ventre n'est plus qu'un cratère géant
Géant, béant
J'ai mal à la Terre

GILLES VIGNEAULT,
extrait de la chanson *J'ai mal à la Terre*

Gilles Vigneault a malheureusement raison, la Terre est malade. Et nous aussi. Il n'y a pas seulement un poète pour le chanter, mais aussi de nombreuses études scientifiques pour le prouver. L'air, la terre et l'eau sont de plus en plus atteints de ce cancer nommé pollution. La Terre a la fièvre des humains. Sa température monte. Nos enfants font de l'asthme et développent des allergies comme jamais auparavant.

Il faut reconnaître que nous, les humains, particulièrement les Nord-Américains, avons adopté un mode de vie qui constitue une véritable peste pour l'équilibre des écosystèmes et, ultimement, le nôtre. Nous grugeons les ressources de la planète beaucoup plus rapidement qu'elles ne parviennent à se régénérer. Ainsi, quand on calcule notre empreinte écologique, on s'aperçoit que, si tous les humains de la Terre consommaient comme nous, il faudrait de trois à cinq planètes comme celle-ci pour répondre aux « besoins » de tout le monde.

Il faut admettre que nous ne nous contentons plus seulement de consommer, nous *surconsommons*. Comme le démontrent avec justesse John De Graaf, David Wann et Thomas H. Naylor dans les pages qui suivent, la surconsommation est devenue une épidémie qui affecte non seulement les écosystèmes, mais s'attaque aussi à la santé des humains : à notre santé physique et mentale. Dans ce livre, cette épidémie est appelée la « rage de consommer ». Elle est socialement contagieuse et se caractérise par une insatisfaction permanente, comme si aucun désir ne pouvait totalement être satisfait. Nous souhaitons toujours plus. Nous nous comparons avec celui qui a davantage, et non avec celui qui a moins. Nous en voulons encore et encore, afin de répondre à des normes supérieures. Comme si les possessions nous permettaient de nous élever socialement. Dis-moi ce que tu consommes, je te dirai qui tu es !

À preuve. À la fin de l'adolescence, j'ai travaillé comme *nannie* dans une famille bien nantie qui passait une partie de ses vacances en Écosse. J'y apprenais l'anglais. Ces gens étaient à mes yeux richissimes. Ils habitaient en Suisse, mais possédaient plusieurs maisons ailleurs dans le monde. Ils se déplaçaient dans des véhicules de luxe, portaient des vêtements de grands couturiers. Ils étaient fort distingués et partaient à la chasse aux faisans dans les Highlands mauves de bruyère. Je repassais leurs chemises à tartan et je cirais leurs bottes. Ils étaient beaux comme dans une publicité.

Je me rappelle les avoir entendu discuter de richesse et de classes sociales. À ma grande surprise, ces gens ne se considéraient pas riches. Pas du tout. À vrai dire, ils se plaignaient un peu en se comparant à tels et tels qui, eux, étaient invités à l'une ou l'autre soirée mondaine. Ils parlaient d'eux-mêmes comme s'ils étaient mal lotis. Je vous jure qu'ils étaient sincères.

Puis, je me suis revue moi-même au Burkina Faso, un an plus tôt. Des Burkinabés auraient bien pu surprendre une conversation entre nous, jeunes étudiants québécois, qui ne nous considérions pas riches du tout. Pourtant, nous étions aussi fortunés pour eux que la famille MacLeod pouvait l'être pour moi.

J'ai alors réalisé que nous, les humains, sommes un peu comme la grenouille qui, dans la fable de La Fontaine, veut devenir plus grosse que le bœuf. On voit grand — *Think big*! Le rêve américain s'impose à l'échelle de la planète, au niveau des individus comme à celui des pays. Personne ne semble y échapper. Nous voulons devenir *grands*. Les plus grands. Cette grandeur est mesurée par ce que nous possédons et par la taille du produit national brut (PNB) de chaque pays. Nous voulons toujours plus, mais en même temps nous souhaitons payer moins.

En cherchant à payer toujours moins cher, nous, consommateurs, encourageons le marché à produire pour pas cher. Produire pour pas cher implique de faibles coûts de production, ce qui signifie généralement payer des employés pour pas cher et utiliser des ressources environnementales pour pas cher. Les coûts environnementaux et sociaux de notre consommation n'apparaissent pas sur les étiquettes des produits que nous achetons, ni sur les bilans économiques des entreprises et des gouvernements.

Même si les familles sont plus petites que jamais, nous désirons posséder de plus grosses maisons, parfois même plusieurs, avec plus d'une salle de bain, un grand garage et un grand sous-sol pour pouvoir entreposer toutes ces choses que nous possédons. Il nous faut de belles voitures, de beaux vêtements, de beaux objets — beaucoup d'objets. Du nouveau pour nous satisfaire. On nous a convaincu qu'acheter est bon pour nous et pour le pays. Rappelez-vous les paroles de Georges W. Bush aux Américains après le 11 septembre : « Soyez de bons patriotes, consommez. » Il faut faire rouler l'économie.

Vous n'avez pas d'argent ? Ce n'est pas grave : « Achetez maintenant, payez plus tard », nous dit-on. Non seulement nous sommes plus endettés que jamais envers nos créanciers, mais nous le sommes aussi à l'égard des générations futures. À force d'avoir plus d'objets à l'échelle individuelle, nous finissons par nous appauvrir collectivement. Ainsi, il y a moins d'air et d'eau purs, moins d'espèces animales et végétales, moins de forêts sauvages, moins de cultures indigènes, moins de vie communautaire, moins de temps de qualité avec nos enfants et les gens que nous aimons. Il y a aussi plus de stress, plus de déprime et plus d'obésité. Sommes-nous donc plus riches ou plus pauvres?

C'est que notre richesse est mesurée avec ce qui est calculable. Or, comme nous le rappellent les auteurs de ce livre, ce à quoi nous tenons généralement le plus — l'amour, le bonheur, la santé, la sécurité et la paix — ne se comptabilise pas. Dans un univers où force est de constater que l'argent mène le monde, ce qui n'a pas de valeur économique a du mal à se faire une place politique.

Puisque le PNB est considéré comme le principal indicateur de progrès d'un pays, il est intéressant de constater à quel point l'essentiel n'y est pas calculé. Ainsi, les produits et services qui ne nécessitent pas de transaction financière ne contribuent pas à la croissance économique puisqu'ils n'entrent pas dans le calcul du PNB. C'est le cas des soins donnés par un parent qui choisit de rester à la maison pour s'occuper de ses enfants. C'est le cas d'une rivière qui coule librement. C'est le cas d'une forêt ou d'une terre non exploitée et de variétés agricoles non commercialisées. Bref, c'est le cas de la vie lorsqu'elle n'est pas considérée comme un bien de consommation.

Par contre, selon ce calcul, les accidents de la route, la construction de prisons, les heures supplémentaires et la dépollution d'un lac contaminé contribuent tous à nous «enrichir collectivement» puisqu'ils engendrent des dépenses. Ces dépenses n'améliorent pourtant pas notre qualité de vie. Ce sont les effets pervers de notre rage de consommer.

Cette rage de consommer et les paradoxes de la modernité sont présentés avec beaucoup d'humour dans *J'achète!* Les auteurs nous invitent à rire des habitants des États-Unis et de nous-mêmes, puisque, à bien des égards, nous avons adopté les mêmes comportements que les Américains. Nous magasinons dans les mêmes Wal-Mart, conduisons les mêmes voitures et mangeons dans les mêmes McDo. Ce livre nous incite à reconnaître les symptômes de cette épidémie qui nous afflige et à en identifier les causes, de même que les traitements possibles. Car heureusement, selon les auteurs, cette maladie n'est pas incurable! Les remèdes proposés permettent de découvrir le plaisir d'avoir du temps parce qu'on a moins besoin d'argent. Ils nous exposent aux charmes de consommer autrement et surtout ils facilitent notre libération de tous ces objets qui s'emparent de nos vies et consument notre planète.

Ce livre est un appel à la liberté, la nôtre et celle de nos enfants.

LAURE WARIDEL*

* Cofondatrice d'Équiterre, Laure Waridel est très engagée dans la promotion du commerce équitable au Québec. Elle a écrit *Une cause café* (1997) et *L'enVert de l'assiette* (1998), et intervient régulièrement, à titre de chroniqueuse, sur les ondes de la radio de Radio-Canada.

Avant-propos

De nombreux films sont inspirés par un livre, mais ce livre a été inspiré par un film. C'est en 1996, en collaboration avec Vivia Boe, productrice de la télévision publique, que j'ai entrepris de tourner un documentaire sur la surconsommation et ses nombreuses conséquences — pas si inoffensives — pour la société américaine. Nos recherches nous disaient que le sujet était immense et que, plus que toute autre question sociale ou environnementale, il touchait à plusieurs aspects du style de vie américain. Mais comment arriver à le saisir ? Comment le présenter ? Comment faire comprendre aux téléspectateurs que notre consommation débridée était la cause de multiples problèmes, intimement liés les uns aux autres ?

Après avoir tourné plus des deux tiers de l'émission, nous nous demandions encore comment raccorder ce contenu fort varié. Puis, dans un avion entre Seattle et Washington, je suis tombé sur le mot *affluenza* en lisant un article. Ce fut pour moi l'instant où l'ampoule s'allume au-dessus de la tête d'un personnage de bande dessinée. C'était bien cela : *affluenza*, la rage de consommer*. En un seul mot (contraction d'*influenza*, la grippe, et d'*affluence*, l'abondance), nous avions à la fois un titre facile à retenir et le nom d'une maladie reliée à la surconsommation.

---

* Nous avons choisi, pour la traduction française, de privilégier l'expression «rage de consommer» qui nous semblait plus frappante dans cette langue que le néologisme *affluenza* (NDT).

Vivia et moi étions d'accord. La métaphore de la maladie était parfaite pour faire comprendre les effets ou symptômes de la surconsommation qui, du moins aux États-Unis, avaient atteint des proportions endémiques. On pouvait alors revenir sur l'histoire de cette rage de consommer, étudier son mode de transmission, ses porteurs, ses zones d'infection et, enfin, son traitement.

Nous avons commencé à utiliser le terme en demandant aux personnes que nous interrogions s'ils comprenaient cette métaphore. Nous avions vu juste. Des médecins nous ont dit qu'ils observaient les symptômes de la rage de consommer chez un grand nombre de leurs patients, et que ces symptômes se manifestaient souvent sur le plan physique. Un psychologue a souligné que beaucoup de ses patients souffraient de la rage de consommer, mais que très peu le savaient.

Pour s'assurer que notre documentaire serait diffusé par le plus grand nombre possible de stations affiliées au réseau PBS, Vivia et moi, inspirés par des professionnels du marketing, en avons fait la promotion éhontée. À Chicago, lors d'un meeting réunissant les programmateurs de PBS, nous nous sommes présentés, vêtus de blouses blanches, des stéthoscopes au cou, sous les noms, badges à l'appui, du Dr John et du Dr Vivia, épidémiologistes spécialisés dans la rage de consommer. Nous avons distribué des fioles de pilules étiquetées *Vaccin contre la rage de consommer* (contenant des bonbons). Nous voulions que les programmateurs sachent que notre émission serait un spectacle aussi divertissant qu'informatif. Avec une cuillerée de sucre pour faire avaler le remède...

Lancé sur PBS le 15 septembre 1997, notre documentaire fut accueilli par un déluge d'appels et de lettres venus de tous les coins des États-Unis : le public nous disait clairement que nous avions touché un point sensible. Des téléspectateurs qui avaient jusqu'à quatre-vingt-treize ans nous écrivaient les craintes qu'ils avaient pour leurs petits-enfants, tandis que des jeunes dans la vingtaine nous racontaient le gouffres de l'endettement par les cartes de crédit. À la une de son édition du dimanche, le *Washington Post* présenta des gens qui tentaient de mettre en œuvre la simplicité volontaire et les montra en train de regarder l'émission. Un enseignant d'une région rurale de la Caroline du Nord, qui avait fait regarder le documentaire à sa classe de sixième année, nous disait que les élèves avaient ensuite voulu en parler pendant deux semaines. En général, les jeunes trouvaient qu'ils avaient trois fois trop d'objets. Une jeune fille racontait qu'elle n'arrivait plus à fermer la porte de sa penderie. «J'ai tout simplement trop de vêtements, des trucs que je ne porte jamais, expliquait-elle. Je n'arrive pas à m'en débarrasser.»

Au-delà des clivages politiques

Même si, dans le passé, la critique de la consommation était surtout le fait de la gauche américaine, nous avons découvert avec plaisir que notre documentaire rejoignait les préoccupations des citoyens, toutes allégeances politiques confondues. Le leader d'une organisation familiale conservatrice très active nous a félicités en soulignant que cette question était d'une très grande importance pour les familles. Les cotes d'écoute et le succès auprès du public furent aussi élevés dans des villes conservatrices comme Salt Lake et Houston, qu'à San Francisco ou à Minneapolis, plus libérales. Largement utilisé par différentes facultés, le documentaire est aussi populaire à Brigham Young qu'à Berkeley. À l'Université Appalachian State, située à Boone, en Caroline du Nord, les étudiants et le personnel enseignant l'ont montré aux communautés pauvres habitant dans les montagnes, de même que dans des églises riches. Ils ont enregistré les commentaires de l'auditoire et produit leur propre vidéo, intitulée *Escaping Affluenza in the Mountains*.

Le monde entier nous regarde

En 1998, nous avons diffusé la suite d'*Affluenza*, intitulée *Escape from Affluenza*, qui s'attache davantage au traitement de la maladie.

Depuis, les deux documentaires ont été largement diffusés à travers tous les États-Unis et à l'étranger. Nous avons acquis la conviction que la question de la surconsommation préoccupe les gens *des quatre coins du monde*. Nous avons eu des réactions de pays où personne, pensions-nous, ne pouvait se sentir concerné par la rage de consommer — la Thaïlande, l'Estonie, la Russie, le Nigeria, par exemple — mais où, en réalité, des citoyens espéraient bénéficier des aspects positifs du style de vie américain tout en évitant ses effets nuisibles.

Au Sri Lanka, un magazine d'affaires islamique nous a demandé un court article sur la maladie. Des militants des régions rurales du Nord de la Birmanie ont voulu traduire l'émission dans un dialecte local, le kachin. Une Israélienne de seize ans nous a demandé l'autorisation de projeter le documentaire sur le mur d'un centre commercial de Tel Aviv. Tous nous disaient que le fait d'envisager la surconsommation comme une maladie les aidait à mieux comprendre le phénomène et à l'expliquer aux autres.

Nous avions espéré que le terme *affluenza* deviendrait un mot courant de notre vocabulaire. Ce n'est pas encore le cas, mais il est utilisé beaucoup plus largement. Avant la diffusion du documentaire sur PBS, on comptait 200 occurrences du mot sur le Web — toutes en italien, où «affluenza» veut tout simplement dire opulence. À présent, on en trouve des milliers, dont la grande majorité font référence à la surconsommation.

Une maladie sociale

Le mot met toutefois l'accent sur différentes réalités. Certains auteurs l'utilisent pour parler des enfants gâtés des très-riches. D'autres désignent ainsi le «syndrome d'enrichissement soudain». Ces définitions enlèvent au mot *affluenza* le message sociopolitique que nous avons mis de l'avant pour n'en faire qu'une question de comportement purement personnel. Selon nous, le virus ne se limite pas aux classes supérieures; il s'est frayé un chemin dans l'ensemble de la société. Ses symptômes affectent les pauvres autant que les riches, et notre système à deux vitesses (où les riches s'enrichissent et les pauvres s'appauvrissent continuellement) punit doublement les pauvres : on les conditionne à vouloir toujours plus de biens, mais on leur donne très peu de moyens de les obtenir. La rage de consommer nous affecte tous, bien que de manières différentes.

Du film au livre

Après la télédiffusion des émissions, trois individus m'ont appelé pour me convaincre d'en tirer un livre. Tandis que l'économiste Thomas Naylor et l'écologiste David Wann m'offraient leur collaboration, Todd Keithley, un agent littéraire new-yorkais, estimait qu'un tel livre trouverait des lecteurs avides. La réaction aux émissions spéciales d'*Affluenza* m'avait procuré une immense satisfaction, mais la télévision, même lorsqu'elle informe au plus haut point, reste un média superficiel ; on ne peut livrer autant de contenu dans une heure. C'est pourquoi nous avons écrit ce livre : pour expliquer en profondeur la rage de consommer, en donnant plus d'exemples, de symptômes, de preuves, en l'exposant d'une façon plus complète. Ceux qui ont vu la vidéo reconnaîtront quelques-uns des personnages et des récits, mais ce livre représente trois années supplémentaires de recherche, de mises à jour et de nouveaux témoignages.

Dans le jargon de la culture de consommation, il est « nouveau et amélioré » !

Quelques brefs avertissements

Nos excuses auprès des autres citoyens de l'Amérique du Nord et centrale : nous utilisons les termes « Amérique » et « Américains » pour désigner les États-Unis et ses citoyens. Sans vouloir manquer de respect envers les autres Américains, nous reconnaissons tout simplement l'usage familier de ce terme dans tout le reste du monde. De plus, ce livre n'implique aucune condamnation généralisée des Américains riches ou de l'argent en soi. Lorsqu'on s'en sert pour le bien commun (comme le groupe Responsible Wealth, voir le chapitre 26), l'argent peut contribuer à la santé de notre société au lieu d'encourager la rage de consommer. D'ailleurs ce livre n'aurait pu être écrit sans le soutien financier de généreux individus.

Bonne lecture !

John de Graaf
Seattle, Washington, 10 décembre 2000

Qu'est-ce que la rage de consommer ?

Dans son cabinet, un médecin livre son diagnostic à une patiente jolie et bien mise. « Vous ne présentez aucun problème physique », dit-il. « Dans ce cas, qu'est-ce que j'ai à me sentir si mal ? demande-t-elle. Si gonflée, si indolente ? J'ai une grande maison neuve, une voiture neuve, une garde-robe neuve et je viens d'obtenir une grosse augmentation de salaire. Pourquoi suis-je si malheureuse, docteur ? Ne pouvez-vous pas me donner une pilule ? » Le médecin hoche la tête. « J'ai bien peur que non, répond-il. Le mal qui vous tracasse est incurable. » « Qu'est-ce que c'est, docteur ? » demande-t-elle, affolée. « La rage de consommer, répond-il d'un ton grave. C'est une nouvelle épidémie, elle est extrêmement contagieuse. On peut la guérir, mais ce n'est pas facile. »

Bien sûr, la scène est imaginaire, mais l'épidémie est réelle. En pleine prospérité, en plein boom économique, dans l'atmosphère superficielle et tapageuse de l'aube d'un nouveau millénaire, un puissant virus atteint la société américaine, menaçant nos portefeuilles, nos amitiés, nos familles, nos communautés et notre environnement. Ce virus s'appelle la rage de consommer. Et parce que l'Amérique est devenue le modèle économique de la majeure partie du monde, il court maintenant sur tous les continents.

Les coûts et les conséquences de la rage de consommer sont énormes, bien que souvent dissimulés. Quand elle n'est pas traitée, la maladie entraîne une insatisfaction permanente. Dans un dictionnaire, sa définition ressemblerait à ceci :

> **Rage de consommer** : *état pénible, contagieux et socialement transmissible, de surcharge, d'endettement, d'anxiété et de gaspillage, résultant de la volonté acharnée d'avoir toujours plus.*

En tant qu'Américains, nous avons passé la majeure partie notre histoire à chercher à acquérir davantage — davantage d'objets, surtout. Depuis la « décennie du moi », dans les années 1980, nous l'avons fait au mépris de la plupart des autres valeurs. Pendant ces années d'expansion économique ininterrompue, nous étions comme des enfants affamés qui se précipitent sur un buffet.

La Terre dans la balance

Discrètement, comme s'il escamotait la pensée, le virus a contaminé tout le dialogue politique américain. Prenez Al Gore. En 1992, encore sénateur, il a écrit un livre à succès intitulé *Earth in the Balance*.

> *[L'Amérique] s'accroche plus que jamais à l'habitude de consommer des quantités de plus en plus grandes de charbon, de pétrole, d'air frais et d'eau douce, d'arbres, de sol arable et mille autres substances que nous dérobons à la croûte terrestre, pour en fabriquer non seulement les vivres et les logements dont nous avons besoin, mais surtout, ce dont nous n'avons pas besoin [...]*

L'accumulation de biens matériels a atteint un sommet, tout comme le nombre de gens qui ressentent un vide dans leur vie[1].

Selon Gore, les Américains étaient devenus accros aux objets. Notre civilisation, écrivait-il, promet le bonheur par «la consommation d'une série infinie de rutilants et nouveaux produits [...] Mais cette promesse est toujours sans lendemain.» Un an plus tard, lors de son investiture en tant que vice-président des États-Unis, un soprano chanta le magnifique hymne traditionnel shaker intitulé *Simple Gifts*: «La simplicité est un don du ciel, la liberté est un don du ciel [...]» Gore hochait la tête en signe d'acquiescement. Mais, au cours des années suivantes, il se passa quelque chose d'étrange : une forme d'amnésie s'empara d'Al Gore.

Lors du débat vice-présidentiel de 1996, l'adversaire de Gore, Jack Kemp, promit de doubler la taille de l'économie américaine en 15 ans. À aucun moment, au cours de ce débat, Gore ne s'opposa à l'idée que les Américains avaient intérêt à consommer deux fois plus. Puis, lors de la campagne électorale de l'an 2000, Al Gore devint de toute évidence un vecteur de contamination de la rage de consommer. Au cours d'un débat présidentiel, il promit d'augmenter la taille de l'économie américaine de 30 % en dix ans.

Ce qui est arrivé à Al Gore semble nous arriver à tous. «*Who wants to be a millionaire ?*» (Qui veut devenir millionnaire ?), telle est la question posée par une célèbre émission américaine. Presque tout le monde, apparemment. Les rédacteurs en chef des journaux s'imaginent encore nous séduire avec leurs histoires de yuppies devenus des magnats en regardant monter en flèche la valeur de leurs actions dans des compagnies de logiciel.

Bien sûr, la plupart d'entre nous savent, au fond d'eux-mêmes, que cette obsession de l'enrichissement a un effet pervers. Richard Harwood l'a découvert en 1995, en menant un sondage sur le comportement des Américains par rapport à la consommation pour le compte du Merck Family Fund. «Les répondants estiment que nos dépenses et nos achats dépassent largement nos besoins, explique Harwood. Que nos enfants sont en train de devenir très matérialistes et que nous dépensons au détriment des générations futures et de notre propre avenir. Cette tendance dépasse les différences de religion, d'âge, de race, de revenu et d'éducation. Partout aux États-Unis, on sent que les gens sont devenus trop matérialistes, trop avides, trop égocentriques, trop égoïstes, et qu'il faut remettre dans la balance les valeurs durables qui ont guidé le pays depuis des générations. Les valeurs de la foi, de la famille, de la responsabilité, de la générosité et de l'amitié[2]. »

Chercher de nouvelles planètes

L'épidémie de rage de consommer prend racine dans la quête obsessionnelle, presque religieuse, d'expansion économique, qui est devenue le principe central de ce qu'on appelle le rêve américain. Dans le fait que la mesure suprême du progrès d'un pays est cette cloche trimestrielle de caisse enregistreuse nommée produit national brut. Dans l'idée que chaque génération sera plus riche, du point de vue matériel, que la précédente, et que, d'une façon ou d'une autre, nous pourrons tous poursuivre obstinément cette fin sans détériorer les innombrables choses qui nous tiennent à cœur.

La réalité est tout autre. Si nous ne nous mettons pas à rejeter les sollicitations incessantes visant à nous faire « acheter maintenant », nous allons « payer plus tard » un prix difficilement imaginable. La facture est déjà en souffrance. La rage de consommer menace d'épuiser rien de moins que la planète Terre. « Nous, les humains, en ce siècle surtout, avons produit et consommé à un rythme qui dépasse largement la capacité de la planète à absorber notre pollution ou à renflouer ses réserves », dit le critique du capitalisme Jeremy Rifkin.

Même Robert Shapiro, l'une des cibles préférées de Rifkin, est d'accord avec lui. « La Terre ne peut soutenir l'augmentation systématique d'objets matériels, affirme le p.d.g. de Monsanto. Si nous voulons alimenter notre croissance en augmentant notre utilisation des ressources, nous ferions mieux de chercher une nouvelle planète.»

Disons plutôt plusieurs nouvelles planètes. Selon les scientifiques, c'est ce qu'il faudrait faire si toute la population de la Terre adoptait le mode de vie américain.

Des chiffres éloquents

Prenez le scénario suivant, exposé en 1998 dans un article du magazine *Parade*:

> *Défiant les prédictions des experts, l'économie américaine est demeurée saine malgré une crise financière mondiale et la menace d'une destitution présidentielle, grâce à la résistance et à l'énergie du consommateur américain [...] Il y a eu une foule de mauvaises nouvelles [...] Le pays a connu maintes abominations climatiques: des pluies torrentielles en Californie, une inondation dévastatrice le long de la rivière Ohio, des semaines de canicule au Texas, un verglas meurtrier en Virginie et, sur l'Atlantique, la pire saison d'ouragans depuis 200 ans. En 1997, le taux de pauvreté était encore plus élevé qu'au début des années 1970. Et, malgré la disparition du déficit fédéral, les Américains sont plus endettés que jamais... Mais rien ne nous a détournés des bonnes nouvelles: le niveau d'emploi élevé, le faible taux d'inflation, l'augmentation des salaires réels, les taux hypothécaires et le prix de l'essence au plus bas depuis des décennies [...] Tout au long de l'année, les dépenses des consommateurs sont demeurées fortes, ce qui garantit une croissance économique continue.*

Le prix de l'essence et les abominations climatiques; la croissance économique continue et la pauvreté persistante; la confiance des consommateurs et l'endettement qui monte en flèche. Tout cela est-il relié? Nous croyons que oui.

Chaque année, depuis quatre ans, le nombre de faillites personnelles en Amérique dépasse le nombre des nouveaux diplômés. La production annuelle de déchets solides des États-Unis remplirait un convoi de camions de poubelles d'une longueur équivalente à la moitié de la distance Terre-Lune. Les États-Unis ont deux fois plus de centres commerciaux que d'écoles secondaires. Chaque année, les Américains passent plus d'heures au travail que les citoyens de tout autre pays industrialisé, y compris le Japon. Même s'ils ne constituent que 4,7 % de la population de la planète, ils produisent 25 % des émissions de gaz à effet de serre responsables du réchauffement planétaire. Quatre-vingt-quinze pour cent des travailleurs américains disent vouloir passer plus de temps avec leur famille. Quarante pour cent des lacs et ruisseaux des États-Unis sont trop pollués pour la baignade ou pour la pêche. Les p.d.g. américains gagnent maintenant 400 fois le salaire moyen des travailleurs, soit dix fois plus qu'en 1980. Depuis 1950, les Américains ont consommé plus de ressources naturelles que toute la population terrestre auparavant.

Même si ces éléments peuvent paraître décousus, ce sont tous des symptômes interreliés de la rage de consommer. Ce livre s'attache principalement aux États-Unis, parce que leurs citoyens sont les consommateurs les plus dépensiers du monde. Mais ce qui s'y passe actuellement commence à se reproduire ailleurs, à mesure que le style de vie américain devient le modèle de presque tout le reste du monde. D'autres pays semblent en meilleure posture que les États-Unis pour faire des choix. N'étant pas aussi contaminés par l'épidémie de rage de consommer, ils peuvent se prémunir contre une infection généralisée en mettant l'accent sur la préservation de styles de vie plus équilibrés. Nous croyons que les erreurs de l'Amérique peuvent servir de leçon à tous les pays et à tous les individus, riches ou pauvres. La mondialisation de l'économie nous place tous dans le même bateau, elle nous oblige tous à comprendre et à combattre la maladie.

Les symptômes

Ce livre comprend trois sections. La première explore de multiples symptômes de la rage de consommer, en les comparant (avec un clin d'œil) aux symptômes d'une véritable infection. Qu'éprouvez-vous lorsque vous attrapez un virus ? Votre température s'élève, vous êtes congestionné, votre corps est endolori, vous avez des frissons, vous avez mal à l'estomac, vous vous sentez faible, vous avez des ganglions...

À l'ère de la rage de consommer, la société américaine présente tous ces symptômes — du moins métaphoriquement. Nous en présentons un par chapitre, en commençant par les symptômes individuels, pour passer ensuite aux conditions sociales, et finalement nous tourner vers les impacts écologiques de la rage de consommer.

Vous aurez peut-être un choc en vous reconnaissant dans certains chapitres — «Chéri, c'est moi!» Dans d'autres, vous remarquerez que vos amis sont atteints des troubles exposés. Vous trouverez sans doute certains passages plus troublants que d'autres, vous vous ferez peut-être plus de soucis pour vos enfants que pour la planète Terre. Malgré votre aisance matérielle, il se peut que vous vous sentiez continuellement stressé, dépourvu d'objectifs ou même inutile. Vous êtes peut-être au contraire pauvre et frustré de ne pouvoir donner à vos enfants ce que, selon les spécialistes en marketing, ils *doivent* avoir pour s'intégrer. Vous avez probablement essuyé le feu des insultes d'un autre conducteur, atteint de rage au volant, ou vu des bulldozers raser le dernier espace libre de votre quartier, pour faire place à des rangées de nouvelles maisons individuelles, identiques et flanquées de garages à trois places. Si vous êtes plus âgé, peut-être avez-vous remarqué que vos enfants sont incapables de joindre les deux bouts, peut-être êtes-vous inquiet pour leurs enfants. Si vous êtes jeune, vous angoissez sans doute à propos de votre propre avenir.

Quelle que soit votre situation, nous sommes persuadés que vous reconnaîtrez autour de vous au moins quelques-uns des symptômes de la rage de consommer. Puis, à mesure que vous lirez, vous verrez comment ils sont reliés à d'autres qui vous semblaient moins évidents.

La genèse de la maladie

Dans la deuxième partie de ce livre, nous chercherons, par-delà les symptômes, les causes de la maladie. La rage de consommer est-elle tout bonnement ce qui définit la nature humaine, comme certains l'affirment ? Quelle est la genèse de ce puissant virus ? Comment a-t-il muté à travers l'histoire et quand a-t-il atteint des proportions épidémiques ? Quels choix de société avons-nous faits (entre plus de temps libre et plus de biens matériels, par exemple) qui ont aggravé notre état ? Ce livre examine soigneusement les signes avant-coureurs dans l'histoire et les différentes cultures, ainsi que les premiers efforts d'éradication de la maladie par des contrôles et des quarantaines.

Il montre ensuite comment l'épidémie, après être devenue acceptable, a été encouragée par tous les vecteurs électroniques que notre civilisation technologique ne cesse de perfectionner. La rage de consommer promet de répondre à nos besoins par des voies que nous jugeons inefficaces et dommageables. Toute une industrie de charlatans est joliment récompensée par ceux qui, ayant fortement intérêt à perpétuer la rage de consommer, conspirent pour empêcher le grand public d'être informé du diagnostic de la maladie et de l'étendue de ses symptômes.

La voie de la guérison

Mais loin de nous l'intention de vous laisser à jamais déprimé. Il est possible de traiter la rage de consommer, et des millions de citoyens ordinaires prennent déjà des mesures à cette fin. Lorsque nous avons produit pour la télévision le documentaire *Affluenza*, en 1996, le spécialiste des tendances Gerald Celente plaçait la simplicité volontaire en tête des mouvements en plein essor. En 1995, un sondage mené par Richard Harwood a révélé que 28 % des

Américains avaient déjà entamé, d'une façon ou d'une autre, un délestage matériel, et 86 % d'entre eux disaient s'en sentir plus heureux.

Gerald Celente prédisait que 15 % des Américains allaient pratiquer une forme sérieuse de simplicité volontaire dès l'an 2000. Il a dû quelque peu retarder sa prédiction lorsque la prospérité de la fin des années 1990 a provoqué une nouvelle vague de frénésie de consommation, mais il s'attend tout de même à ce que l'intérêt pour la vie simple refasse largement surface lorsque s'évanouira le dernier mirage économique.

Même à présent, malgré l'émergence d'une réaction à la folie de consommer, des styles de vie de plus en plus frénétiques continuent d'engendrer une population de réfugiés de la course folle. Cela suffit à faire saliver les spécialistes en marketing devant ces millions de nouveaux clients potentiels. Certaines compagnies nous pressent de «simplifier» nos vies en achetant leurs produits, et de nouvelles publications, comme *Real Simple* de Time-Warner (qu'il vaudrait mieux appeler *Real Cynical*, car il est essentiellement consacré à la publicité de produits coûteux), attiraient 400 000 abonnés avant même l'impression de leurs premiers numéros.

Tout cela indique que beaucoup de gens cherchent des remèdes à la rage de consommer. La troisième partie de ce livre présente ceux que nous avons trouvés.

Comme nous l'avons fait pour les symptômes, nous examinons les traitements en commençant au niveau individuel, pour progresser ensuite vers le social et le politique. Là encore, nous employons la métaphore médicale : repos au lit, aspirine et bouillon de poulet, comme lorsque vous attrapez un virus. Nous commençons par des ordonnances individuelles déjà popularisées par les mouvements de la nouvelle frugalité et de la simplicité volontaire.

Nous conseillons de se tourner à nouveau vers le monde naturel, avec ses remarquables pouvoirs de guérison. «Une publicité, raconte Gerald Celente, montre un homme d'âge moyen qui

marche dans les bois en roulant les épaules, et soudain, au plan
suivant, le voici sur la véranda, avec des arbres à l'arrière-plan, mar-
chant sur un tapis roulant qui doit lui avoir coûté une fortune. Ça
n'a aucun sens. C'était tellement plus joli de marcher dans les bois,
et ça ne coûte rien du tout[3]. »

Nous présentons des stratégies de reconstruction des familles et
des communautés, de respect et de restauration de la terre et de ses
règles biologiques. Nous offrons des prescriptions politiques,
croyant que certaines réglementations réfléchies (visant à récompenser la frugalité et à punir le gaspillage, par exemple) peuvent
promouvoir un environnement social moins propice à la rage de
consommer et permettre aux individus de se rétablir et de demeurer
en santé.

Nous présentons aussi des approches préventives, comparables
à des vaccins ou à des vitamines, pour renforcer nos systèmes immu-
nitaires individuels et sociaux. Et nous suggérons un bilan de santé
annuel en trois phases :

1. Évaluer son état de santé.
2. Aider sa communauté à évaluer sa santé véritable, selon des critères de durabilité développés dans plusieurs villes américaines.
3. Finalement, à l'échelle nationale, trouver un substitut au produit
   national brut (PNB), la façon actuelle, désuète, de mesurer la
   santé d'un pays.

Nous recommandons un indice appelé indicateur de progrès
véritable (IPV), mis au point par Redefining Progress, un groupe de
réflexion établi à Oakland, en Californie. En utilisant de multiples
critères pour évaluer son état de santé, l'IPV trace un portrait différent du succès véritable de la société. Ainsi, alors que le PNB a
continuellement grimpé tout au long de l'histoire, l'IPV a décliné
depuis 1973.

Entamons le dialogue

Ce livre contient peu de données véritablement nouvelles. Cependant, à l'ère de l'information, le problème n'est pas d'en manquer, mais de donner un sens à celles que nous avons déjà. Nous présentons une façon sensée de comprendre certains problèmes personnels, sociaux et écologiques, apparemment sans liens entre eux, mais qui sont pour nous les symptômes d'une périlleuse épidémie qui menace notre avenir et celui des générations futures. Nous ne nous attendons pas à ce que vous soyez d'accord avec tout le contenu de ces chapitres, nous ne souhaitons même pas vous convaincre immédiatement que la rage de consommer est une véritable maladie. Notre objectif est de susciter un large dialogue sur le rêve de consommation américain, afin que tous les choix des consommateurs s'accompagnent d'une compréhension claire de leurs conséquences possibles.

Ce livre ne dit pas d'arrêter d'acheter. Il encourage toutefois à acheter consciemment, en accordant toute son attention aux avantages et aux coûts réels de ses achats, et en se rappelant toujours que les meilleures choses de la vie ne sont pas des biens matériels.

PREMIÈRE PARTIE

Les symptômes

CHAPITRE 1

La fièvre du shopping

C'est jour d'Action de grâce et Jason Jones, un garçon de huit ans, vient de se gaver de dinde, de sauce aux canneberges et de tarte à la citrouille. Assis devant son PC, il tape avec frénésie la liste des cadeaux qu'il espère recevoir du Père Noël. Il ira la lui porter en personne demain, premier jour des emplettes de Noël, la saison de la rage de consommer. La liste de Jason comprend dix cadeaux, dont un voyage à Disney World, un vélo tout-terrain, un téléphone portable, un lecteur de DVD et plusieurs disques compacts.

Jason n'est pas idiot, il ne croit pas vraiment au Père Noël, mais il sait que ses parents lui donneront tout ce qu'il demande au bon vieillard. Vendredi, il se lève tôt pour jouer le jeu. Jason et sa mère, Janet, prennent la voiture, une Lincoln Navigator, et, une demi-heure plus tard, arrivent au All-Star Bazaar, où des milliers de gens se disputent déjà les rares places de stationnement qu'il reste près de l'entrée.

Le centre commercial est envahi de consommateurs qui font leurs emplettes des Fêtes sans se méfier des risques de contamination par la rage de consommer : ils ne sont armés que de cartes de crédit et de carnets de chèques. Dans un magasin, une foule se rassemble autour de deux parents qui s'invectivent à propos du dernier Dino-Man en stock, le jouet à la mode : cette poupée au corps d'haltérophile et à la tête de tyrannosaure se vend davantage que des oursons. Dans un coin, une mère sanglote parce qu'elle est arrivée trop tard pour acheter un Dino-Man à son fils. « Je savais bien qu'il fallait camper ici la nuit dernière », gémit-elle. D'autres clients, déjà épuisés, sont assis l'air tendus sur des bancs entre un ascenseur et des monceaux de marchandises.

Jason passe près d'une heure dans la file avant d'arriver sur les genoux du Père Noël pour lui remettre sa liste. Puis, sa mère le laisse avec un rouleau de pièces à l'arcade de jeux vidéo, tandis qu'elle parcourt les dizaines de boutiques du centre commercial. Quelques heures plus tard, sur le chemin du retour, ils s'arrêtent chez Blockbuster pour louer deux films : ainsi, Jason ne se plaindra pas d'ennui ce soir. Bien que la journée soit chaude et enso-leillée, chose rare en cette fin d'automne, même le parc est désert. Ce quartier de classe moyenne supérieure compte pourtant un grand nombre d'enfants. Mais hormis pour le shopping, ils ne sortent pas et restent à la maison, rivés à leur PlayStation Nintendo ou aux dessins animés diffusés à la télé. Jason est indécis, puis, lassé de ses jeux, il allume la télé.

Jason, avouons-le, est un enfant imaginaire. Mais sa journée au centre commercial n'a rien d'exceptionnel. En 1999, selon la National Retail Foundation, les Américains ont dépensé près de 200 milliards de dollars en cadeaux pour les Fêtes : plus de 850 $ par consommateur. La saison de la rage de consommer, le mois qui sépare l'Action de grâce de Noël, a engendré 25 % des profits annuels de la vente au détail.

Interrogés par les sondeurs, la plupart des Américains disent sou-haiter que les Fêtes soient moins marquées par les dépenses et les cadeaux. Le tiers d'entre eux ne peuvent même pas se rappeler ce qu'ils ont offert à leur conjoint l'année précédente, et beaucoup ne pourront éponger leurs dettes de Noël avant l'été suivant. Mais le besoin de claquer de l'argent est plus fort que tout. Malgré leurs bonnes intentions, les Américains semblent souffrir d'un syndrome du manque de volonté, une déficience de leur système immunitaire face à la rage de consommer.

La manie des centres commerciaux

Depuis la Deuxième Guerre mondiale, les Américains se livrent à une frénésie de dépenses sans précédent, alimentée par la croissance économique des dernières décennies. Ils dépensent près de 6 milliards par année, soit plus de 21 000 $ par personne, essentiellement en biens de consommation. Ce type d'achats compte pour les deux tiers de la récente croissance de l'économie américaine. Ainsi, les Américains dépensent davantage en chaussures, en bijoux et en montres (80 milliards) que pour l'éducation supérieure (65 milliards[1]). En cinq jours de shopping à Paris, l'épouse du gouverneur de la Floride Jeb Bush a dépensé 19 000 $, mais elle n'en a déclaré que 500 aux douanes américaines[2]. Et elle n'est pas la seule à s'adonner à la passion du shopping.

En 1986, l'Amérique comptait plus d'écoles secondaires que de centres commerciaux. Quinze ans plus tard, il y a au moins deux fois plus de centres commerciaux que d'écoles secondaires. À l'ère de la rage de consommer (c'est le nom qu'un jour, selon nous, on donnera au tournant du second millénaire), les centres commerciaux ont remplacé les églises à titre de symboles des valeurs culturelles. En fait 70 % de la population fréquente les centres commerciaux chaque semaine. Bien moins de gens fréquentent des lieux de culte[3].

L'équivalent de la cathédrale gothique est pour nous le méga-centre commercial, qui remplace continuellement les plus petits centres, attirant des clients vivant encore plus loin. En général, il s'installe sur une zone de terre arable qui produisait naguère des récoltes généreuses (et non des embouteillages monstres). Il se perd, chaque heure, 46 acres de terres agricoles de première qualité au profit du «développement». Le faste déployé à l'inauguration d'un nouveau mégacentre commercial rivalise avec tout ce que Notre-Dame ou Chartres ont pu connaître au Moyen Âge.

En octobre 1995, 100 000 consommateurs se sont bousculés à l'ouverture du Super Mall d'Auburn, dans l'État de Washington. La foule était rassemblée sous une reproduction du mont Rainier, qui domine l'État de ses 4800 m. La fausse montagne qui s'élevait au-dessus de l'entrée principale du Super Mall offrit un spectacle que la vraie ne pouvait permettre: un feu d'artifice, qui se déclencha aussitôt le ruban coupé.

Avec un enthousiasme qui aurait impressionné le Babbitt de Sinclair Lewis, tous les orateurs firent l'éloge des merveilles du nouveau centre commercial, le plus grand de l'État. «Nous attendons plus de 1,2 million de consommateurs au cours de la prochaine année», s'enorgueillit le maire d'Auburn, ajoutant que «les consommateurs assidus pourraient assouvir leur passion sur 120 000 m² d'espace d'achats.» Avec un nouvel hippodrome et un casino dans la région, ce centre commercial deviendrait une destination touristique pour les vacanciers de tout l'Ouest des États-Unis et du Canada. Il allait, disait-on, créer 4000 emplois et améliorer la qualité de vie dans toute la région. On estimait que 30 % des transactions proviendrait des touristes, qui passeraient en moyenne cinq heures au centre commercial et y dépenseraient plus de 200 $[4].

Du plaisir pour toute la famille

Les milliers de consommateurs présents à l'ouverture montraient des signes d'ennui et d'impatience pendant les discours. Ils se sont ensuite rués vers les portes ouvertes. Une femme s'est dite «vraiment emballée par le centre commercial. Nous n'en avions pas dans cette partie du Washington et il nous fallait une chose comme celle-là.»

«On s'est dit que, si on le construisait, les gens viendraient, et c'est ce qu'ils ont fait», s'extasiait une commerçante heureuse. Une autre expliquait que les planchers de bois franc «rendaient le centre commercial encore plus excitant. Il est beaucoup plus agréable d'y marcher que sur du carrelage ou du granit, et ils donnent au Super Mall un caractère vraiment particulier». Elle espérait que les enfants apprécieraient l'endroit, «car le shopping est devenu une expérience familiale si importante».

C'est vrai. Et c'est bien, aussi, car les Américains passent maintenant six heures par semaine à faire des emplettes et seulement 40 minutes à jouer avec leurs enfants[5]. «Le centre commercial est devenu le véritable pivot de nombreuses collectivités», dit Michael Jacobson, fondateur du Center for the Study of Commercialism de Washington, D.C. «Enfants comme adultes le considèrent comme la destination toute naturelle pour meubler leur ennui[6].»

Mais que faire d'autre?

«Si vous avez vu un centre commercial, vous les avez tous vus», raillent les critiques comme Jacobson, mais les consommateurs assidus (c'est le terme qu'emploient certains psychologues) ne sont pas d'accord. Ils sont prêts à traverser le pays en avion pour s'offrir de nouvelles expériences de shopping. À tel point que certaines lignes aériennes offrent à présent des forfaits vers des hauts lieux du shopping comme Potomac Mills, un centre commercial géant spécialisé dans les soldes. Il est divisé en sections baptisées «quartiers», par euphémisme. Potomac Mills se vante d'être l'attraction touristique numéro un de la Virginie, avec plus de visiteurs par année que le Shenandoah National Park, lui-même le parc national américain le plus fréquenté.

Scott Simon, l'animateur du documentaire *Affluenza*, a visité Potomac Mills pendant le tournage. Les consommateurs se sont empressés de répondre à ses questions. Aucun d'eux ne transpirait abondamment, mais tous semblaient infectés par la fièvre du shopping, qui est souvent le premier symptôme de la rage de consommer.

Deux femmes de Dallas, au Texas, ont dit être allées au centre commercial trois jours de suite, tandis que leurs maris jouaient au golf non loin de là. «Nous sommes toujours à la recherche d'une aubaine, se vantaient-elles. Il faut connaître les marques et nous sommes expertes, nous sommes fières de le dire.» «J'achète tout ce que j'aime.» «J'ai acheté bien plus que je n'en avais l'intention, avoua une autre femme. Il y a tellement de choses.»

Oui, c'est vrai, et c'est bien là tout le but de l'opération. C'est pour cette raison que les grands centres commerciaux font des ventes beaucoup plus élevées, au mètre carré, que les plus petits. La profusion suscite des achats impulsifs qui sont la clef de leurs profits. Seul le quart des consommateurs qui les fréquentent y vont en ayant un produit précis en tête. Les autres viennent y faire du shopping. «Que faire d'autre?» demanda l'une des dames de Dallas, en ne plaisantant qu'à moitié.

«Je suis venue dans un seul but, dépenser», disait fièrement une adolescente en se débarrassant des 100 $ que sa mère lui avait donnés pour cette sortie. «J'aime le shopping», expliquait-elle. Elle n'est pas la seule. D'après un sondage, le shopping est l'activité préférée de 93 % des adolescentes américaines[7].

Un couple plus âgé est passé avec un chariot rempli à ras bord. «Ce n'est que la moitié de ce que nous rapportons», a déclaré l'homme avec entrain. «Nous avions une longue liste, a ajouté sa femme, et puis nous avons choisi un tas de choses qui n'y étaient pas». Achats impulsifs. Ils examinaient le plan du centre commercial en disant: «Sans ça, nous serions perdus.»

Mais Potomac Mills n'est qu'un minicentre commercial, comparé au Mall of America, de Bloomington, dans le Minnesota. Avec 430 000 m² d'espace consacré aux achats, le plus grand centre commercial des États-Unis («Où il fait toujours 20° C!») occupe l'équivalent de 78 stades de football. Il emploie 10 000 personnes et attire 40 millions de visiteurs par année. Le Mall of America est une cathédrale, et ce n'est pas qu'une métaphore: certains couples viennent même s'y marier. C'est également une zone de contagion de premier ordre pour la rage de consommer.

À l'ère de la rage de consommer, rien ne vaut l'excès. « Les bons centres commerciaux constituent habituellement l'investissement immobilier le plus rentable, dit un consultant en valeurs immobilières de Los Angeles. Les bons centres commerciaux sont des presses à billets de banque[8]. » « Bons », souligne-t-il, veut dire « plus grands ». La frénésie des mégacentres commerciaux engendre une rivalité entre les villes, chacune offrant des ententes avantageuses dans l'espoir de s'emparer par la suite de plus de revenus fiscaux. Pour décrocher de telles ententes, les promoteurs de centres commerciaux se font concurrence auprès des magasins les plus rentables. Selon le *Sacramento Bee*, la compagnie Nordstrom, basée à Seattle, a reçu 30 millions de dollars en subsides et en primes incitatives directes pour établir un magasin au Galleria Mall de Roseville, en Californie. Pourquoi ? « Nordstrom produit les ventes les plus élevées de l'industrie, par pied carré », répond le promoteur de centres commerciaux Michael Levin. La plupart des gens, dit Levin, ne veulent pas rouler plus d'une demi-heure pour se rendre à un centre commercial, « mais pour Nordstrom, ils sont prêts à passer beaucoup plus de temps dans leur voiture[9] ».

Le télé-achat

De nos jours, bien sûr, il n'est absolument pas nécessaire de prendre l'auto (ni l'avion) pour faire ses courses. Même si les centres commerciaux et les grandes surfaces à rabais comme Wal-Mart et Costco sont fiers de voir augmenter leurs ventes (ce qui condamne à la fermeture de petits magasins indépendants), les Américains magasinent beaucoup sur leur sofa. Quelque 40 milliards de catalogues de vente par correspondance ont inondé les foyers l'an dernier, soit environ 150 par personne, pour vendre de tout — des noix aux réfrigérateurs, en passant par la soupe et les sous-vêtements. « Achetez maintenant, payez plus tard », proclament tous ces envois. Certains s'en plaignent, mais la plupart des Américains les attendent avec impatience et s'y plongent avec abandon. Dans certains cas, on paye même pour les recevoir (comme pour le catalogue de Sears), avant de payer pour ce qu'on y trouve.

Parlons également des chaînes de télé-achat. Les critiques se moquent de ce défilé ininterrompu de gadgets, mais, pour une part appréciable des Américains, ils constituent un aspect des plus séduisants — et des plus rentables — de nos réseaux de câblodistribution. Et dire que quelqu'un a déjà qualifié la télé de «vaste désert»! C'était bien sûr avant l'avènement des canaux de télé-achat.

Les catalogues de vente par correspondance et les chaînes de télé-achat offrent bien davantage que des produits. Ce sont des agents fort infectieux. La prochaine fois qu'un catalogue arrivera, examinez-le au moyen d'un puissant microscope.

Le magasinage en ligne

Au cours des dernières années, bien sûr, un nouveau vecteur de la rage de consommer est entré par le modem. Et il menace de dépasser à la fois les centres commerciaux, les catalogues et les chaînes de télé-achat. La frénésie avec laquelle l'Internet pour tous a été accueilli et comme un nouveau centre commercial ne peut se comparer qu'avec la fièvre de l'or en Californie et en Alaska, ou le boom pétrolier au Texas. Vingt pour cent des Américains passent maintenant au moins cinq heures par semaine en ligne, en grande partie pour faire des achats, car la plupart des sites Internet servent maintenant à la vente.

À la fin de l'année 1999, durant la haute saison de la rage de consommer, les consommateurs ont dépensé 10 milliards de dollars en ligne, soit trois fois plus que l'année précédente. Ça, c'est de la croissance! Pour l'année entière, les ventes par Internet ont dépassé les 33 milliards. Ce n'est encore qu'une fraction des ventes au détail, mais bientôt le cybershopping devrait éclipser les ventes par catalogue. Tout ce qui est imaginable (et inimaginable) peut maintenant s'acheter en ligne.

Un cybernaute, un vrai

La preuve, ce sont les aventures de DotComGuy (qui s'appelait Mitch Maddox avant de changer officiellement de nom), un résidant de Dallas âgé de 26 ans. Il avait fait le pari de ne pas sortir de chez lui pendant un an et de faire tous ses achats en ligne. Il trouvait que le magasinage ordinaire prenait trop de temps et ressemblait à un travail. Il aurait déclaré à ses parents «vieux jeu» qu'il pouvait vivre par Internet pendant un an sans quitter son appartement. Des milliers de DotComFans fréquentaient son site Web pour regarder les achats de ce cybernaute. Il ne se contentait plus d'acheter en ligne, il vendait aussi des produits DotComGuy — T-shirts, tapis de souris (bien sûr!), casquettes de baseball, autocollants pour pare-chocs et même un mélange à gâteau. «C'est ça, l'Internet: un forum du cybercommerce[10]», disait-il en réponse à tous les idiots qui croyaient que c'était une inforoute.

La magasinothérapie

Le jour où Scott Simon s'est rendu à Potomac Mills, le centre commercial présentait l'une des campagnes publicitaires les plus habiles que nous ayons jamais vues, mettant en vedette une séduisante actrice nommée Beckett Royce, dont le personnage alliait une vaporeuse imbécillité à l'humour sophistiqué d'un canular. «Le shopping est une thérapie», déclamait-elle, étendue sur un divan. «Écoute cette petite voix qui dit dans ta tête: ACHÈTE, ACHÈTE, ACHÈTE.»

Les monologues de Royce critiquaient les chaînes de téléachat et les catalogues, mais certainement pas le shopping à Potomac Mills. Elle se pavanait dans les allées, saisissant une foule d'articles avant d'additionner ses achats en sussurant: «J'ai *économpensé* 100 $!» «Économpenser» veut dire économiser tout en dépensant, expliquait-elle, suggérant qu'à Potomac Mills, tout le monde pourrait devenir un «économpenseur».

«Plus vous achetez, plus vous épargnez», proclame une publicité du Bon Marché, un grand magasin de Seattle. Comme le démontre le prochain chapitre, un grand nombre d'Américains semblent croire à cette aberration mathématique. Beckett Royce n'est pas idiote : elle gagne beaucoup pour persuader les naïfs qu'on peut « éconopenser ». Un simple calcul suffirait pourtant à nous persuader du contraire. Il est vrai que le niveau des élèves en mathématiques se dégrade.

CHAPITRE 2

Une épidémie de faillites

L e lundi suivant l'Action de grâce, Janet Jones dépose Jason à l'école, puis se faufile dans la circulation dense jusqu'au centre commercial — une construction assez récente, remontant aux environ de l'an 10 av. P. (avant Pokemon). Elle y pénètre, les yeux écarquillés à l'affût des soldes, avec la liste des cadeaux que Jason a demandés au Père Noël. Pour que sa maman sache ce qu'il voulait, Jason en a imprimé un exemplaire qu'il a laissé traîner, comme par hasard, sur son lit.

Les premiers achats se déroulent bien et Janet s'aperçoit bientôt qu'elle a économisé une centaine de dollars, mais lorsque arrive le tour du vélo de montagne, il y a un pépin. «Je suis désolée, dit la vendeuse souriante, mais vous avez dépassé la limite de cette carte. En avez-vous une autre ?» Gênée sur le coup, Janet fouille dans son sac à main. «Pas de problème, dit-elle. J'en ai plusieurs.» Se rappelant le slogan «Certaines choses n'ont pas de prix, mais pour tout le reste il y a MasterCard», elle tend sa Mastercard à la vendeuse, qui la passe dans un scanner. «Désolée, dit la jeune femme avec un regard sympathique. Même résultat. Solde de crédit insuffisant.» Janet jette un regard rapide autour d'elle, espérant que personne ne l'ait vue dans cette situation difficile, et sort de la boutique en murmurant: «Il doit y avoir une erreur.»

En revenant du centre commercial, elle passe devant les bureaux d'un service de conseil en crédit aux consommateurs et se demande s'il ne serait pas temps d'y entrer.

Si elle le faisait, elle trouverait les lieux bourdonnants d'activité. Ces temps-ci, le Consumer Credit Counseling Service (cccs), un réseau de 1100 bureaux établis dans plusieurs pays, reçoit un foule de personnes: des gens lourdement endettés qui ne voient plus la lumière au bout du tunnel.

De l'argent — et des gens — de plastique

Marielle Oetjen, du CCCS de Colorado Springs, raconte: «Lorsque des gens arrivent ici, nous commençons par couper leurs cartes de crédit. La disponibilité et la facilité du crédit leur font oublier qu'il s'agit d'argent véritable[1].»

Marielle Oetjen prend une grande boîte sur une étagère et en déverse le contenu sur le plancher: des centaines, peut-être des milliers de cartes de crédit découpées. L'Américain moyen en possède maintenant au moins cinq, ce qui totalise plus d'un milliard de cartes à l'échelle du pays. Plus vous en avez, plus on vous en offrira. Le fils de Thomas Naylor s'en est fait offrir une, et il n'a que douze ans! Ce genre d'offres remplit sans cesse les boîtes aux lettres américaines, chacune proposant ses propres primes: programmes pour grands voyageurs, taux d'intérêt initial réduit, paiement minimum inférieur. Selon le *Livre des records Guinness*, il existe un Américain qui possède le chiffre monstrueux de 1262 cartes de crédit, un exploit discutable[2].

«Les compagnies de cartes de crédit utilisent toute une série de stratagèmes pour encourager leurs clients, mais aussi les obliger à s'endetter le plus possible», affirme Marielle Oetjen. C'est ainsi que les sociétés émettrices (des banques) font de l'argent. Supposons que vous dépensez 2000 $ avec une carte de crédit ordinaire (à 18 % d'intérêt), et que vous réglez ce montant en effectuant des paiements minimums. Cela vous prendra 11 ans et vous finirez par payer le double du prix initial — à condition de ne rien acheter de plus avec la carte.

«Les compagnies de cartes de crédit vendent la satisfaction instantanée, souligne Marielle Oetjen. Achetez maintenant, sans vous inquiéter. Réglez au moyen de faibles montants mensuels. Prenez votre temps. Vous pouvez y arriver. C'est cette éthique qu'on encourage. C'est dans ce piège que se sont fait prendre la plupart des gens qui viennent ici.»

En fait, moins du tiers des Américains évitent de payer de l'intérêt en réglant leur solde de carte de crédit à chaque mois. Au cours de l'année 2000, la famille américaine moyenne traînait une dette de carte de crédit de 7564 $. Chez les étudiants universitaires, la moyenne est de 2500 $. La dette américaine de cartes de crédit a triplé au cours des années 1990[3].

La situation était bien pire pour Cindy et Keaton Adams, un jeune et joli couple avec deux enfants. Ils sont, à maints égards, les clients types du CCCS, auquel ils ont eu recours lorsqu'ils se sont retrouvés endettés de 20 000 $, incapables de s'acquitter de leurs versements de cartes de crédit. «Au départ, on croyait pouvoir financer le monde entier, dit Keaton. Et on a essayé, mais ça n'a pas marché[4].»

Ça ne marche presque jamais.

Tout a commencé lorsque Keaton a obtenu une carte de crédit du grand magasin Mervyn, à l'âge de 18 ans. «Avec ça, dit-il, je suis arrivé à obtenir une carte VISA, Cindy a eu sa carte VISA et on a fini par avoir un tas de cartes VISA.» Ils se sont mis à beaucoup acheter, toujours à crédit. En plus des cartes de crédit, ils ont trouvé moyen d'obtenir un financement pour des voitures neuves. «Mais ce n'était pas seulement "Trouvons une jolie auto à 8000 $", avoue Cindy.

C'était "Essayons de financer une voiture de 18 000 $. La plus jolie qu'on puisse trouver."»

Ils ont fini par s'endetter de plus en plus, jusqu'à ce qu'une perceptrice leur demande: «Pourquoi ne payez-vous pas vos factures?» Keaton dit que ça l'a fait réfléchir. Lorsque la perceptrice leur a proposé de consulter le CCCS, il a suivi son conseil. Même s'ils ont touvé pénible de voir détruire leurs cartes de crédit, Keaton et Cindy sont contents que quelqu'un l'ait fait.

L'Amérique, une prison de débiteurs?

La situation à laquelle fait face la famille Adams n'est pas du tout rare de nos jours. Selon le *Los Angeles Times*, les Américains «traînent à bout de bras des dettes record accumulées dans une frénésie de dépenses alimentée par le boom économique[5]». D'après les statistiques, il y a aujourd'hui plus de faillites que lors de la crise de 1929.

La montée de l'endettement, dit un économiste, est le côté peu reluisant de l'économie américaine. La fièvre du shopping a engendré cet autre symptôme de la rage de consommer: une épidémie de faillites. Six millions d'Américains sont aussi près de la faillite que la famille Adams. Chaque année, depuis 1996, plus d'un million de gens (il n'y en avait que 313 000 en 1980, soit un Américain sur 70) déclarent faillite — un nombre qui dépasse celui des diplômés universitaires. En moyenne, la dette de ces gens en faillite équivaut à 22 mois de salaire[6]. Pour réagir à cette situation, les institutions prêteuses ont réussi, en faisant pression sur le Congrès, à rendre plus difficile la déclaration de faillite, tout en continuant à acculer leurs clients à la ruine financière.

En 1980, la dette moyenne de la famille américaine s'élevait à 65 % du revenu disponible. Aujourd'hui, les deux chiffres sont presque équivalents. «Les familles s'endettent plus que jamais: ces derniers temps, pour la première fois de l'histoire, leur endettement total a dépassé leur revenu total après impôt», écrit Leslie Earnest, reporter au *Los Angeles Times*. «On appréhende avec crainte ce qu'il adviendra de bien des familles endettées lorsque l'économie vacillera et que les emplois disparaîtront — un scénario qui augmenterait certainement le nombre de faillites et de saisies[7].»

Selon un sondage national mené par le *Los Angeles Times* en mai 2000, 84 % des Américains croyaient que l'économie allait bien, mais quatre sur dix déclaraient avoir «un peu ou beaucoup de difficulté» à payer leurs factures. Et ce, en période *favorable*. Elizabeth Warren, coauteur de *The Fragile Middle Class*, avertit qu'«à la prochaine contraction de l'économie [...] le nombre de faillites va exploser[8]».

À peine un sou d'économies

Ironiquement, dans l'Amérique contemporaine, plus les revenus s'élèvent à tous les paliers, moins on économise. Ce devrait être l'inverse. Avec des chèques de paie plus considérables, on devrait déposer davantage dans les comptes d'épargne. Ce n'est pas le cas. Lorsque le film *Affluenza* a été produit, les Américains n'épargnaient que 4 % de leurs revenus, soit deux fois moins, proportionnellement, que les Allemands et quatre fois moins que les Japonais. À l'époque, cela semblait de fort mauvais augure, puisque, encore en 1980, le taux d'épargne avoisinait les 10 %. Mais aujourd'hui, notre taux d'épargne national se rapproche du zéro et, certains mois, descend sous cette limite[9]. Pendant ce temps, les travailleurs chinois, indiens et pakistanais, appauvris, épargnent le quart de leurs revenus.

La publicité utilise souvent l'hyperbole pour toucher les cordes sensibles du public. Prenez, par exemple, la quatrième de couverture d'un récent numéro du magazine *USA Weekend*. Une jolie femme, appelée «Veronica Lynn, Beverly Hills, Floride, fumeuse de Doral», sourit sur la moitié de la page, tout en déclarant, sur l'autre moitié: «Elle dure plus longtemps que mon chèque de paie[10].» «Elle», en l'occurrence, c'est la cigarette Doral, le produit annoncé. Le message sous-jacent manque de subtilité : les chèques de paie ne durent pas longtemps dans l'Amérique contemporaine.

Les États-Unis d'Amérique. Le pays des chèques de paie de cinq minutes. Mais pourquoi s'inquiéter ? Allumez-vous une cigarette. Si vous avez déjà la rage de consommer, quelle différence peut faire un petit cancer ?

Les baby-boomers feront-ils faillite ?

L'économiste Juliet Schor, de Harvard, souligne que la plupart des Américains vivent sans coussin financier adéquat. « Soixante pour cent des familles, écrit-elle, ont des réserves financières si basses qu'elles ne peuvent maintenir leur style de vie qu'un mois en cas de perte d'emploi. Les plus riches parmi les autres ne pourront tenir le coup qu'environ trois mois et demi[11]. »

Certains économistes prétendent qu'il n'y a pas lieu de s'alarmer. Ils soulignent que la moitié des Américains possèdent maintenant des actions (mais pas beaucoup dans la plupart des cas), qu'ils pourraient vendre au besoin. En période de croissance boursière, beaucoup de baby-boomers à l'aise ne voient pas la nécessité d'économiser. Ils comptent sur les profits de la vente de leurs actions pour financer leur retraite dans quelques années. Un pari risqué, affirme Tip Parker, consultant en économie et auteur de *What If Boomers Can't Retire ?* La montée du prix des actions dépend de la capacité des baby-boomers à les vendre à la prochaine génération de travailleurs qui, espèrent-ils, paieront le gros prix.

C'est là que le scénario présente des failles, affirme Parker. À l'avenir, comme il y aura moins de travailleurs pour acheter des actions, les retraités devront s'en défaire à plus bas prix. De plus, comme on l'a trop bien vu lors du krach de 1929, le cours de la bourse peut s'effondrer tout comme il peut grimper, et nombre d'actions, déjà surévaluées, ne s'appuient pas sur des bénéfices réels.

Selon d'autres analystes, l'épidémie de faillites actuelle s'est surtout déclarée chez des Américains à faibles revenus, incapables de

s'adapter à l'inflation en période de stratification financière croissante. Pourtant, récemment, même des millionnaires de Microsoft
ont rejoint leurs rangs. Certains avaient utilisé leurs actions — dont
la valeur ne cessait de monter — pour garantir des prêts afin de
financer des vacances ou des maisons onéreuses. «Je peux appeler
Solomon, Smith, Barney n'importe quand pour leur demander
10 000 $», affirmait l'une d'entre eux. Mais lorsque la valeur de ses
actions commença à dégringoler, Solomon, Smith et Barney l'appe-
lèrent... pour demander à être remboursés. Ses dettes dépassaient
la valeur de ses actions.

Alors, pourquoi dépense-t-on davantage?...

CHAPITRE 3

L'enflure des attentes

Fouillez dans votre mémoire. Jusqu'au fond. Si vous avez notre âge, vos souvenirs vous ramènent aux années 1950, peut-être avant. La Deuxième Guerre mondiale et la Grande Dépression étaient finies, l'Amérique était en marche. Des pavillons de banlieue se construisaient partout. De nouvelles voitures sortaient des chaînes de montage pour rouler sur des chaussées neuves. On inaugurait le système autoroutier national, qui devait bientôt s'étendre d'un océan à l'autre. Dans chaque four chauffait un plateau télé (l'invention date de 1953).

« La belle vie, hein, Bob ? » s'exclamait un homme dans une publicité des années 1950, alors qu'un jeune couple assis sur un sofa regardait docilement la télé avec son fils. « Et demain, ce sera encore mieux, pour toi et pour tout le monde. » Bien sûr, la vie n'était pas aussi belle pour les millions de pauvres et d'exclus. Même l'Amérique de la classe moyenne n'était pas à l'abri des soucis. Le 4 octobre 1957, jour du lancement de la sitcom *Leave It To Beaver* à la télévision américaine, ces satanés Russes envoyaient leur Spoutnik dans l'espace. Nikita Khrouchtchev promettait de nous enterrer « dans le cimetière de la concurrence économique ». On connaît la suite.

Mais l'année 1957 est digne de mémoire pour une autre raison, moins souvent évoquée. Cette année-là, le pourcentage d'Américains s'estimant « très heureux » a atteint un sommet qui est resté inégalé par la suite[1]. L'année suivante, celle où les Américains ont acheté 200 millions de *hula hoops*, l'économiste John Kenneth Galbraith a publié un livre déterminant où il surnommait les États-Unis « la société d'abondance » (*The Affluent Society*).

À l'époque, les Américains *se sentaient* plus riches que maintenant. La plupart des Américains ne se sentent pas riches aujourd'hui, note le psychologue Paul Wachtel, « même si le produit national brut est au moins deux fois plus élevé que celui de l'époque. Tout le monde a chez soi deux fois plus d'objets qu'avant. Mais le sentiment de richesse, de bien-être, n'est pas plus fort, et il est peut-être même plus faible[2]. »

Les économistes libéraux prétendent que, depuis 1973 environ, le salaire réel des Américains de la classe moyenne n'a pas vraiment augmenté et qu'il a même diminué pour bien des travailleurs. De jeunes couples disent ne pas pouvoir se permettre les mêmes dépenses que leurs parents. Les économistes conservateurs, au contraire, prétendent que le gouvernement fédéral a surévalué le taux d'inflation et qu'en fait les salaires ont augmenté considérablement. Mais une chose est incontestable : *nous avons beaucoup plus d'objets et d'attentes matérielles que les générations précédentes.*

« Châteaux pour débutants »

Prenez le logement, par exemple. La taille moyenne des maisons neuves a plus que doublé depuis les années 1950, tandis que les familles ont rétréci. LaNita Wacker, propriétaire de Dream House Realty, à Seattle, vend des maisons depuis plus d'un quart de siècle. Pour nous expliquer ce qui s'est passé, elle nous emmène faire une balade en voiture dans les quartiers voisins de son bureau.

Elle nous montre des maisons qui datent de chaque décennie depuis la Deuxième Guerre mondiale, en décrivant l'augmentation graduelle de leur taille. Au lendemain de la guerre, souligne-t-elle, la norme était de 70 m² (à Levittown, par exemple). «Puis, dans les années 1950, on a ajouté 20 m² et la norme est passée à 90 m².» À l'aube des années 1960, la surface typique était de 100 m² et, à la veille des années 1970, de 125 m². À présent, elle atteint 215 m².

LaNita Wacker a commencé à vendre des maisons en 1972, «juste au moment où l'on est passé de la salle de bain unique aux deux salles de bains[3]». Les deux garages sont arrivés eux aussi et, dès la fin des années 1980, beaucoup de nouvelles maisons étaient assorties de garages à trois places. Cela représente de 55 à 85 m² uniquement en espace de garage, «soit la superficie qu'utilisait une famille entière au début des années 1950, note LaNita Wacker. On pourrait y loger toute une famille. Mais nous avons acquis bien des choses qu'il faut pouvoir ranger.»

Pour bien se faire comprendre, LaNita Wacker nous amène devant une immense maison flanquée d'un garage à quatre places. Des voitures luxueuses et un bateau sont stationnés à l'extérieur. Le propriétaire sort en se demandant ce qui peut bien susciter l'intérêt de LaNita envers sa propriété. «Je suis propriétaire de Dream House Realty, dit-elle. Et vous possédez une maison de rêve.» «Elle a été construite selon les spécifications de ma charmante épouse», répond l'homme en riant. «Et pourquoi quatre garages?» demande LaNita. «Probablement pour le rangement», répond l'homme, expliquant que les garages sont remplis d'objets de famille. «Comme on n'a jamais assez d'espace de rangement, on n'a jamais assez de garages», ajoute-t-il d'un ton joyeux. LaNita lui demande s'il a des enfants. «Ils sont partis, répond-il. Il ne reste que ma femme et moi.»

Le garage de quatre places est sans aucun doute une exception. Mais tout le monde s'attend maintenant à avoir des maisons plus grandes. «Dans les années 1950, une chambre principale mesurait environ 12 m², explique LaNita Wacker. Maintenant, même dans des maisons à prix modéré, on parle du double, au moins.»

Au cours des dernières années, plus que jamais, les maisons sont devenues un symbole de consommation ostentatoire, car les bénéficiaires de la récente flambée boursière et du boom économique se sont mis à acheter des biens immobiliers un peu partout, à raser au bulldozer des maisons existantes (et parfaitement fonctionnelles) pour les remplacer par des mégamaisons de 900 m² et plus. Des «châteaux pour débutants» (*starter castles*), comme certains les ont appelées. D'autres les surnomment «maisons monstres».

Dans les «rues de rêve» de l'Amérique, la concurrence est féroce. McDomiciles... McDomiciles de luxe tout garnis... Trios avec garage... Toujours un peu plus gros et plus clinquants, poussant comme des champignons dans la frénésie des guerres immobilières. Dans certains endroits, comme les spectaculaires villes des montagnes Rocheuses, ces mégamaisons sont souvent des résidences secondaires, ne servant qu'aux vacances des nouveaux riches.

Mieux qu'une voiture avec des ailerons

Le même scénario se répète avec les automobiles. Vers 1957, alors que la trouvaille de Ford s'appelait Edsel, les voitures étaient longues et chromées, avec des ailerons, mais on était loin des machines sophistiquées d'aujourd'hui. Une publicité de Ford de 1960 montre des foules en admiration devant les nouvelles Fairlane, Thunderbird et Falcon, qui scintillent comme si elles avaient été touchées par la fée Clochette. L'annonce proclame «le monde nouveau et merveilleux de Ford». Mais dans ce merveilleux nouveau monde, une grande part des gadgets dont on ne saurait aujourd'hui se passer n'étaient même pas disponibles dans les modèles de luxe.

En 1960, par exemple, moins de 5 % des voitures neuves étaient équipées d'un climatiseur. Aujourd'hui, c'est le cas de 90 %. Selon Mike Sillivan, qui vend depuis longtemps des Toyota à Seattle, «de nos jours, les gens ont des attentes beaucoup plus élevées. Ils veulent des équipements standard : servodirection, servofreins, stéréo haut de gamme[4]. » La voiture d'aujourd'hui n'a rien à voir avec celle de la génération précédente. Elle est remplie de technologie informatique. Et, après le hiatus de dix ans qui a suivi la « crise énergétique » du milieu des années 1970, les grosses cylindrées sont de retour.

Jusqu'à sa récente augmentation, le coût de l'essence était à son niveau le plus bas de l'histoire, en dollars réels. Nous avons cessé de nous soucier d'économiser le carburant lorsque nous nous sommes mis à acheter des véhicules à quatre roues motrices appelées « véhicules utilitaires sport », ou VUS. À la fin des années 1990, la moitié de toutes les voitures neuves étaient des VUS et des camionnettes, exemptés des normes fédérales d'économie de carburant. Spacieux, confortables et coûteux, les VUS sont de plus en plus gros.

La guerre des bagnoles

Jusqu'à récemment, le Chevrolet Suburban détenait le record du gigantisme avec ses six mètres. Mais, pour ne pas être en reste, Ford a lancé l'Excursion, un titan de plus de trois tonnes métriques qui dépasse le Suburban de 30 cm. William Ford, le président de la compagnie, s'est même excusé de produire autant de VUS, surnommant son Excursion « le Ford Valdez » à cause de sa consommation du carburant. Il a condamné les VUS pour le gaspillage et la pollution qu'ils entraînent, tout en assurant que Ford continuerait à en fabriquer, car ils sont extrêmement rentables.

« Pour beaucoup de gens, un VUS est un symbole de prestige, dit le vendeur de voitures Mike Sillivan. Alors, ils sont prêts à payer 30 000 ou 40 000 $ pour en conduire un. »

Comme elle ne s'avoue jamais vaincue, General Motors est revenue à la charge avec le Hummer, une version luxueuse du véhicule de transport militaire utilisé lors de la guerre du Golfe. GM « mise beaucoup sur la tendance de la décennie aux VUS plus gros et d'allure plus agressive», écrit le *New York Times*[5]. «On dirait un char d'assaut dernier cri», s'exclame un adolescent cité par le *Times*, qui dit adorer le Hummer parce que «j'aime baisser les yeux vers une autre voiture et envoyer ce sourire entendu qui dit "Je suis plus gros que toi". Ça me donne un sentiment de puissance.» Trente centimètres plus large que l'Excursion, le Hummer se vend 93 000 $. GM prédit que ces mastodontes seront surtout appréciés à Manhattan, ce qui tombe plutôt bien, car il faut monter en haut de l'Empire State Building pour baisser les yeux sur l'un d'entre eux. Et maintenant, quelle sera la riposte de Ford — un VUS encore plus gros appelé l'Extinction?

Tourisme en apesanteur

Des Hummer dans les rues de Manhattan... On dirait la revanche de Saddam! Mais ce n'est rien si on les compare à une autre façon de dépenser près de 100 000 $. En allant sur spacevoyages.com, vous découvrirez le summum de l'exagération. Pour seulement 98 000 $, dont un versement initial de 6000 $, vous, cher lecteur, pouvez devenir astronaute. D'ici 2005, vous pourrez effectuer un périple de deux heures en fusée et passer environ cinq minutes en apesanteur dans l'espace. De plus, vous obtiendrez un «certificat de vol sous-orbital, original et exclusif, de Space Adventures», une combinaison d'entraînement de vol, des galons d'astronaute, un médaillon, un sac de voyage, des photos et une carte de membre à vie du Space Adventurers Club. Tout cela pour moins de 100 000 $. Si l'aventure vous tente, vous feriez bien de vous mettre tout de suite un thermomètre dans la bouche. Dix... neuf... huit...

Au resto

Prenez la nourriture. Les années 1950 nous ont donné les plateaux télé. Dinde, petits pois et purée de pommes de terre sur un plateau jetable, pour 69 cents, merci Swanson's. Enfants, nous les trouvions délectables. Notre menu habituel était assez fade. L'exotisme, c'était des pâtés impériaux ramollis, des nouilles frites et du chop suey. Le menu mexicain offrait des tacos et des tamales (comment pouvions-nous supporter l'absence de chimichangas et de chalupas ?). Le mot « thaïlandais » ne faisait même pas partie de notre vocabulaire. À présent, les rues de nos villes et les centres commerciaux de nos banlieues ressemblent à une Organisation des Nations Unies de restaurants. On se souvient d'avoir attendu la saison de certains fruits et légumes. Maintenant, il n'y a plus de saison : tout est toujours disponible. Après tout, lorsque c'est l'hiver aux États-Unis, c'est l'été en Nouvelle-Zélande. Et pourtant, nous nous sentons souvent en manque. Les fraises perdent leur saveur lorsqu'on peut en avoir tout le temps. L'exotisme devient vite banal et ennuyeux, et il faut des menus toujours plus neufs et plus chers.

Et le café. Jusqu'à récemment, c'était pour les Américains une sorte d'eau brunâtre rendue potable par des masses de sucre. Maintenant, les cafés spécialisés pullulent. Scott Simon, animateur à la chaîne radiophonique NPR, n'en revenait pas lorsqu'il s'est arrêté dans une station service dans une région rurale de l'État de Washington, il y a quelques années. Dans le mini-marché de la station se trouvait un kiosque à espresso avec tellement de variétés de café qu'il aurait eu besoin d'un dictionnaire italien pour les iden-tifier. Ce n'était pas nécessaire. Le jeune préposé derrière le comp-toir les connaissait toutes.

Pour manger au restaurant, il fallait jadis une occasion spéciale. Maintenant, les Américains dépensent davantage en repas au restau-rant qu'en nourriture qu'ils préparent eux-mêmes. Gonflement des attentes. Gonflement des estomacs, aussi, mais c'est un autre symptôme.

L'invention est mère de la nécessité

Considérez aussi les produits qui passaient encore pour du luxe en 1970, mais qui se retrouvent aujourd'hui dans plus de la moitié des foyers des États-Unis et que la majorité des Américains trouvent indispensables : lave-vaisselle, sèche-linge, chauffage central et climatisation, télé couleur et câble[6]. En 1970, il n'y avait ni micro-ondes, ni magnétoscopes, ni lecteurs de CD, ni téléphones portables, ni télécopieurs, ni souffleuses à feuilles, ni Pokemon, ni ordinateurs personnels. Maintenant, plus de la moitié d'entre nous tenons tous ces biens pour acquis et, sans eux, nous serions en manque. Bon, d'accord, vous ne vous sentirez pas en manque sans Pokemon.

Il semble toujours y avoir un meilleur modèle que celui qu'on vient d'acquérir. Décrivant le nouvel iPaq 3600 Pocket PC de Compaq, Paul Andrews, reporter en charge des technologies au *Seattle Times*, prévient que le iPaq, avec «son boîtier de Porsche et son spectaculaire écran couleur», coûte 500 $ de plus qu'un Palm ordinaire. «Mais sans l'écran couleur, la musique et les photos du iPaq, gémit-il, la vie paraît plutôt terne[7].»

Prenez enfin les voyages. On parcourt deux fois plus de distance en voiture par habitant qu'il y a un demi-siècle, et, tenez-vous bien, 25 fois plus de distance en avion[8]. À l'époque, les Américains de classe moyenne s'aventuraient rarement à plus de quelques centaines de kilomètres de chez eux, même pendant leurs deux semaines de vacances estivales. Maintenant, ils sont nombreux (et pas seulement les riches) à trouver normal de passer de longs weekends à Puerto Vallarta ou (dans le cas des New-Yorkais) à Paris. Partout, d'humbles motels ont été remplacés par des auberges élégantes, de modestes lieux de villégiature par des Club Med. Maintenant, «j'ai besoin de vacances» veut dire «j'ai besoin de changer de continent pour quelques jours».

Les voisins changent, eux aussi

«L'avidité a infecté notre société. C'est la pire des infections», dit le véritable Patch Adams, médecin personnifié par Robin Williams dans un film populaire de Hollywood[9]. Il a raison, mais seulement dans une certaine mesure. C'est peut-être la peur plutôt que la cupidité qui fait gonfler nos attentes. La peur de ne pas réussir aux yeux des autres. Dans une annonce de magazine des années 1950, on encourageait le consommateur à «rivaliser avec les voisins» en conduisant la même voiture qu'eux: une Chevrolet. Une berline, d'ailleurs, pas même une Corvette. C'était le modèle le moins cher, à l'époque.

Mais les voisins mythiques ne conduisent plus de Chevrolet. Et ce ne sont plus vos voisins immédiats, non plus, c'est-à-dire des gens qui font grosso modo la même chose que vous. L'économiste Juliet Schor, qui a étudié les habitudes de consommation dans une grande entreprise, a découvert que la plupart des Américains se comparent maintenant à des collègues ou à des personnages de la télévision lorsqu'ils essaient de cerner leurs «besoins».

Depuis quelques années, les entreprises sont de plus en plus stratifiées sur le plan économique. On est souvent en contact avec des collègues beaucoup mieux payés que soi. Leurs voitures, leurs vêtements et leurs projets de voyage reflètent l'augmentation de leurs revenus, tout en fixant des normes pour tout le personnel de la firme.

De même, dit Juliet Schor, «la télé montre un standard de vie très gonflé par rapport au véritable standard de vie du public américain. À la télévision, les gens sont généralement de classe moyenne supérieure ou même riches, et les téléspectateurs assidus ont une opinion hautement exagérée de ce que possède l'Américain moyen. Par exemple, ces téléphages surestiment largement le nombre d'Américains qui ont des piscines, des courts de tennis, des domestiques et des avions et, comme leurs propres attentes concernant ce qu'ils devraient avoir se gonflent aussi, ils ont tendance à dépenser davantage et à épargner moins[10].»

Selon Juliet Schor, lorsque l'écart entre les riches et les pauvres s'est creusé, au cours des années 1980, des gens aux revenus relativement élevés ont commencé à se sentir lésés par comparaison avec ceux qui, soudainement, faisaient encore plus d'argent qu'eux. «Ils se sont sentis "pauvres avec 100 000 $ par année", comme le dit une expression bien connue, car ils se comparaient à Donald Trump et aux autres nouveaux riches.» C'est arrivé à tous les paliers de l'échelle salariale, dit Juliet Schor. «Tout le monde s'est senti moins bien nanti par comparaison avec les modèles qui se trouvaient au sommet.» Selon les sondages actuels, les Américains croient avoir besoin de 75 000 $ minimum (pour une famille de quatre) pour mener une vie de classe moyenne.

Moi, j'en ai — tant pis pour toi!

Durant l'après-guerre, les super-riches cherchaient à camoufler leur extrême prodigalité, mais depuis le bal de la première investiture présidentielle de Ronald Reagan, beaucoup ont recommencé à en faire étalage. Comme le souligne l'économiste Robert Frank, on s'est rué sur les sacs à main à 15 000 $, les montres à 10 000 $, et même les jets privés à 65 millions. Vingt millions d'Américains possèdent maintenant des télés grand écran qui coûtent au moins 2000 $ pièce. Certains achètent à leurs enfants des reproductions grandeur nature de Darth Vader (5000 $) et des répliques de Range Rover (18 000 $); ils leur payent des fêtes d'anniversaires à 25 000 $ et des Bar Mitzvahs à un million[11].

Ainsi, à partir des foyers d'infection de la culture populaire et des milieux de travail stratifiés, nos nouveaux «voisins» répandent le virus de la rage de consommer, gonflant nos attentes comme jamais auparavant.

CHAPITRE 4

La congestion chronique

Neuf heures du soir. Karen et Ted Jones, un couple à double revenu dans la quarantaine, examinent des boîtes dans le faisceau tremblotant d'une lampe de poche. Ces boîtes sont rangées depuis quelques mois chez U-Stuff-It, l'entrepôt libre-service du quartier. Lui cherche un rapport manquant dont son patron a besoin pour le lendemain, tandis qu'elle fouille pour trouver un tableau que lui a donné un ami qui va bientôt leur rendre visite.

« J'ai l'impression de cambrioler », dit-elle à voix basse, fouillant dans une boîte de décorations de Noël et d'objets vaguement familiers. « Pourquoi ? demande-t-il. C'est à nous. On a de la chance, c'est tout, de pouvoir se permettre cet espace, non ? » Elle n'est pas tout à fait convaincue. De la chance que leurs objets puissent déborder quelque part, car le garage et le hangar en aluminium sont déjà bourrés à s'en péter les clous et les rivets. Mais de la chance de payer 105 $ par mois pour 10 m² ? De la chance d'avoir autant d'objets ? Elle n'en est pas sûre.

Complètement envahis

Karen et Ted sont loin d'être des cas isolés. Aux États-Unis, plus de 30 000 installations d'entreposage libre-service offrent au moins 100 millions de mètres carrés d'espace pour soulager une légion de clients en train de lancer une entreprise à la maison, de combiner deux résidences, de s'organiser après un déménagement ou tout simplement incapables de s'arrêter d'acheter. Le chiffre d'affaires de cette industrie s'est multiplié par 40 depuis les années 1960, de presque rien à 12 milliards par année, ce qui en fait un secteur plus important que l'industrie américaine de la musique[1].

Nous sommes tous envahis, littéralement! Dans nos foyers, nos milieux de travail et nos rues, la congestion chronique s'est installée au quotidien — un fouillis chaotique qui exige un entretien, un classement, un étalage et une permutation de tous les instants.

Alors, dans quelle boîte se trouve ce foutu rapport?

Quand des maisons deviennent des sites d'enfouissement

Pour Beth Johnson, l'acquisition d'objets dépasse la simple frivolité. Comme au moins deux millions d'Américains qui, de façon compulsive, gardent tout, elle s'est sentie écrasée sous les tas d'objets qui encombraient sa maison et sa vie — des livres aux vêtements, en passant par les vieilles cartes routières et les piles de vieux vinyles. «Les ramasse-tout ont souvent des difficultés relationnelles liées à leur accumulation excessive, bien que la plupart de ces "collectionneurs" soient des gens créatifs et prospères dans leur vie *extérieure*, dit-elle. Ils ont profondément honte de leur incapacité à se défaire de leurs biens matériels[2]». Maintenant en voie de guérison, Beth dirige le Clutter Workshop (l'atelier du fatras) à West Hartford, dans le Connecticut.

Elle a visité des maisons bourrées à craquer, comme des entrepôts, avec d'étroits passages entre les pièces. Pour vaincre de tels blocages, elle favorise un changement de comportement par des défis collectifs comme des brocantes à domicile — on ne peut que vendre, interdit d'acheter! Les membres de l'atelier ont enfin la possibilité d'inviter de leurs semblables chez eux, parfois pour la première fois depuis des années.

Possédons-nous nos objets, ou nos objets nous possèdent-ils? Dans un monde rempli de fatras, nous sommes trop facilement entraînés par ce courant qui nous emporte vers le centre commercial, ou chez le concessionnaire pour acquérir une auto neuve — sans aucun comptant.

L'encombrement de voitures

Comme bien des Américains, Dan Berman, résidant de Denver, pouvait conduire ses deux VUS de taille moyenne jusqu'au pic dentelé de la montagne, comme dans les pubs télévisées, mais pas jusque dans son propre garage. Puisque ses engins ne pouvaient entrer dans le garage en briques bâti 50 ans plus tôt, il l'a démoli et s'en est construit un nouveau, mieux adapté au nouveau millénaire. Certains de ses voisins, dans l'imposant Washington Park, à Denver, ne s'y sont pas encore résignés. En passant devant les vieilles maisons du quartier, on voit des Excursion et des Navigator de 40 000 $ se morfondre le long du trottoir, désespérément en manque d'exercice. Car dans une zone métropolitaine aussi paralysée par la circulation que Denver, ces véhicules ne sont pas susceptibles d'en faire beaucoup.

Les Américains ont franchi une nouvelle étape. Le pays renferme maintenant plus de voitures (203 millions) que de conducteurs. Ce constat surprenant s'accompagne d'une vitesse sur autoroute de 32 km/h ou moins à l'heure de pointe, entraînant un gaspillage de 60 milliards de dollars par année en temps et en carburant. Coincé dans un bouchon, David Wann imaginait que toutes les voitures disparaissaient de l'autoroute, ne laissant que des gens debout sur la chaussée. La voie ne paraîtrait pas si embouteillée alors: ce ne serait qu'une foule se rendant à pied au travail, ou prenant part à… une parade!

Que s'est-il passé ? Jadis, l'Amérique, c'était l'endroit où le livreur de pizza et le chauffeur d'ambulance pouvaient arriver à destination avant qu'il ne soit trop tard. Dans ce *meilleur des mondes* encombré, l'un et l'autre sont coincés dans la circulation. (Dans les années 2000, par principe, le plus court chemin entre deux points est toujours en construction.) Dans une nouvelle, un écrivain sud-américain imagine le scénario suivant : pris dans un bouchon inextricable, les conducteurs abandonnent leurs véhicules et vont faire provision de nourriture dans les villages voisins. Ils finissent par cultiver de quoi se nourrir au bord de la route. Un bébé est conçu et naît avant que les voitures ne recommencent à avancer. Même si la congestion n'a pas encore tout à fait atteint ce stade aux États-Unis (ni en Amérique du Sud), ce ne serait pas une mauvaise idée de mettre quelques sachets de graines dans la boîte à gants, juste au cas où.

Métrofolles

Le modèle de toutes les congestions se trouve à Los Angeles, là où l'autoroute I-5 croise la I-10, la 60 et la 101. Plus d'un demi-million de véhicules encombrent quotidiennement ce tronçon, et ce n'est pas beau à voir. Les résidants de Los Angeles passent 82 heures par année coincés dans le trafic, contre une moyenne nationale de 34 heures pour les conducteurs urbains. À cause de la congestion, les automobilistes de L.A. gaspillent également 480 l d'essence par année par habitant[3], et sont obligés de respirer une quantité d'air infime tout en écoutant le baratin des bulletins de circulation. Le *Big Dig* de Boston, destiné à enfouir l'artère centrale de la ville, comme une sorte de métro pour voitures, va siphonner les dollars des contribuables durant encore 50 ans. Sa facture de 14 milliards (jusqu'ici) équivaut à plus de 30 fois l'estimation de 1975.

Les bouchons de circulation concernent tout le monde, mais certains ingénieurs du trafic routier croient posséder à eux seuls la clé qui permettra d'en sortir. Au lieu de réorganiser les communautés afin de réduire les déplacements, ils restent de fervents partisans de la route. Ayant déjà pavé plus des deux tiers de Los Angeles, ils s'attaquent maintenant à St. Louis, Tucson et Colorado Springs. Cependant, des études récentes du Texas Transportation Institute, entre autres, démontrent que la cause majeure de la congestion n'est ni le manque de routes ni la croissance démographique, mais une augmentation de la conduite allant jusqu'à 65 %, largement causée par l'étalement urbain. Les chercheurs ont conclu que *chaque augmentation de 10 % du réseau autoroutier augmente de 5,3 % la congestion.* Comme un médicament aux effets secondaires redoutables, la construction de nouvelles routes pourrait bien aggraver la situation.

Comme les autoroutes sont toutes congestionnées, les conducteurs se rabattent sur les quartiers résidentiels, coupant par les ruelles et les terrains vagues, comme le personnage de Steve Martin dans le film *L.A. Story*. Les ingénieurs en mécanique croient avoir trouvé une solution plus pratique, plus high-tech : des voitures intelligentes et des autoroutes intelligentes. L'un d'eux propose des autoroutes automatisées sur lesquelles pourraient circuler des véhicules informatisés, équipés de capteurs spécialisés et de systèmes de communication sans fil. « Une fois passé en mode automatisé, le conducteur pourrait relaxer jusqu'à la sortie. À ce moment, le système pourrait vérifier si le conducteur peut retrouver la maîtrise de son véhicule, et prendre les mesures nécessaires si le conducteur est endormi, malade ou même décédé[4]. » Il est réconfortant de savoir qu'on pourra atteindre sa destination, même mort à l'arrivée. Mais est-ce que ça ne ressemble pas un peu à une caricature de voiture ? D'une certaine façon, c'est un transport en commun, sauf que les autoroutes intelligentes seraient, à l'américaine, un transport en commun *individuel*, engendrant une forte consommation individuelle et des coûts élevés de construction et d'entretien.

La guerre des bagages à l'aéroport

Si les foyers américains encombrés d'objets sont l'équivalent métaphorique de la congestion pulmonaire, et le trafic routier celui des artères bouchées, les avions pourraient bien devenir les (gros) porteurs de la rage de consommer.

À l'aéroport, lorsque notre vol retardé est enfin prêt à partir, nous supplions le préposé de nous laisser emporter un bagage de plus, mais il nous rappelle d'un air sévère les directives destinées à protéger les passagers. La guerre des bagages bat son plein. Les compagnies aériennes ont décidé qu'on s'envolerait, même si l'avion est bondé et les sachets d'arachides minuscules. Leur stratégie, c'est «plus de gens, moins de bagages»: entasser les passagers avec le moins possible de bagages à main. Les passagers, eux, songent à autre chose: garder leurs affaires avec eux, afin de ne pas devoir les attendre au carrousel des bagages, et avoir toujours accès à leurs ordinateurs portables, à leur maquillage et à leurs rations de survie

On peut mesurer l'ampleur de la folie de la guerre des bagages à l'atterrissage, lorsque le commandant de bord annonce qu'il est temps de détacher sa ceinture de sécurité, de bondir de son siège, de se cogner la tête au porte-bagages et de se démener pour sortir ses affaires!

Le ciel nous tombe vraiment sur la tête

Dans le film *Les dieux sont tombés sur la tête*, une bouteille de Coca-Cola tombée du ciel, dans le désert africain du Kalahari, bouleverse la structure sociale d'une paisible tribu de Boschimans étrangers aux artefacts de la culture occidentale. À Southgate, en Californie, la roue du train d'atterrissage d'un avion est récemment tombée devant un marché, manquant de près une femme qui allait à l'église. Ne regardez pas le ciel, il est vraiment en train de nous tomber sur la tête!

Même l'espace est bourré à craquer. Plus de trois millions de kilos de pièces de vaisseaux spatiaux gravitent autour de la planète à

35 000 km/h. À cette vitesse, un débris spatial de la taille d'une petite bille a autant d'énergie cinétique qu'un rocher de 180 kg tombant d'une trentaine de mètres. Les futurs astronautes devront passer une grande partie de leur temps à éviter les dangereux projectiles du fatras de l'espace.

Pendant ce temps, sur la Terre, des collectionneurs comme Jim Bernath, de la Colombie-Britannique, attendent impatiemment la chute d'autres débris spatiaux, pour les ajouter à leur collection. Jim Bernath possède déjà des fragments de comètes et des morceaux du «bras canadien», un appareil conçu pour récupérer les satellites. Il espère surtout qu'un morceau de la station spatiale désaffectée MIR tombera quelque part au Canada, peut-être même dans son jardin[5].

Le rêve américain, origine du fatras

Les 102 millions de foyers américains (incluant ceux des auteurs de ce livre) contiennent et consomment actuellement davantage que l'ensemble de tous les autres foyers à travers l'histoire. Derrière des portes closes, on brasse des produits et des divertissements de masse comme si la vie était un concours de consommation. Malgré les signes tangibles d'une indigestion, on continue de consommer, en partie parce qu'on est convaincu que c'est un geste normal. La chroniqueuse Ellen Goodman écrit ceci: «La norme, c'est de porter des vêtements qu'on achète pour aller travailler, de traverser des embouteillages dans une voiture qu'on est encore en train de payer, afin d'obtenir l'emploi dont on a besoin pour pouvoir se payer les vêtements, la voiture et la maison qu'on laisse vide toute la journée pour pouvoir se permettre d'y habiter[6].»

Erich Fromm rappelle le risque que l'on court en se soumettant à la norme: «Que des millions de gens partagent les mêmes formes de pathologie mentale, cela ne les rend pas équilibrés pour autant[7].» Et Jim Hightower définit l'ordre établi comme étant «ce désastre qui nous échoit». Par comparaison avec ce que serait une société équilibrée (enracinée dans les rythmes naturels, la coopération sociale et la confiance), le rêve américain est si anormal qu'il donne du travail à temps plein à des spécialistes du comportement, qui tentent de découvrir ce qu'on peut bien s'imaginer être en train de faire. La Fondation Alfred P. Sloan a récemment assigné 20 millions de dollars à l'examen du mode de vie américain, par l'observation méticuleuse du comportement quotidien de l'*homo sapiens americanus*.

Par exemple, l'anthropologue Jan English-Lueck essaie d'établir des liens entre le comportement des enfants et leur style de vie. «Quand j'examine un bambin de trois ans, son comportement ne semble pas résumer notre culture, dit-elle. Mais quand cet enfant se tourne vers sa petite sœur et lui dit: "Fous-moi la paix, je travaille", c'est digne de mention[8].» L'enfant a-t-il déjà fait le rapport entre les heures passées à travailler et tout ce que ses parents accumulent dans la maison?

À l'Université de l'Arizona, une autre équipe d'anthropologues étudie les ordures de l'Amérique depuis 1973. Les rudologues forent des sites d'enfouissement de Tucson et trient les déchets prélevés dans des porte-avions obsolètes, essayant de comprendre ces artefacts quotidiens. «On peut considérer la composition des ordures modernes comme une trace tangible de la consommation humaine, explique William Rathje, le fondateur du programme. Les générations futures vont s'étonner de ce qui circule dans nos vies. Le contenant d'un repas surgelé qu'on réchauffe et qu'on mange en quelques minutes subsiste pendant des centaines d'années[9].»

Comme dans un film d'épouvante, les objets s'accumulent alors que nous restons là à rêver du living-room parfait, du corps parfait ou de la tondeuse la plus sexy du quartier. Ce genre de rêve exige un flux constant de produits qu'il faut dénicher et engranger. Pendant les prochaines vacances, nous descendrons peut-être les pentes de ski du Colorado, ou nous partirons en randonnée dans le Nord de l'Italie, mais auparavant, nous devons acquérir une liste détaillée d'équipement coûteux. Dans le livre *High Tech - High Touch*, John

Naisbitt et ses coauteurs décrivent certains des articles nécessaires au voyage d'aventure. «De l'équipement de haute technologie est disponible pour tous les besoins imaginables, pour tous les voyages imaginables: des bottes de randonnée numériquement ajustables, des casques protecteurs munis de 27 orifices de ventilation, des systèmes d'hydratation, des purificateurs d'eau portatifs, des cuissards de vélo à siège caoutchouté à l'épreuve des aspersions...»

Une *technohonte*

La plupart d'entre nous soupçonnons à peine l'ampleur de la gamme d'équipement et de vêtements technologiquement corrects. Avez-vous ce qu'il faut? Quelqu'un l'a-t-il? Des amis cyclistes ont récemment invité David Wann à les accompagner en balade. À côté de leur *spandex* luisant, ses shorts kakis coupés détonnaient comme un colley écossais dans une course de lévriers, mais il continuait de pédaler. Il eut encore plus honte le jour où son ordinateur tomba en panne pour de bon, emportant des années de données. Un message créé par un vandale apparut soudainement sur l'écran, l'insultant par son nom. Quelques heures plus tard, un réparateur déclara l'appareil «grillé». Même les disquettes de dépannage qu'il glissa dans la machine furent crachées dans un grognement. L'ordinateur n'avait que quelques années, mais David éprouva la *technohonte* de ne pas l'avoir convenablement protégé contre les virus. Sa pénalité pour ne pas être à la fine pointe? Deux mille dollars comptant pour remplacer le défunt ordinateur désormais inutile.

La voisine de David, une militante octogénaire nommée Ginny Cowles, apprécie la valeur du courriel et de l'Internet, mais ne peut bien lire l'écran que lorsqu'elle incline suffisamment la tête pour se servir de la partie inférieure de ses verres à double foyer. «Je penser qu'il va me falloir une nouvelle paire de lunettes seulement pour être devant l'ordinateur, a-t-elle déclaré récemment d'un ton vexé. Voilà un autre exemple du principe selon lequel il nous faut toujours plus de choses pour utiliser celles qu'on a.»

CHAPITRE 5

Le stress de l'excès

« La rage de consommer est une maladie grave, cela ne fait aucun doute[1] », dit le Dr Richard Swenson de Menomonie, dans le Wisconsin, qui a pratiqué la médecine pendant plusieurs années avant de devenir écrivain et conférencier. Ce barbu de grande taille, profondément religieux, en est venu à croire qu'une large part de la douleur de ses patients avait des racines psychologiques plutôt que physiques. « Et après quatre ou cinq ans, toute l'idée de *flexibilité* a fait surface », dit-il. Il a découvert que trop de ses patients étaient tendus au maximum et même au-delà, sans jeu ni flexibilité dans leur vie pour se reposer, relaxer et réfléchir. Ils présentaient des symptômes de stress aigu.

« Cela pouvait être des symptômes physiques, se rappelle Swenson. Des maux de tête, des douleurs au bas du dos, de l'hyperacidité, des palpitations, des douleurs inexplicables. Ou bien des problèmes émotionnels comme la dépression, l'anxiété, l'insomnie, l'irritabilité, un besoin de crier après leur patron, leurs collègues ou leurs enfants.

Il y avait toutes sortes de symptômes comportementaux comme l'excès de vitesse ou d'alcool, les hurlements ou les injures. J'ai découvert qu'ils n'avaient aucun espace dans leur vie. Je ne pouvais pas radiographier ce phénomène, mais il était là. Et il constituait une source importante de douleur et de dysfonction dans la vie de ces gens. »

La surcharge

Richard Swenson a observé que nombre de ses patients souffraient de ce qu'il appelle maintenant la surcharge de biens, un problème qui vient du fait d'avoir trop de choses. « La surcharge de biens est un trouble qui survient lorsqu'on a tellement de choses qu'on a l'impression d'y consacrer plus de temps qu'aux gens, dit Swenson. Tout ce que je possède me possède. Lorsque les gens sont tristes, qu'est-ce qu'ils font? Ils vont faire des achats au centre commercial et se sentent mieux, mais pour un temps seulement. La consommation a tout d'une dépendance. Elle n'apporte absolument rien. Toutes ces choses n'enlèvent pas le sentiment de vide. Les gens sont juste stressés, épuisés et surmenés, et leurs relations s'effritent. Ils sont entourés de toutes sortes de jouets amusants, mais sans signification. » « Ce qui est tragique, ajoute Richard Swenson, c'est de vouloir quelque chose à tout prix, de l'obtenir et de le trouver vide. Et je crois que c'est ce qui se passe. »

Le manque de temps

Au cours des deux dernières décennies, il s'est produit un changement presque imperceptible dans la façon dont les Américains se saluent. Quand on disait « Comment vas-tu? » aux amis qu'on rencontrait au travail ou dans la rue, ils répondaient « Très bien, et toi? ». Maintenant, la réponse est souvent « Occupé, et toi? » (lorsqu'ils ont le temps d'ajouter « et toi? »). « Moi aussi », avoue-t-on. Autrefois, on parlait de « prendre le temps de sentir les fleurs ». Maintenant, on trouve à peine celui de humer l'odeur du café. « Le rythme de la vie s'est accéléré à un point tel que tout le monde est à bout de souffle, dit Richard Swenson. Regardez tous les pays les plus prospères : ce sont les plus stressés. »

Avez-vous essayé, récemment, de dîner avec des amis ? Il a probablement fallu vous y prendre un mois à l'avance pour réserver vos agendas (même les enfants en ont, maintenant). Demandez à vos collègues ce qu'ils aimeraient le plus avoir dans leurs vies, et ils vous répondront probablement « du temps ». « C'est une question qui déborde les frontières entre les races, les classes et les sexes, dit la romancière afro-américaine Barbara Neely. Tout le monde manque de temps[2]. » Nous ressemblons tous au lièvre à lunettes, dans le film de Disney *Alice au Pays des merveilles*, qui regarde sans cesse sa montre en murmurant : « Pas le temps de dire bonjour, salut, je suis en retard ! Je suis en retard ! Je suis en retard ! »

Au début des années 1990, les spécialistes des tendances nous avertissaient qu'un spectre hantait l'Amérique : la pénurie de temps. Les publicitaires prédisaient que « le temps serait le luxe des années 1990 ». À la télévision, une habile série de publicités pour US West montrait des citoyens pressés essayant d'« acheter du temps* » à une banque appelée « Time R Us ». Un magasin offrait à ses clients « le plus grand solde de tout le TEMPS ». Une dame fatiguée demandait où acheter « du temps de qualité ». « Maintenant, vous POUVEZ acheter du temps », promettaient les annonces. « Du temps de travail supplémentaire grâce au service de téléphonie sans fil de US West[3]. »

Du temps de travail supplémentaire. Hum !

Et pourtant, c'était censé être le contraire : les progrès technologiques, l'automatisation, la cybernation devaient nous procurer plus de temps de loisir et *moins* de temps de travail. Rappelez-vous : tous ces futuristes prédisaient qu'avant la fin du xxe siècle nous aurions tellement de temps de loisir que nous ne saurions qu'en faire. En

---

* En anglais, *to buy time* signifie « gagner du temps » (NDT).

1965, un sous-comité du Sénat américain a entendu un expert qui estimait qu'en l'an 2000 la semaine de travail durerait de 14 à 24 heures[4].

Nous avons la technologie, mais nous manquons de temps. Nous avons des ordinateurs, des télécopieurs, des téléphones portables, le courrier électronique, des robots, le courrier express, des autoroutes, des avions à réaction, des micro-ondes, du fast-food, le développement d'images en une heure, des appareils photos numériques, des Pop Tarts, des gaufres congelées, des trucs et des machins instantanés. Mais nous avons *moins* de temps libre qu'il y a 30 ans. Et que dire des téléphones mobiles : non seulement vous offrent-ils «plus de temps de travail» au volant, mais ils vous rendent aussi susceptible de provoquer un accident qu'une personne en état d'ébriété. Le progrès? On pourrait parler de toutes ces souffleuses à feuilles...

La société des loisirs épuisée

Nous aurions dû écouter Staffan Linder. En 1970, cet économiste suédois affirmait que toutes ces prédictions à propos du temps libre n'étaient qu'un mythe et que nous allions bientôt devenir une «société des loisirs épuisée», en manque de temps. «La croissance économique, écrivait-il, entraîne une augmentation générale de la rareté du temps[5].» Il poursuivait ainsi : «À mesure qu'augmente le volume des biens de consommation, les exigences relatives à leur soin et à leur entretien ont également tendance à augmenter : nous achetons des maisons plus grandes à nettoyer, une auto à laver, un bateau à entreposer pour l'hiver, un téléviseur à faire réparer, et nous devons prendre d'autres décisions relatives à nos dépenses[6].»

C'est aussi simple que cela : la prédisposition accrue à la rage de consommer augmente les maux de tête dus à la pression du temps.

Même le shopping, soulignait Linder «est une activité qui exige beaucoup de temps». En effet, les Américains passent en moyenne près de sept fois plus de temps à magasiner qu'à jouer avec leurs enfants. Et le choix ne fait qu'aggraver le problème.

La marque A ou la marque B?

Prenez le supermarché moyen. Il renferme 30 000 articles, un nombre de deux fois et demi supérieur à celui d'il y a 20 ans[7]. Imaginez que vous ayez à choisir entre 100 types de céréales, par exemple. Vous pouvez décider selon le prix, en prenant ce qui est au rabais, selon le goût (le sucre fait vendre) ou selon la valeur nutritive — mais dans ce cas, qu'est-ce qui compte le plus? Les protéines? Le cholestérol? Les calories? Les vitamines ajoutées? Les graisses? Les fibres alimentaires? Vous pouvez aussi céder au harcèlement de votre enfant et acheter des Cocoa Puffs. Vous choisirez peut-être du jus de tomates, croyant en retirer des vitamines, des antioxydants et seulement 50 calories par portion. Mais si vous lisez la quantité de sodium, vous ne pourrez plus vous permettre de sel du reste de la journée sans vous sentir coupable.

Si peu de temps pour autant de choix. Linder l'a prédit en prévenant que, lorsque les choix deviendront déconcertants, «la publicité mettra l'accent sur un succédané d'information» pour «fidéliser à une marque les gens qui ne peuvent absolument pas décider comment choisir sur une base objective[8]». Par conséquent, si vous êtes un spécialiste du marketing, vous embaucherez un bataillon de psychologues qui étudieront les couleurs de boîtes que les consommateurs associent le plus volontiers au plaisir sexuel. Ou quelque chose comme ça.

Les Américains débordés

Linder affirmait que, passé un certain stade, la pression du temps allait augmenter en même temps que la productivité. Mais il ne savait pas si les heures de travail allaient augmenter ou diminuer. Ce qui est sûr, c'est qu'il doutait qu'elles diminuent autant que le prédisaient les champions de l'automation. Il avait raison. En fait, la preuve est faite que les Américains travaillent maintenant davantage qu'il y a une génération.

En utilisant des statistiques du département du Travail, l'économiste de Harvard Juliet Schor affirme que les travailleurs américains à temps plein s'activent actuellement pendant en moyenne 160 heures *de plus* (un mois entier) qu'en 1969. « Il ne s'agit pas seulement des gens les mieux rémunérés — qui, soit dit en passant, passent beaucoup plus d'heures au travail, dit Schor. Il s'agit aussi des classes moyennes, des classes inférieures et des pauvres. Tout le monde travaille un plus grand nombre d'heures[9]. » En effet, selon le Bureau international du travail, en octobre 1999, les États-Unis ont dépassé le Japon et sont devenus le pays industriel moderne où le nombre d'heures de travail était le plus élevé. Quarante-deux pour cent des travailleurs américains disent se sentir épuisés à la fin de leur journée. Soixante-neuf pour cent aimeraient ralentir et mener une vie une peu plus relaxe.

Pas le temps de bien faire

De plus, dit Juliet Schor, « le rythme du travail a augmenté assez nettement. Nous travaillons beaucoup plus vite que dans le passé. Et cela contribue à nous donner le sentiment que nos emplois nous épuisent, nous rendent fous, nous ravagent, nous stressent et nous surmènent. » Autour du télécopieur, tout le monde voudrait ce rapport pour hier. La patience s'épuise rapidement dès que nous nous sommes habitués à une nouvelle génération d'ordinateurs.

Il y a plusieurs années, Karen Nussbaum, ex-présidente de *9 to 5*, un syndicat d'employés de bureau, soulignait que « 26 millions d'Américains sont surveillés par les machines avec lesquelles ils travaillent, et ce nombre va croissant. Une femme m'a dit que son ordinateur faisait clignoter le message suivant : TU NE TRAVAILLES PAS AUSSI VITE QUE TON VOISIN[10] ! » Le seul fait d'y penser ne fait-il pas grimper votre pression sanguine ?

Parfois, l'accélération atteint un niveau absolument inhumain. Une bande vidéo clandestine, tournée récemment à l'intérieur d'un abattoir, montre des vaches pleinement conscientes écorchées vives pendant qu'on leur coupe les jambes et qu'elles tentent de se libérer. Dans une déclaration écrite sous serment, un employé a dit: «La chaîne va trop vite, plus de 300 vaches à l'heure. Si je ne peux pas assommer convenablement l'animal, la chaîne continue. Elle ne s'arrête jamais. On accroche les vaches, vivantes ou non. Je sais que certaines vaches sont vivantes parce qu'elles redressent la tête. Elle continuent d'arriver, d'arriver, d'arriver...» Cette bande vidéo donne la preuve horrible que la vitesse de production américaine, alimentée par un insatiable désir d'en avoir davantage, ne laisse pas le temps de bien faire.

Le temps ou les objets?

Juliet Schor rappelle que les États-Unis ont vu leur productivité plus que doubler depuis la Deuxième Guerre mondiale. «Alors la question, c'est: que faire de ce progrès? Nous pourrions réduire les heures de travail. Nous pourrions produire la même quantité qu'avant en deux fois moins de temps et passer l'autre moitié en congé. Ou travailler tout autant et produire deux fois plus.» Mais, dit-elle, «nous avons consacré tout notre progrès économique à la production d'une plus grande quantité de marchandises. Notre consommation a doublé et le nombre d'heures n'a pas du tout diminué. En fait, les heures de travail ont augmenté[11].»

Tout le monde n'est pas d'accord avec Juliet Schor à propos de l'augmentation des heures de travail. John Robinson, qui dirige l'Americans' Use of Time Project à l'Université du Maryland, affirme que les journaux de bord que tiennent des employés (ils inscrivent de quelle façon ils passent chaque minute de chaque journée de travail) montrent en fait une diminution des heures de travail. Mais Robinson admet que la plupart des travailleurs américains «ressentent» plus que jamais la pression du temps[12]. Une grande part de l'augmentation de leurs loisirs, dit-il, a été dévorée par la télévision — qui les bombarde d'exhortations encore plus nombreuses à consommer.

Quoi qu'il en soit, le sentiment de manquer de temps s'intensifie, alimenté par des heures de travail plus longues, ou du moins plus exigeantes, et par la pression contraire du soin et de l'entretien que nécessitent les objets accumulés. Quelque chose doit céder. Pour bien des Américains, c'est le sommeil. Les médecins disent que plus d'un Américain sur deux dort trop peu — en moyenne, il nous manque une heure par nuit. On dort en moyenne 20 % de moins qu'en 1900. Et cela fait des ravages sur la santé[13]. Tout comme la pression du temps.

Des crises cardiaques en puissance

Le test de consommation, au Meyer Friedman Institute de San Francisco, n'a rien de comparable à ce qu'on trouve habituellement dans le cabinet d'un médecin. Une infirmière soumet les clients potentiels à une batterie de questions relatives à leur rapport au temps. «Marchez-vous rapidement? Mangez-vous rapidement? Faites-vous souvent au moins deux choses en même temps?» Elle note également leurs réactions physiques à ses questions. «Vous poussez souvent ce que nous appelons des soupirs expiratoires, dit-elle à l'une des personnes qu'elle interroge, comme si vous étiez émotionnellement épuisé ou ne vouliez même pas penser au sujet dont je vous demande de parler[14]. »

L'infirmière présente sous forme de tableau les réponses fournies par les patients, en leur attribuant un score qui place la plupart d'entre eux en plein dans la catégorie de personnalités que Meyer Friedman appelait, il y a des années, le type A. Plus on s'apparente au type A, plus on est susceptible de souffrir de ce que Friedman appelle la pression du temps (*time urgency*). «Dans le passé, nous l'avons également appelée la maladie de la hâte», dit lentement Bart Sparagon, le médecin détendu à la voix douce qui dirige la clinique de Friedman. «On dirait que les gens se battent contre le temps[15].»

«Je me rappelle très bien une publicité pour une revue financière bien connue, ajoute Sparagon avec un air résigné. L'image montre des hommes en complets, portant des mallettes, bondissant au-dessus d'obstacles, avec un regard hostile et tendu. La publicité affirme qu'en achetant ce magazine, vous pourrez remporter cette course. Mais moi, quand je vois cette image, je sais que ces hommes courent après la crise cardiaque. Dites-moi, qui *voudrait* remporter cette course?»

En plus de la pression du temps, ces coureurs sont habituellement affligés de ce que Meyer Friedman appelle l'hostilité flottante. Tout ce qui les amène à ralentir (dans leur poursuite de l'argent ou d'autres symboles du succès) devient un ennemi, une contrariété, un obstacle à vaincre. «Je crois que la pression du temps est la cause majeure de maladies cardiaques prématurées dans ce pays», déclare Meyer Friedman[16]. Selon lui, plus on est associé au type A, plus on court le risque d'un arrêt cardiaque.

La rage de consommer n'est certes pas la seule cause de la pression du temps. Mais c'en est une importante. Pour satisfaire des attentes toujours plus grandes, il faut sans cesse suivre les derniers produits, rivaliser dans l'arène de la consommation. En retour, on doit travailler davantage, pour pouvoir se payer tout cela. Avec autant d'objets à utiliser et le besoin de travailler davantage pour se les procurer, nos vies subissent de plus en plus de pressions.

Ces dernières années, de nombreux scientifiques en sont venus à croire que les virus et autres infections nous rendaient plus sujets aux crises cardiaques. Leurs conclusions provenaient de l'étude du virus de la grippe. Mais s'il faut se fier à Meyer Friedman et à ses théories sur les personnalités de type A, on devrait se pencher également sur le virus de la rage de consommer.

CHAPITRE 6

Les convulsions familiales

La rage de consommer est un problème familial. À plusieurs points de vue, la maladie ressemble à un termite qui gruge la vie familiale, parfois jusqu'au point de rupture. Nous avons déjà mentionné la pression du temps. Certaines études suggèrent qu'en l'espace d'une génération le temps que les parents consacrent à leurs enfants a décliné d'au moins 40 %. L'une de ces études a démontré que les couples américains trouvent à peine 12 minutes par jour pour se parler[1]! La rivalité avec les voisins mène plusieurs familles à l'endettement et engendre des conflits latents sur des questions d'argent qui entraînent souvent le divorce. En effet, le taux de divorce en Amérique, après avoir atteint un plateau dans les années 1980, est actuellement le double de ce qu'il était dans les années 1950, et les conseillers en relations familiales rapportent que les discussions sur l'argent constituent un facteur qui précipite 90 % des cas de divorce[2].

Pour le meilleur...

Prenez par exemple le cas de Keaton et Cindy Adams, le couple que nous avons présenté au chapitre 2. Ils ont failli laisser la rage de consommer détruire leur mariage. «La noce a été si belle, disait Keaton, que nous finissions à peine de la payer six ans après notre mariage. Et c'est là que tout a commencé[3].» Ainsi en est-il de bien des jeunes Américains : des milliers de dollars dépensés pour ce seul spectacle somptueux, ce serment public de fidélité éternelle, pour le meilleur et pour le pire des crédits bancaires.

Au début, c'est évidemment pour le meilleur. Les présents des amis et de la famille — micro-ondes, mélangeur, serviettes, grille-pain (toujours à la mode), vaisselle, contenants Tupperware, théière et bien davantage (souffleuse à feuilles ?). Toute une pièce remplie de papier d'emballage, qui n'aura servi qu'une fois avant d'être mis aux rebuts. Puis, vient le moment de payer les factures du mariage.

Après la cérémonie, Keaton et Cindy se sont mis à acheter beaucoup d'autres choses pour leur maison, toujours à crédit. Ils ont acheté toutes sortes de meubles coûteux et la chaîne audiovisuelle domestique obligatoire. «Qu'est-ce que ça change, 25 $ de plus par mois ?» dit Keaton pour expliquer leur raisonnement à l'époque, un raisonnement trop courant dans les familles américaines. «On s'est mis à faire des paiements minimums sur tout, jusqu'au moment où l'on n'en pouvait plus. Et on a commencé à prendre un retard de deux mois, puis de trois mois.»

Ils eurent bientôt accumulé 20 000 $ de dettes, sans espoir de les régler. «On a commencé à discuter, à se disputer, se rappelle Keaton. On criait au divorce. On est finalement arrivé à un point de rupture.»

Leur histoire paraît sans aucun doute familière à des millions de familles américaines. Mais elle a (du moins jusqu'ici) une fin heureuse. Les Adams ont demandé l'aide du Consumer Credit Counseling Service de Colorado Springs, où ils habitaient à l'époque, et réussi à maîtriser leurs dépenses et leur crise financière. Cindy

Adams dit qu'ils ont appris une dure leçon. «C'est bien de ne pas avoir l'objet dernier cri, le style le plus à la mode, estime-t-elle à présent. Notre maison n'a pas à être impeccable. Ça nous permet de nous concentrer sur ce qui a plus d'importance que les biens matériels.»

La dépendance sanctionnée par la société

Mike et Terri Pauly, conseillers en relations familiales de Colorado Springs, disent voir bien des couples se mettre dans des situations semblables à celle de Keaton et Cindy Adams. Cela commence, dit Mike, «par essayer d'acquérir le plus d'objets possible. C'est maintenant un important facteur de stress pour les couples. Il se produit un véritable cycle de dépendance dans lequel entrent les familles lorsqu'elles s'en vont dépenser de l'argent afin de se sentir bien. J'ai récemment travaillé avec un certain nombre de couples qui ont des tas de problèmes, mais qui arrivent le lundi en disant : "On a passé un week-end superbe. On est allés dépenser beaucoup d'argent. On est allés au centre commercial et on a dépensé 500 $ pour toutes sortes de choses. On s'est vraiment amusés[4]."» La magasinothérapie. Mais c'est une drogue qui ne vaut rien, en fin de compte.

Vient un moment, souligne Mike Pauly, «où il ne reste plus aucun solde à la carte de crédit, et les couples se retrouvent acculés au pied du mur. Ils commencent à sentir du stress, des tensions dans leur relation.» C'est un problème «très semblable au racisme, dit Mike. Il est envahissant, il est partout et les gens ne s'en rendent pas compte.»

Mais à la différence du racisme, la dépendance aux objets n'est pas remise en question dans notre société. En fait, dit Terri Pauly, «c'est une forme de dépendance acceptée par la société, pour se donner une défonce rapide, pour se sentir bien. Je me sens déprimée aujourd'hui ? Allons magasiner. La société sanctionne ce comportement. Il obtient beaucoup de renforcement social[5].» «Et pourtant, ajoute Mike, tout comme avec une drogue ou de l'alcool, lorsque l'effet se dissipe, on se retrouve dans le même monde et on doit affronter ce vide intérieur, qui est en fait ce qui pousse les gens à aller dépenser.»

Le partenaire jetable

En plus des conflits que suscitent les dépenses excessives, Terri et Mike ont découvert que la consommation effrénée, ou rage de consommer, affaiblit les mariages d'une autre façon. «Le choix de produits disponibles est si renversant, affirme Terri. Qu'on aille acheter une voiture ou un bagel, il y a tellement de choix. En faisant un achat, on a le sentiment d'avoir peut-être mal choisi ou raté quelque chose. Et inévitablement, cela se transfère sur les relations avec les gens, on a l'impression que quelqu'un de meilleur nous attend.»

«Je vois souvent cela dans ma pratique, ajoute Mike. Une personne arrive en disant avoir rencontré quelqu'un au travail. Ils ont divorcé de leur conjoint et ainsi se sont mis ensemble. Mais après l'installation, ce n'est pas aussi nouveau ni différent ni merveilleux qu'au début, quand tout le monde était habillé, poudré et d'une allure impeccable. Alors, chacun retourne au magasin pour se trouver un autre jouet, quelqu'un de neuf, quelqu'un de différent.»

Cela s'appelle magasiner un partenaire.

Ted Haggard, pasteur de la New Life Church, une église de 5000 fidèles à Colorado Springs, partage les préoccupations des Pauly. «Tout ce que nous convoitons, dit-il, favorise l'insatisfaction. Nous avons besoin d'une nouvelle chaîne stéréo, d'une nouvelle mise à jour de notre ordinateur, d'une meilleure voiture, d'une plus grande maison. Je crois que cette insatisfaction sociale est nourrie par notre société matérialiste[6].»

«Cette idée d'utiliser une chose, puis de la jeter et d'en acheter une autre, nous affecte tous sur le plan personnel, croit Ted Haggard. Nous commençons à considérer que les autres sont "jetables", qu'on peut s'en débarasser s'ils ne nous procurent plus de plaisir. Cette tendance est dangereuse et nous avons besoin des valeurs d'autrefois:

vivre dans la même maison le plus longtemps possible, garder les objets le plus longtemps possible et rester fidèles les uns aux autres.»

Dans ce monde d'objets jetables et d'obsolescence planifiée qui forme la culture de consommation américaine, on ne devrait pas s'étonner que nos attitudes envers les produits finissent par se transférer sur les gens.

Loin des yeux, loin du cœur. La vie familiale souffre également du stress de l'excès. Comme les deux parents travaillent à temps plein, et même davantage, pour répondre au gonflement des attentes, puis courent pour maintenir un style de vie frénétique, les nerfs sont à vif et les esprits s'emportent. Ironiquement, la dégradation de la vie familiale pousse certains conjoints à passer *plus* de temps au bureau, pour éviter la friction et le désarroi à la maison, un phénomène fort bien décrit dans *The Time Bind*, une étude d'Arlie Russell Hochschild sur la vie des travailleurs dans une grande entreprise.

Comme l'énonce Barbara Ehrenreich dans son éloge du livre de Hochschild, c'est un «cercle vicieux [...] Plus nous nous attardons au travail, plus notre vie familiale devient stressée; et plus les tensions augmentent au foyer, plus nous tentons de fuir dans le travail[7].» Mais souvent, le cycle commence non par le travail, mais par la rage de consommer; souvent, nous travaillons davantage parce que nous désirons davantage. Sur le plan culturel, du moins, nous avons choisi l'argent plutôt que le temps.

Valeurs familiales ou valeurs du marché?

La rage de consommer divise les familles d'une autre façon encore. Glenn Stanton, la trentaine soignée, directeur d'une organisation conservatrice de soutien aux familles de la Caroline du Sud, parle des «nouveaux sans-abri». «Des gens vivent ensemble, dans la même maison, mais sans contact les uns avec les autres», dit-il[8]. S'ils ne sont pas en interaction, c'est tout simplement parce que chacun joue avec ses propres jouets. «Papa est sur l'Internet.

Maman est en haut, en train de visionner une bande vidéo. Les enfants sont en bas, avec des jeux vidéo. Chacun est branché à quelque chose d'extérieur à la maison, même si tout le monde est physiquement à la même place. »

« La pression actuelle du matérialisme sur la famille américaine est hélas sous-estimée, mais elle est d'une importance cruciale », affirme Glenn Stanton. On ne s'attendait pas à ça de la part de cet ancien analyste politique de Focus on the Family (FOF), la plus grande organisation conservatrice chrétienne des États-Unis.

Fondé par le Dr James Dobson, un pédopsychiatre dont l'émission de radio est suivie par des millions d'auditeurs, FOF est un mini-empire de conseil familial conservateur établi à Colorado Springs. Ses activités ont lieu dans un immense siège social, situé à flanc de montagne, qui n'a rien à envier au Parthénon. L'intérieur donne un sentiment d'opulence et de dynamisme. On explique à des groupes de visiteurs la vision de Dobson pour FOF, tandis que les murs sont tapissés de photographies qui retracent ses relations avec de vaillants Républicains, dont Ronald Reagan et Newt Gingrich.

Des dizaines d'hommes et de femmes bien habillés répondent chaque jour à des centaines d'appels, prodiguent des conseils et expédient des cassettes audio, des bandes vidéo et des publications destinées aux adolescents, aux familles monoparentales, etc. « Nous recevons des milliers de lettres chaque semaine », nous a dit Glenn Stanton la première fois que nous l'avons rencontré à FOF. « Les gens nous demandent de les aider à sauver leur mariage ou leur famille. »

L'idéologie de FOF est résolument celle du libéralisme capitaliste, mais pas sans réserves, comme celles qu'exprime Glenn Stanton. « En réalité, le marché est hostile à la famille, affirme-t-il. Il doit se développer. Il doit attirer de nouveaux consommateurs. Et malheureusement, il le fait presque coûte que coûte. Faut-il, pour conclure une vente, opposer un enfant à ses parents ? Nous pensons que ce serait aller trop loin. »

La contradiction des conservateurs

Glenn Stanton et quelques autres conservateurs se sont mis à examiner soigneusement ce qu'ils considèrent comme une tension entre valeurs du marché et valeurs familiales. Edward Luttwak, un ancien haut dirigeant de l'administration Reagan, maintenant au Center for International and Strategic Studies, exprime franchement son inquiétude à ce sujet. «La contradiction entre le fait de vouloir, d'une part, une croissance économique rapide et, d'autre part, des valeurs familiales, des valeurs communautaires et une stabilité est si immense qu'elle ne peut perdurer que par un refus acharné d'y réfléchir», dit Edward Luttwak[9], auteur du livre *Turbo-Capitalism*, acclamé par la critique.

Edward Luttwak se présente comme «un véritable conservateur, pas un faux». «Je veux conserver la famille, la communauté, la nature. Le conservatisme n'est pas une question de marché ou d'argent, affirme-t-il. Il s'agit de conserver les choses, et non de les consumer par avidité.»

Selon lui, les soi-disant conservateurs font trop souvent l'éloge du marché sans contraintes (la meilleure façon, selon eux, d'augmenter rapidement la richesse de l'Amérique), tout en disant «nous devons revenir aux anciennes valeurs familiales, nous devons préserver les communautés». «C'est complètement illogique et tout à fait contradictoire: ces deux tendances sont bien sûr en conflit. C'est le discours le plus drôle de tous les déjeuners causeries aux États-Unis. L'ennui, c'est qu'on l'écoute sans éclater de rire.»

«L'Amérique, affirme Edward Luttwak, est relativement riche, et c'est vrai même pour les Américains dont la situation n'est pas très reluisante, mais elle manque énormément de tranquillité sociale, de stabilité. On dirait quelqu'un qui a 17 cravates et pas une chaussure, qui s'achèterait une nouvelle cravate. Les États-Unis ne sont pas chaussés sur le plan de la tranquillité et de la sécurité des personnes. Mais ils ont beaucoup d'argent. Nous sommes devenus une société de consommation à 100%. Et les conséquences sont facilement prévisibles. En gros, beaucoup de consommation, beaucoup de primes et de pacotille, des voyages bon marché, mais beaucoup d'insatisfaction. »

En effet, aucun système ne semble aussi efficace que le libre marché pour fournir la plupart des marchandises au plus bas prix de détail. À l'ère de la rage de consommer, ce genre d'excès est devenu le critère de valeur par excellence. Mais les humains sont plus que des consommateurs, plus que des estomacs implorant d'être remplis. Nous sommes aussi des producteurs qui cherchons à nous exprimer dans un travail stable et significatif. Nous sommes des membres de familles et de communautés, des êtres moraux intéressés par l'équité et la justice, des organismes vivants qui dépendons de la santé et de la beauté de notre environnement. Nous sommes des parents et des enfants.

Notre quête du meilleur accès à la consommation mine ces autres valeurs. Pour produire des marchandises au plus bas prix, on met à pied des milliers de travailleurs et on transfère la structure qui les emploie d'un pays à l'autre, à la recherche de main-d'œuvre bon marché. On brise les rêves de ces travailleurs, et souvent leurs familles aussi. On est prêt à sacrifier la sécurité de communautés entières. On n'hésite pas à bouleverser des vies. Et, comme nous le verrons, on oppose *vraiment* les enfants aux parents, ce qui mine encore davantage la vie familiale.

CHAPITRE 7

La fièvre infantile

En 1969, alors que John De Graaf avait 23 ans, il enseigna brièvement au pensionnat d'une réserve indienne navajo, à Shiprock, au Nouveau-Mexique. Ses étudiants de troisième année figuraient parmi les enfants les plus pauvres d'Amérique et possédaient peu de chose en dehors de leurs vêtements. L'école n'avait que quelques jouets et autres sources de divertissement, et pourtant John n'a jamais entendu ces enfants dire qu'ils s'ennuyaient. Ils étaient continuellement en train de s'inventer des jeux. Et même si, quelques années plus tard, le racisme et l'alcoolisme ont probablement défiguré leurs vies, ils étaient, à dix ans, des enfants très heureux et bien adaptés.

Ce Noël-là, John alla rendre visite à sa famille. Il se rappelle la scène : sous l'arbre, un plancher couvert de paquets. Son propre frère de dix ans en ouvrit une douzaine, passant rapidement de l'un à l'autre. Quelques jours plus tard, John trouva son frère en train de regarder la télé avec un ami, les cadeaux de Noël abandonnés dans sa chambre. Les deux garçons se plaignirent de n'avoir rien à faire. «On s'ennuie», déclarèrent-ils. Pour John, ce fut la preuve irréfutable que le bonheur des enfants ne vient pas des objets. Pourtant des forces puissantes essaient de persuader les parents américains du contraire.

L'explosion du marketing auprès des enfants

Susan, Jenny et Emily, âgées de dix ans, jouent avec enthousiasme, lançant les dés et déplaçant des figurines de plastique en criant «Oui!» et «Mon magasin préféré!». Elles jouent à *Electronic Mall Madness*, de Milton Bradley. Elles fourrent leurs cartes de crédit dans le guichet bancaire en plastique et en retirent de l'argent bidon à dépenser au centre commercial. Le but de ce jeu, qui coûte 40 $, est d'acheter le plus d'objets possible, puis de revenir le premier au parc de stationnement. C'est une bonne initiation à la vie de dépenses insouciantes des enfants d'aujourd'hui, saisis par la rage de consommer.

Les dépenses effectuées (ou influencées) par les enfants de 12 ans et moins affichent une croissance annuelle de 20 %, et on s'attend à ce qu'elles atteignent 1 trillion par an au cours de la prochaine décennie. Les enfants sont devenus la première cible du monde publicitaire. «Les grandes entreprises savent qu'on adopte le style de vie basé sur la consommation de plus en plus jeune», explique Joan Chiaramonte, qui fait des études de marché pour la firme de sondages Roper Starch. «Si vous attendez que les enfants aient 18 ans pour les rejoindre avec vos produits, vous ne pourrez probablement plus vous emparer d'eux[1].»

De 1980 à 1997, les sommes investies en Amérique dans la publicité destinée aux enfants ont grimpé de 100 millions à 1,5 milliard par année. Les spécialistes du marketing utilisent aussi les enfants pour qu'ils poussent leurs parents à acheter des biens coûteux, comme des voitures de luxe, des lieux de villégiature et même des maisons. Une chaîne hôtelière envoie des dépliants promotionnels aux enfants qui ont séjourné dans ses hôtels, pour qu'ils harcèlent leurs parents afin d'y retourner.

Pour la première fois de l'histoire de l'humanité, la première source d'information pour les enfants provient d'entités dont le but est de leur vendre quelque chose, et non de la famille, de l'école ou de la religion. À 12 ans, l'enfant américain passe en moyenne 48 heures par semaine livré à des messages publicitaires. Le même enfant ne passe qu'environ une heure et demie par semaine en conversations signifiantes avec ses parents[2].

Les enfants de moins de sept ans sont particulièrement vulnérables aux messages du marketing. La recherche démontre qu'ils sont incapables de distinguer les intentions commerciales des intentions bénéfiques ou bienveillantes. Selon une étude de 1970, lorsqu'on leur demande qui ils croiraient si leurs parents leur disaient qu'une chose est vraie et qu'un personnage de la télé (même un personnage de dessin animé, comme Tony le Tigre) leur disait le contraire, la plupart des jeunes enfants choisissent le personnage de la télé.

Quels impacts psychologiques, sociaux et culturels ces tendances ont-elles sur les enfants ? Selon les sondages, près de 90 % des adultes américains s'inquiètent du fait que leurs enfants se préoccupent trop d'acheter et de consommer des objets[3].

Conflit de valeurs

À Minneapolis, le psychologue David Walsh, auteur de *Selling Out America's Children*, enseigne aux parents des façons de protéger leur progéniture des filets du mercantilisme. Après avoir passé des années à traiter de prétendus «enfants à problèmes», David Walsh s'est inquiété des proportions épidémiques qu'atteignait la rage de consommer chez les enfants. Il voit une contradiction fondamentale des valeurs entre les besoins des enfants et la publicité. «Les valeurs que développe actuellement le marché (égoïsme, satisfaction instantanée, mécontentement perpétuel et consommation constante) sont diamétralement opposées à celles que la plupart des Américains veulent enseigner à leurs enfants», dit-il, tel un grand-père présentant ses inquiétude avec une douce passion[4].

La publicité destinée aux enfants est loin d'être un phénomène nouveau. Dès 1912, les boîtes de Cracker Jack renfermaient un jouet destiné à encourager les enfants à en redemander. Bien avant l'arrivée de la télévision, les enfants découpaient le dessus de boîtes de céréales et les envoyaient pour recevoir des cadeaux. D'ailleurs, toute l'idée de la télévision jeunesse est née du fait que les annonceurs cherchaient des façons d'utiliser le nouveau médium électronique pour vendre leurs produits. Les premières émissions de dessins animés furent créées explicitement pour vendre des céréales sucrées.

En effet, 90 % des publicités d'aliments diffusées au cours des émissions pour enfants le samedi matin annoncent encore des produits riches en calories, gorgés de sucre ou de sel. Quand on connaît le temps que passent les enfants devant la télé, il n'est pas étonnant que les jeunes soient aujourd'hui beaucoup plus sujets à l'obésité (dont le taux a doublé chez les enfants américains au cours des années 1980) qu'aux débuts de la télévision[5].

Les enfants d'aujourd'hui sont exposés à une quantité beaucoup plus grande de publicité télévisée que ne l'étaient leurs parents — jusqu'à 200 messages par jour! Mais il y a surtout une grande différence entre les annonces d'aujourd'hui et celles d'il y a une génération. Dans les publicités d'alors, les parents étaient dépeints comme des piliers de sagesse, qui savaient et voulaient ce qu'il y avait de mieux pour leurs enfants. Les enfants, eux, étaient remplis d'émerveillement et d'innocence, et désiraient plaire à maman et papa. Il y avait des stéréotypes sexuels (les filles voulaient des poupées et les garçons, des cow-boys et des Indiens), mais la rébellion contre les parents ne faisait pas partie du message.

Des enfants considérés comme du bétail

À présent, le message a changé. Les spécialistes du marketing traitent ouvertement les parents de «cerbères», qui veulent protéger leurs enfants des pressions commerciales et dont il faut déjouer les efforts de façon à ce que ces enfants, selon les termes plutôt effrayants du marketing, puissent être «capturés, maîtrisés et marqués*». En 1996, lors d'une conférence sur le marketing intitulée «Kid Power», tenue avec à-propos à Disney World, la présentation principale, «Adoucir le veto parental», fut prononcée par le directeur du marketing de McDonald's.

Chacun des orateurs révéla la stratégie: dépeindre les parents comme des imbéciles qui ne sont pas assez futés pour reconnaître que leurs enfants ont besoin des marchandises offertes. Cette technique éprouvée permet de neutraliser l'influence parentale dans la relation entre le spécialiste en marketing et l'enfant.

Au cours de Kid Power '96, les présentateurs révélèrent comment les spécialistes en marketing utilisent des enfants pour concevoir des campagnes publicitaires efficaces. On leur donne des appareils pour se photographier avec leurs amis, afin de voir comment ils s'habillent et passent leur temps. On les observe à la maison, à l'école, dans des magasins et lors d'événements publics. Leurs habitudes de consommation sont habilement traquées. On les rassemble en groupes test et on leur demande de réagir à des messages publicitaires, en séparant ceux qui sont *cool* de ceux qui ne le sont pas.

Les annonces les plus branchées transmettent souvent le message livré par l'éminent consultant en marketing Paul Kurnit, à Kid Power '96. «Un comportement antisocial pour se procurer un produit est une bonne chose», a-t-il calmement énoncé, suggérant que la meilleure façon, pour les publicitaires, de rejoindre les enfants,

---

* C'est-à-dire fidélisés par le *branding*, mot anglais qui signifie à la fois «stratégie de marque» et «marquer au fer rouge» (NDT).

était d'encourager le comportement grossier et souvent agressif, ainsi qu'une forme de rébellion contre les contraintes de la discipline familiale[6]. On peut y voir un grave danger : si l'agressivité et la grossièreté deviennent la norme dans les modèles publicitaires, jusqu'où les enfants devront-ils intensifier leurs comportements agressifs pour sentir qu'ils sont vraiment en train de se rebeller ?

Tirer sur le chat du voisin

Ces considérations laissent froids les concepteurs publicitaires d'*Electronic Gaming Monthly*, un magazine très apprécié par les enfants passionnés de jeux vidéo. La première fois qu'Arthur, son fils de huit ans, lui a montré ces annonces, Caroline Sawe, une mère célibataire de Seattle, fut sidérée. Son fils, qui adore les jeux vidéo, avait été perturbé par une annonce du numéro de mai 1998 d'*Electronic Gaming Monthly*. Elle concernait un jeu appelé *Point Blank*. En gros caractères s'étalait le slogan : PLUS AMUSANT QUE DE TIRER SUR LE CHAT DU VOISIN. « En voyant ça, je me suis mise à hurler, se rappelle Caroline. Je pense avoir fait peur à Arthur, mais j'étais tellement outrée[7]. »

Le texte de l'annonce était tout aussi cruel : « Bang ! Miaou ! Bang ! Miaou ! Dépêche-toi à la fin. Il est temps de remonter la chaîne alimentaire et de viser quelque chose qui explose en faisant un bruit plus intéressant [...] La règle est simple : si c'est plus gros qu'un pixel, tu tires. » Caroline Sawe était de plus en plus horrifiée à mesure qu'elle feuilletait le magazine. Chaque publicité glorifiait la violence gratuite. L'une d'elles, pour un jeu appelé « Vigilante 8 », montrait un autobus scolaire armé de mitraillettes et de missiles, et conduit par Molo, un « dingue » cherchant la vengeance après avoir été expulsé de l'école. Elle était particulièrement inquiétante, car le même mois un jeune avait brandi une arme dans son école secondaire à Springfield, en Oregon, tuant deux de ses camarades.

Caroline Sawe, qui a quitté sa Tanzanie natale pour immigrer aux États-Unis, secoue tristement la tête lorsqu'elle pense aux annonces auxquelles son fils est exposé. N'y a-t-il aucune limite à ce que peuvent faire des spécialistes en marketing lorsqu'ils désirent faire des profits rapides en vendant à des enfants?

« Faut que t'aies les bons vêtements »

Les publicités antisociales sont surtout destinées aux garçons. Pour les filles, les messages sont plus raffinés, mais ils placent tout de même les biens matériels sur un piédestal, au-dessus des autres valeurs. Une récente publicité de Sears est instructive: on y voit l'actrice et chanteuse Maia Campbell dire aux filles: «Faut croire en tes rêves. Faut te défendre. Faut aider tes amis. Mais *avant tout*, faut que t'aies quelque chose à te mettre. *Faut que t'aies les bons vêtements.*» Dans l'annonce, Maia Campbell présente des vêtements dont la valeur totale s'élève à 267$.

Les compagnies qui vendent des produits de beauté ciblent des filles de plus en plus jeunes. Dès l'âge de 13 ans, 26% des Américaines portent du parfum tous les jours. Christian Dior fabrique des soutiens-gorge pour fillettes d'âge préscolaire. Les annonces de jeans mettent en vedette des enfants dans des poses sexuelles. Selon Laurie Mazur, ces images «peuvent avoir des implications dangereuses». La critique publicitaire souligne que, chaque année, près d'un demi-million d'enfants américains sont victimes d'abus sexuels[8].

« Ce cours vous est offert par... »

Non seulement les messages sont-ils différents aujourd'hui, mais ils ne se limitent pas à l'imprimé et à la télévision. Pour faire passer leur message à travers le fatras de la publicité destinée aux enfants, les spécialistes en marketing cherchent à insérer leurs publicités en des lieux inédits.

En 1998, un étudiant fut exclu de la Greenbrier High School en Georgie. Son crime? Porter un t-shirt Pepsi un jour de promotion officielle du Coca-Cola dans les écoles. Les 600 étudiants de Greenbrier avaient reçu l'ordre de porter des t-shirts Coca-Cola et de se rassembler pour en former le logo sur la pelouse de l'école, afin d'impressionner un cadre de la compagnie et de permettre à l'école de recevoir 500 $ de la compagnie de boissons gazeuses. Si nous avions eu notre mot à dire dans cette affaire, c'est le directeur qui aurait été renvoyé pour avoir permis un usage commercial aussi éhonté de son école. Mais l'incident de l'école de Greenbrier n'est que la pointe de l'iceberg du mercantilisme, qui est profondément implanté dans les écoles américaines et ouvre la porte à de graves cas de rage de consommer.

«... meilleurs qu'une rangée de A»

À l'ère de la rage de consommer, les électeurs exigent des réductions d'impôt et une diminution des dépenses publiques, car leurs habitudes de consommation les laissent aux prises avec un endettement croissant. Ainsi, un nombre de plus en plus grand de familles riches envoient leurs enfants dans des écoles privées, ce qui rend le système scolaire public de moins en moins populaire auprès des électeurs.

À mesure que le financement de l'éducation se resserre, les commissions scolaires de toute l'Amérique vont chercher des liquidités auprès des entreprises. Celles-ci reçoivent alors le droit d'annoncer leurs produits sur les toits des écoles, dans les couloirs, sur des tableaux d'honneur, des couvertures de livres, des uniformes et des autobus.

Une promenade dans les couloirs des écoles de Colorado Springs permet d'observer une série de mini-tableaux d'affichage informant les étudiants que «les M&M sont meilleurs qu'une rangée de A» et les encourageant à «satisfaire leur faim d'éducation avec Snickers». Selon les critiques, par ces annonces, les écoles s'associent justement aux aliments contre lesquels on met en garde les étudiants dans les cours de nutrition. Les flancs des autobus scolaires de Colorado Springs sont également affublés de pubs pour Seven-Up, Burger King et consorts, peintes par les étudiants eux-mêmes! L'inspecteur Kenneth

Burnley (qui reçut le titre d'inspecteur de l'année pour sa directive autorisant la publicité dans ses écoles) défend cette politique en disant que ces fonds sont nécessaires parce que les électeurs de cette ville prospère typiquement américaine n'ont pas émis d'obligations depuis 1972. « Les gens disent qu'ils préfèrent acheter un bateau plutôt que de donner de l'argent aux écoles », explique-t-il[9].

Placement de produits

« Dans notre société, les enfants sont considérés comme une moisson de dollars à récolter », explique Alex Molnar, professeur d'éducation à l'Université du Wisconsin à Milwaukee, qui enquête depuis plusieurs années sur le mercantilisme scolaire[10]. Ce professeur en colère étale volontiers sa collection de « textes d'enseignement » créés par des corporations pour être utilisés dans les écoles publiques.

Les étudiants découvrent l'estime de soi en discutant cheveux au moyen de textes fournis par Revlon. Ils apprennent à éliminer les germes avec Lysol et étudient l'énergie géothermique en mangeant des friandises aux fruits Gusher (le « guide de l'enseignant » suggère de donner une friandise à chaque élève pour qu'en mordant dedans il puisse comparer la sensation à une éruption volcanique !). Ils apprennent aussi l'histoire des caramels Tootsie Rolls, confectionnent des chaussures pour Nike dans le cadre d'un cours sur l'environnement, comptent les chips de Lay's dans un cours de mathématiques et découvrent pourquoi le déversement pétrolier de l'Exxon Valdez n'était en réalité pas du tout nuisible (vous l'aurez deviné, les textes sont une gracieuseté d'Exxon) ou pourquoi les coupes à blanc sont bénéfiques (Georgia-Pacific fournit le matériel pédagogique). Pour contrer la dégradation des résultats des enfants aux examens d'admission à l'université, il suffirait de leur poser des questions sur les cheveux plutôt que sur la géographie mondiale.

Dans près d'un demi-million de salles de cours, 8,1 millions d'enfants regardent Channel One, une émission d'information quotidienne de 12 minutes, dont deux minutes publicitaires. Son visionnement est obligatoire, car les annonceurs, qui paient jusqu'à 200 000 $ pour une seule pub de 30 secondes sur Channel One, se font dire qu'ils peuvent compter sur un public captif[11].

Des enfants captifs

La rage de consommer est devenue une maladie infantile transmise par les ondes, et les enfants de l'Amérique en paient le prix fort. Le régime chips et télé ne mine pas seulement la santé physique des enfants, mais aussi leur santé mentale. D'après les psychologues, le taux de dépression et d'idées suicidaires ne cesse de monter chez les adolescents et le taux de suicide chez les enfants a triplé depuis les années 1960[12].

Quelles sortes de valeurs les enfants retirent-ils de leur exposition à la rage de consommer? Lors d'un sondage récent, 93 % des adolescentes ont mentionné que le shopping était leur activité préférée. Moins de 5 % ont répondu «aider les autres». En 1967, les deux tiers des étudiants universitaires américains répondaient que «le développement d'une riche philosophie de la vie» était «très important» à leurs yeux, tandis que pour moins du tiers, ce qui importait était de «faire beaucoup d'argent». En 1997, ces chiffres étaient inversés[13].

Lorsqu'on a demandé quelle était leur priorité la plus élevée aux étudiants de l'Université du Washington, 42 % des répondants ont cité «avoir une belle apparence et une belle chevelure». Dix-huit pour cent ont mentionné «rester en état d'ivresse», tandis que seulement 6 % ont coché «découvrir le monde».

Jennifer Failus et Olivia Martin auraient figuré parmi les 6 %. En 1996, Jennifer, une ancienne *cheerleader* pleine de vivacité, et sa meilleure amie, la tranquille et sérieuse Olivia, ont écrit une pièce intitulée *Atterris, Barbie*. La pièce fait la satire de la vie creuse, fondée sur les apparences et le shopping, qui est devenue endémique chez leurs semblables de l'Eastlake High School, dans la riche ville de Redmond dans l'État de Washington (la patrie de Microsoft).

Lorsqu'on a demandé à Jennifer pourquoi elles avaient écrit cette pièce, elle a résumé l'effet pernicieux de la rage de consommer chez les enfants. «Les jeunes de notre école, a-t-elle dit d'un ton triste, tiennent tout pour acquis. Ils croient qu'ils méritent ce qu'ils ont et que le monde le leur doit. Ça se résume à prendre, prendre, prendre, et ils ne veulent rien redonner. Et si plus personne ne donne, notre société va s'effondrer[14].»

Des frissons
dans la communauté

Une annonce assez récente pour un véhicule utilitaire sport (VUS)
montre une rue de banlieue aux maisons de style ranch, identiques
et coûteuses, ornées de pelouses parfaites. Le VUS annoncé est sta-
tionné dans une entrée de garage. Mais dans chacune des autres
entrées se trouve… un char d'assaut. Un authentique char d'assaut.
Un gros char d'assaut meurtrier, un char de l'armée. Cette publicité
sinistre nous rappelle à quel point la compétition entre consommateurs qui s'intensifie rend nos communautés effrayantes. Du
point de vue psychologique, elle suggère que nous avons besoin de
conduire quelque chose d'aussi fort qu'un char d'assaut pour faire
concurrence à tous les autres véhicules meurtriers. Mais un char
confortable, qui a de la classe. Bien sûr, l'annonce est une caricature.
Nos communautés ne sont pas aussi froides ni hostiles. Pas encore.
Mais le fond de l'air est frais…

Au cours des années 1950, David Wann avait l'habitude de marcher le long de quatre ou cinq pâtés de maisons avec son grand-père pour se rendre à la place publique de Crown Point, en Indiana, la ville où habitait le vieil homme. Tout le monde connaissait son grand-père, même le chiffonnier. Quarante-cinq ans plus tard, David se rappelle encore les noms des voisins de ses grands-parents, et les fêtes qu'ils organisaient dans le jardin. Mais la familiarité du lieu et le sentiment de sécurité qui l'accompagne sont en train de disparaître de nos villes et de nos quartiers.

En 1951, les Américains se réunissaient entre voisins pour rire de Red Skelton. En 1985, ils regardaient encore *Family Ties* en famille. Mais dès 1995, chaque membre de la famille s'est souvent mis à regarder son propre téléviseur, car l'isolement et la passivité sont devenus un mode de vie. Ce qui avait commencé par un désir de bien vivre en banlieue a dégénéré en rage de consommation privée, séparant les voisins et les membres de la famille. Chacun a commencé à se sentir perdu dans son propre quartier. D'immenses magasins de vente au détail ont tiré profit de la confusion, en s'agrandissant pour satisfaire la demande de sous-vêtements, d'objets domestiques et de matériel informatique bon marché.

Tandis qu'on courait après les soldes et les chèques de paie permettant d'en profiter, la vitalité s'échappait des villes. Maintenant, si l'on veut retrouver la «rue principale» — telle qu'elle était au bon vieux temps —, on va à Disneyworld. On y découvre une fausse communauté dont les boutiquiers souriants, le rythme lent et le pittoresque nous rappellent que nos véritables communautés étaient jadis sympathiques et très unies.

Comment Disney imitera-t-il le bon vieux temps des banlieues dans ses futures expositions? Orchestrera-t-on des bruits d'ambiance — circulation sur l'autoroute, souffleuses à feuilles et bip-bip des bennes à ordures — pour faire plus réaliste? Arrivera-t-on à recréer un embouteillage dense, avec téléphones portables pour dire à la famille qu'on sera en retard pour le prochain manège? Le tour du «lotissement privé» coûtera-t-il plus de billets que les promenades à travers la «zone urbaine pauvre»? Adaptera-t-on en attractions des offres apparues au cours des récentes années — comme Kid Shuttle, un service de taxi qui emmène au tae kwon do les enfants dont les mères ne sont pas à la maison? Disney embauchera-t-il des figurants pour jouer les autres banlieusards, ceux qui ne peuvent conduire — les gens âgés, les handicapés et les résidants à faibles revenus —, qui jetteront un coup d'œil furtif, cachés derrière les rideaux de leur living-room?

Jouer aux quilles seul

Où les non-conducteurs peuvent-ils se rendre dans l'Amérique actuelle? Il n'y a ni café au coin de la rue, ni allées de quilles, ni tavernes où les voisins peuvent être «seuls ensemble», selon les paroles de l'écrivain Ray Oldenburg[1]. Maintenant, ces «petits endroits sympas» ou «tiers endroits», distincts de la maison et du travail, sont souvent illégaux — car ils enfreignent les codes du zonage. En vérité, l'expression «vie communautaire» est perçue comme un archaïsme dans un monde complètement dominé par le commerce et le gouvernement.

«En 60 ans, nous avons muté: de citoyens, nous sommes devenus des consommateurs», dit James Kundera, auteur de *The Geography of Nowhere*. «L'ennui de cette situation, c'est que les consommateurs n'ont ni devoirs, ni responsabilités, ni obligations envers leurs "coconsommateurs". Les citoyens, eux, en ont. Ils ont l'obligation de se soucier de leurs concitoyens, de l'intégrité de l'environnement et de l'histoire de leur ville[2]. »

Robert Putnam, politologue de Harvard, a consacré sa carrière à l'étude du capital social, les rapports interpersonnels qui relient une communauté. Il a observé que la qualité de la gouvernance variait selon des critères d'engagement social, comme le taux de participation électorale, la lecture des journaux et la participation à des chorales. Il a récemment formulé une conclusion saisissante, affirmant qu'il y a beaucoup trop d'Américains qui «jouent aux quilles seuls» (par comparaison avec la génération précédente, il y a plus de joueurs de quilles, mais ils sont moins nombreux à faire partie de ligues). Jadis «pays d'adhérents», les États-Unis sont devenus un «pays de reclus». En général, environ la moitié des électeurs du pays vont voter aux élections présidentielles. Seulement 13 % ont déclaré avoir participé à des assemblées publiques sur les affaires municipales ou scolaires, et la participation aux associations de parents d'élèves est passée de plus de douze millions en 1964 à sept millions en 1995. Le nombre des membres de la Ligue des électrices a diminué de 42 % depuis 1969, et les organismes fraternels comme le Club Lions sont en voie d'extinction[3].

Le bénévolat a baissé de 26 % chez les scouts depuis 1970 et de 61 % à la Croix-Rouge. Au total, un nombre record de 109 millions d'Américains font présentement du bénévolat, mais comme beaucoup le font à la sauvette, sur de courtes périodes, le total des heures consacrées au bénévolat a décliné. Le facteur plaisir est un stimulant majeur du bénévolat. Si ce n'est pas amusant, n'y comptez pas! Une étude de 1998 a révélé que 30 % des jeunes adultes pratiquaient le bénévolat pour le plaisir, tandis que seulement 11 % professaient un engagement envers la cause[4].

Robert Putnam admet que le nombre des membres s'est accru dans des organisations nouvelles comme le Sierra Club et l'American Association of Retired Persons. Mais la plupart de ces membres ne se rencontrent même pas, souligne-t-il: ils se contentent de payer leur cotisation et peut-être de lire le bulletin de l'organisation. Les groupes de clavardage sur Internet, bien qu'ils soient pratiques, sont également dépourvus de chair et de visages. «Les contacts personnels sont nettement plus efficaces pour bâtir la confiance, dit-il. Dans une conversation sur les affaires publiques, il est essentiel de connaître son interlocuteur et de prendre la responsabilité personnelle de son point de vue[5].»

L'Amérique « enchaînée »

Un autre symptôme de dégénérescence civique est la disparition de ceux qui dirigeaient autrefois les organisations communautaires. Les présidents de banques et les commerçants ayant développé des liens de longue date avec la communauté se font chasser de leurs postes de leaders communautaires lorsque les U.S. Bank, Wal-Mart, Office Max et Home Depot arrivent en ville pour leur faire cesser leurs activités. Et qu'obtiennent les habitants lorsque les chaînes prennent la relève ? Des prix plus bas, des articles meilleur marché. Mais ils perdent la valeur de la communauté — une valeur immatérielle, mais plus importante pour la qualité de vie. Ils perdent la touche personnelle.

Par exemple, les petits commerces accordent un pourcentage plus élevé de leurs revenus à des organisations caritatives que les grandes chaînes anonymes. Ils offrent aussi beaucoup une plus grande variété et davantage de produits locaux. Dans un café de propriété locale, on peut voir les œuvres d'un artiste qui habite à côté. Ce café est *le vôtre*. Chez un libraire indépendant, on a bien plus de chances de trouver des ouvrages de petites maisons d'édition, qui publient une plus grande variété de livres que les gros éditeurs.

L'Amérique s'est laissée « enchaîner » si rapidement qu'on a peine à croire les statistiques. En 1972, les libraires indépendants généraient 58 % des ventes de livres, mais en 1997, leur part était descendue à tout juste 17 %, et elle continue de décliner. Lowe's et Home Depot contrôlent plus du quart du marché de la quincaillerie, obligeant bien des « Monsieur Bricole » locaux à porter un tablier aux couleurs de la grande chaîne — à moins d'être hyper spécialisés. Les statistiques sont semblables pour les pharmacies, dont 11 000 ont récemment disparu, de même que les boutiques de vidéo, les cafés et les papeteries.

En tout, plus d'un demi-million de franchises dans 60 industries différentes contrôlent 35 % du marché de la vente au détail[6]. Avec leurs économies d'échelle dans l'achat et la distribution, et parce qu'elles sont capables de rester dans le marché même à perte, les grandes chaînes de vente au détail peuvent abattre la concurrence en un an, et même moins dans certains cas[7].

Attirés par les aubaines et les recettes fiscales plus élevées, les consommateurs et les conseillers municipaux sacrifient générale-ment la rue principale, puis tout le centre-ville aux promoteurs de franchises, oubliant qu'une grande part de chaque dollar de franchise est transférée électroniquement au siège social de l'entre-prise, tandis qu'un dollar dépensé à la quincaillerie locale reste bel et bien dans la ville et le quartier. La valeur de ce dollar local se multiplie maintes fois lorsque de petites entreprises embauchent sur place des architectes, des menuisiers, des concepteurs d'ensei-gnes publicitaires, des comptables, des courtiers d'assurances, des consultants en informatique, des avocats, des agences de publicité — autant de services que les grandes entreprises de vente au détail attribuent par contrat à l'échelle nationale. Les détaillants et distri-buteurs locaux offrent également un pourcentage plus élevé de mar-chandises de fabrication locale que les chaînes, ce qui donne plus de travail aux producteurs locaux[8]. En achetant des chaînes, au lieu d'un effet multiplicateur, on obtient un effet diviseur.

Ces temps-ci, nos gardes sociales sont abaissées. Distraits par les biens matériels et déconnectés de la santé sociale, nous observons de loin la vie communautaire. Et quand, pressés d'aller travailler, nous voyons une armée de bulldozers aplanir l'espace libre près de la rivière, nous ignorons ce qui va se construire. Il y a de bonnes chances que ce soit un Wal-Mart, un McDonald's ou un Starbucks.

Al Norman, pourfendeur de l'étalement urbain

« Quand je rentre chez moi après un voyage, dit Al Norman, je reçois jusqu'à 100 courriels de partout dans le monde. Des citoyens inquiets me demandent de l'information sur la façon d'empêcher les grandes surfaces de passer leurs villes au rouleau-compresseur. »

Al Norman a lancé et remporté une campagne de résistance à Wal-Mart dans sa propre ville (Greenfield, dans le Massachusetts). Après la publication de son histoire dans *Time, Newsweek*, le *New York Times* et à l'émission *60 Minutes*, «mon téléphone s'est mis à sonner sans arrêt, raconte-t-il. Je me suis rendu dans 36 États pour enseigner à des activistes locaux à se servir des outils disponibles[9]».

Le site Web de Norman énumère une centaine de victoires, dont certaines qu'il a personnellement guidées, mais il connaît également les défaites et leurs impacts socioéconomiques. «Le journal *Adirondack Daily Enterprise* a récemment raconté les déboires des détaillants de Ticonderoga, dans l'État de New York, au cours des huit mois écoulés depuis l'arrivée de Wal-Mart, dit-il. Le commerce a baissé d'au moins 20% à la pharmacie, chez le bijoutier et au magasin de pièces d'autos, mais c'en est fini du Great American Market (GAM), la seule épicerie du centre-ville, qui a d'abord réduit ses heures d'ouverture, puis son personnel, de 27 à 17 employés. En janvier, le magasin a fermé ses portes. Une grande proportion de la clientèle du GAM était composée de gens âgés et à faibles revenus, n'ayant pas accès à une voiture.»

«Je suis ici depuis 25 ans», a dit à Al Norman le propriétaire d'une station-service Sunoco du centre-ville. «La semaine avant Noël, dans les années passées, on ne trouvait aucun espace de stationnement dans cette rue. Cette année, un avion aurait pu y atterrir.» Tout le monde stationnait sa voiture au Mega-Mall. Al Norman se rappelle être allé à Henniker, dans le New Hampshire, une ville qui s'oppose activement à l'arrivée d'un magasin Rite-Aid de 1100 m². «Ça m'a fait chaud au cœur de lire sur un panneau à l'entrée de la ville "Bienvenue à Henniker — le seul Henniker sur Terre". L'ennui, c'est qu'il y a tout le reste de la population américaine. Ceux qui se lèvent dans les assemblées publiques pour défendre leur droit sacré aux sous-vêtements et aux crèmes à fouetter bon marché. Leur sens communautaire ne semble pas plus grand que leur chariot à provisions.»

La forteresse Amérique

Que se passe-t-il lorsque la rage de consommer déchire les communautés (par exemple, lorsqu'une compagnie qui quitte la ville congédie des centaines de gens)? On fait du cocooning, on se retire de plus en plus, fermant la grille derrière soi. En incluant les occupants d'appartements de haute sécurité, les résidants de lotissements privés, les détenus et les adeptes des systèmes de sécurité résidentiels, un cinquième des États-Unis au moins habite maintenant derrière des barreaux. «Du point de vue social, la forteresse domestique représente un cercle vicieux, dit l'urbaniste Peter Calthorpe. Plus les gens s'isolent, moins ils partagent avec d'autres qui ne sont pas leurs semblables, et plus ils ont raison d'avoir peur[10].»

Le sociologue Edward Blakely serait d'accord. «Le but avoué de notre société est de rassembler des gens de toutes les classes sociales et de toutes les races, mais les lotissements privés sont à l'opposé de cet objectif», écrit-il dans le livre *Fortress America*. «Comment ce pays peut-il avoir un contrat social sans contact social[11]?» Les enclaves privées constituent le dernier geste de sécession par rapport à l'ensemble de la communauté, et une retraite du système civique. Vingt mille de ces enclaves, où habitent presque neuf millions de gens, se sont déjà séparées. Pourquoi autant de gens se sont-ils retirés de l'ensemble de la communauté? Qu'est-il donc arrivé à la confiance mutuelle des Américains? En 1958, la confiance atteignait un niveau record. Lors d'un sondage, 63 % des Américains avaient répondu qu'ils avaient confiance que le gouvernement fédéral agissait pour le mieux, «la plupart du temps» ou «presque toujours». Dès 1996-1997, ce nombre était devenu inférieur à 30 %. Il en va de même de la confiance entre les individus. Soixante pour cent croient maintenant qu'«on n'est jamais trop prudent avec les gens[12]». Même histoire au travail, où le manque de confiance est coûteux. «Lorsqu'on ne peut faire confiance à ses employés ni aux autres intervenants du marché, écrit Robert Putnam, on finit par dilapider sa richesse en équipement de surveillance, en structures de contrôle, en assurances, en services juridiques et en application des réglementations gouvernementales. »

Un sondage mené en 2000 à l'échelle nationale par la Pew School of Journalism reflétait une nausée collective en Amérique. Quatre-vingt-seize pour cent de répondants se sentaient en sécurité chez eux, mais 20 % ne se sentaient *pas* en sécurité dans leur propre quartier et 30 % au centre commercial. Qu'indiquent ces résultats à propos du « monde extérieur » ? Qu'il faut attraper au vol le repas à emporter, survivre au trajet de retour et se contenter de rentrer. Lors de ce sondage, on a demandé à un vaste échantillon d'Américains : « Quel est selon vous le problème le plus important de votre communauté ? » Comme on pouvait s'y attendre, « le crime et la violence » a marqué le plus grand nombre de points, mais, étonnamment, cette réponse partageait les premiers rangs avec « le développement, l'étalement urbain, la circulation et les routes ». Les Américains considèrent ces deux problèmes comme « incontrôlables ». Et, pour en retrouver la maîtrise, ils reviennent à des formes primaires de réaction : le combat et la fuite.

Les États-Unis essayent de combattre le crime par des industries liées aux lois et à leur application, qui constituent maintenant 7 % de l'économie américaine. Au cours des récentes années, le nombre d'hommes et de femmes en uniformes de police a été augmenté pour contrôler le crime, trois fois plus de « flics à louer » ont été embauchés en guise de policiers. Et les contribuables financent désormais des pénitenciers dans lesquels les coûts par prisonnier se comparent aux frais de scolarité d'un étudiant à Harvard.

Dans une zone densément peuplée, on entend les bruits de l'insécurité : alarmes de voitures, bips de serrures électroniques et sirènes de voitures de police. En réalité, malgré la perception générale, il est peut-être plus risqué, du point de vue statistique, de vivre en banlieue que dans les quartiers pauvres du centre-ville, car les résidants des banlieues conduisent trois fois plus et meurent trois fois plus dans des collisions. Cela n'empêche pas des millions de citadins de s'enfuir vers la sécurité illusoire de la banlieue.

Deux millions d'enfants disparus

Le fait qu'une fillette de huit ans puisse se rendre en sécurité à pied à la bibliothèque municipale située six rues plus loin est un bon indice de la santé d'une communauté. Tout d'abord, cela veut dire qu'il y a une bibliothèque municipale à laquelle il vaut la peine de se rendre à pied. Mais surtout, il y a des voisins qui se surveillent mutuellement. Il y a un capital social dans le quartier : des relations, des engagements et des réseaux qui créent un sentiment de confiance sous-jacent.

Mais dans bien des quartiers américains, la confiance ne sera bientôt plus qu'un souvenir. Il est aussi rare d'y voir jouer des enfants que d'y entendre chanter un oiseau dont l'espèce est menacée. Les enfants disparaissent non seulement des rues et des parcs, mais aussi des statistiques. Selon le recensement de 1990, deux millions d'entre eux ont officiellement disparu. L'équivalent d'une ville comme Kansas City ou Miami, remplie d'enfants que les recenseurs n'ont pas trouvés en comparant les statistiques des naissances et des décès.

Où sont-ils ? Selon le démographe William O'Hare, un demi-million d'entre eux vivent dans une famille d'accueil, passant fréquemment d'un foyer à un autre. D'autres font la navette entre leurs parents séparés, ou habitent avec des grands-parents ou des amis. Certains habitent dans des garages ou des dépendances — des bâtiments convertis qui ne sont pas reconnus par le recensement. D'autres vivent dans des foyers trop nombreux pour un formulaire de recensement. En fin de compte, selon O'Hare, «un plus grand nombre de nos enfants se faufilent dans la marginalité, et rien ne prouve que cela s'améliore[13] ».

Les frais sociaux de la prospérité

Depuis 1950, la superficie du territoire que les communautés américaines consacrent aux usages publics — parcs, édifices publics, écoles, églises, etc. — a décliné du cinquième, tandis que la part de revenus consacré aux hypothèques domiciliaires ou à des versements de loyer est passée du cinquième à la moitié, selon l'American Planning Association. C'est la preuve qu'en se retirant des lieux publics et en «privatisant» son style de vie, on a souvent laissé la citoyenneté et la solidarité au vestiaire. Tant de services sont maintenant offerts de façon lucrative par le secteur privé qu'on semble avoir perdu l'habitude de prendre soin les uns des autres.

Les années 1990 constituent la plus longue période de prospérité de l'histoire des États-Unis, en termes économiques. Cependant, Marc Miringoff, de l'Institute for Innovation in Social Policy, de l'Université Fordham, estime que les tendances de son «indice de santé sociale» révèlent une crise.

«En 1997, dit-il, la santé sociale a entamé son long déclin, alors que le PNB poursuivait sa montée. Depuis, l'indice de santé sociale a décliné de 45 %, tandis que le PNB a grimpé de 79 %[14].»

Loin d'être une statistique abstraite, la tendance qu'il énonce touche de *vraies personnes*, des membres de votre famille et de la mienne, qui constituent la richesse sociale et la vigueur de nos communautés. Plus de trois millions d'enfants subiraient chaque année des sévices: 47 cas pour 1000 enfants. Miringoff demande: «Quel sera l'impact de tous ces mauvais traitements sur le mariage, le développement des enfants, l'éducation et l'emploi?» Il souligne également que le suicide des jeunes révèle immanquablement un mécontentement sous-jacent. En 1950, le taux de suicide chez les jeunes de 15 à 24 ans était de 4,5 pour 100 000, un taux relativement bas. Dès 1970, il avait presque doublé et, en 1996, il atteignait 12 pour 100 000. Chaque suicide résonne bien au-delà de la famille et provoque une grave dépression chez les amis des victimes, les camarades d'école et les voisins[15].

Une géographie de nulle part ?

Lorsque la rage de consommer infecte une communauté, elle met en branle un cercle vicieux. Nous commençons à choisir les choses plutôt que les gens, un choix qui coupe de la vie communautaire et provoque encore davantage de consommation et d'isolement. Les spécialistes de la santé ont démontré que les gens qui entretiennent un réseau de relations vivent plus longtemps que les gens seuls, et que ceux qui sentent l'amitié et le soutien de leurs voisins ont moins besoin de soins de santé. Une étude a également révélé que les résidants de quartiers en crise ont une tendance à la dépression «sociale», ayant moins de sérotonine (l'hormone que stimulent les antidépresseurs) dans le sang.

Est-on devenu trop distrait pour se sentir concerné ? Comme le poisson de taille moyenne qui en a mangé un plus petit, on consomme des produits de franchise dans l'espace privé de sa maison, puis on regarde, impuissant, les compagnies de franchise, qui sont de gros poissons, dévorer les lieux publics par pans entiers, avaler des emplois, des traditions et de l'espace libre. On prend pour acquis que quelqu'un d'autre s'occupe de cela : on les paye pour prendre soin des choses afin de pouvoir mieux se concentrer sur son travail et ses dépenses. Mais on découvre avec horreur qu'un grand nombre des fournisseurs de services, détaillants et gardiens, ne s'occupent plus des consommateurs. Il serait plus approprié de dire qu'ils les *consomment*.

CHAPITRE 9

Le cœur serré par le sentiment d'inutilité

La route en lacet monte, descend et contourne des canyons vertigineux, traverse des ruisseaux déchaînés et longe des lacs où se reflète un immense volcan enneigé, principale attraction du parc national du mont Rainier, dans l'État de Washington. Chaque année, deux millions de gens empruntent ce chemin. Ils s'arrêtent en grand nombre pour admirer le magnifique ouvrage de maçonnerie, si parfaitement harmonisé au cadre naturel, formant le garde-fou de la route et les arches gracieuses de ses nombreux ponts. C'est du travail de qualité, durable, alliant le beau à l'utile, construit par le Civilian Conservation Corps (CCC).

Dans les années 1930, au plus fort de la crise économique, des centaines de jeunes hommes sont arrivés au mont Rainier — des travailleurs ordinaires, au chômage, la plupart en provenance de villes de l'Est américain. Vivant ensemble dans des tentes ou des baraquements, ils ont construit un grand nombre des merveilleuses installations que les visiteurs du parc tiennent maintenant pour acquises. À une époque où l'idée dominante est que le gouvernement ne fait jamais rien de bien, l'œuvre du CCC au mont Rainier et dans bien d'autres parcs nationaux fournit une forme de démenti.

Le travail de ces hommes était laborieux, accompli dans la neige, dans la boue ou en plein soleil, et leurs salaires leur fournissaient à peine de quoi subsister. Leurs logements n'avaient rien de somptueux et ils avaient peu de divertissement en dehors des jeux de cartes et des histoires qu'ils se racontaient. La plupart avaient mis tous leurs biens dans une seule valise. Mais lorsque l'auteur Harry Boyte interviewa des vétérans du CCC, il découvrit que, pour beaucoup, cette époque avait été la meilleure de leur vie.

Ils avaient oublié la poussière, les douleurs musculaires, les piqûres de moustiques. Mais ils se rappelaient avec une profonde affection la camaraderie et le sentiment de bâtir l'Amérique en accomplissant des travaux publics d'une valeur véritable et durable, qui allaient être appréciés par des générations. Soixante ans plus tard, leur fierté à l'égard de leur travail dans le CCC était encore palpable[1].

L'homme qui plantait des arbres

Il y a 20 ans, John Beal avait un poste d'ingénieur à la compagnie Boeing lorsque des problèmes cardiaques l'obligèrent à prendre un congé. Pour améliorer sa santé, il marchait souvent près de chez lui. Ses promenades l'amenèrent de l'autre côté d'un ruisseau appelé Hamm Creek, un minuscule filet d'eau qui descend des montagnes du sud-ouest de Seattle pour rejoindre la rivière Duwamish, une voie navigable industrielle qui se déverse dans le détroit de Puget. John Beal savait que, dans le passé, des bancs de saumons remontaient la Duwamish jusqu'aux frayères de Hamm Creek.

Mais en 1980, le ruisseau était vide de poissons. Les forêts de feuillus qui bordaient jadis ses rives avaient été abattues. Des industries déversaient des déchets dans le cours d'eau, dont les rives étaient à présent couvertes de détritus. John Beal entreprit de changer cela. «Restaurer Hamm Creek, qui se trouve dans la partie la plus polluée de Seattle, se disait-il, ce serait démontrer qu'on peut y arriver n'importe où[2]. »

Il travailla activement, et avec succès, pour empêcher les compagnies de polluer le ruisseau, et transporta des tonnes de déchets. Puis, au cours des 15 années suivantes, il planta des arbres, par milliers. Il restaura des étangs naturels, des chutes et des frayères. Au départ, il travaillait seul, mais peu à peu, d'autres gens vinrent l'aider. Certains articles de journaux et quelques reportages télévisés en attirèrent d'autres. John Beal leur montra comment restaurer la zone d'approvisionnement en eau.

Le saumon revint, un peu plus chaque année, jusqu'à ce que la montaison ait retrouvé une allure à peu près saine. John Beal n'a jamais été rémunéré pour ses efforts, bien que des dons publics aient couvert ses dépenses. Mais il dit avoir été amplement récompensé par la satisfaction personnelle d'avoir fait une différence réelle pour Hamm Creek et pour sa communauté. «C'est ma récompense, c'est de cette façon que je suis payé», conclut-il.

Ce qu'ont en commun John Beal, les hommes du CCC et les innombrables personnes qui donnent à leur communauté, c'est l'idée qu'une activité signifiante a plus d'importance que l'argent et que, en fait, mieux vaut donner que recevoir. Ils ont appris que la plénitude provient de ce genre d'efforts. Mais dans la société de consommation américaine, ils sont en train de devenir des exceptions.

Plus les Américains remplissent leurs vies d'objets, plus ils disent à leurs psychiatres, à leurs pasteurs, à leurs amis et aux membres de leur famille qu'ils ressentent un vide intérieur. Plus ils ont de jouets, plus les enfants se plaignent d'ennui. Jésus-Christ l'a prédit il y a 2000 ans: «Que servira-t-il donc à l'homme de gagner le monde entier, demandait-il à ses disciples, s'il ruine sa propre vie? » (*Matthieu* 16,26). À l'ère de la rage de consommer, on pose rarement cette question, du moins, pas en public. Pourtant, il le faudrait.

La pauvreté de l'âme

Lorsque Mère Teresa vint aux États-Unis pour recevoir un diplôme honorifique, elle déclara «C'est l'endroit le plus pauvre que j'aie jamais vu», se rappelle Robert Seiple, directeur de l'organisation caritative chrétienne Vision mondiale. «Elle ne parlait pas de l'économie, des fonds communs de placement, de Wall Street, ni du pouvoir d'achat, ajoute-t-il. Elle parlait de la pauvreté de l'âme[3].»

Peu avant de mourir d'une tumeur cérébrale, Lee Atwater, stratège électoral du Parti républicain, a fait cet aveu: «Les années 1980, c'était l'acquisition: celle de la richesse, du pouvoir, du prestige. Je le sais. J'ai acquis plus de richesses, de pouvoir et de prestige que la plupart des gens. Mais on a beau acquérir tout ce qu'on veut, on finit tout de même par se sentir vide.» Il mettait en garde contre «un vide spirituel au cœur de la société américaine, une tumeur de l'âme[4]».

Toutes les grandes traditions religieuses considèrent que les humains ont un but dans la vie. En principe, il s'agit de servir Dieu en prenant soin de ses créatures et de nos semblables humains. Heureux celui dont le travail et l'énergie vitale servent ces fins, celui qui trouve «sa vocation» ou la «bonne façon de gagner sa vie» qui lui permettra mettre ses talents au service du bien commun. Aucune de ces traditions ne ramène le sens de la vie à la seule accumulation d'objets, de pouvoir ou de plaisir — ou au fait de «viser la première place».

De nos jours, on décrit rarement son travail comme une vocation. Le travail peut être intéressant et créatif, ou insipide et ennuyeux. Il peut susciter prestige ou indifférence — sans que ce soit lié à sa valeur réelle. Ainsi nos vies sont beaucoup plus perturbées par un arrêt de travail des éboueurs que par une grève des joueurs de baseball. Le travail peut procurer de grandes satisfactions financières ou une maigre subsistance. Mais on ne s'interroge presque jamais sur son sens et son utilité. Pour la plupart des gens, mais pas tous, le gain financier constitue une raison suffisante de travailler. Pourquoi travailler ? C'est simple : parce que c'est payant.

Prenez, par exemple, les professionnels largement rémunérés qui conçoivent les publicités de jeux vidéos hyperviolentes, qui ont causé tant d'alarme chez Caroline Sawe (*cf.* chapitre 7). Certains trouvent sans doute leur emploi « amusant » et certainement « créatif », car il leur permet d'imaginer des idées de promotion nouvelles et efficaces. Ce travail n'a rien de répétitif. Un cadre tout confort ? Sans aucun doute. Un horaire flexible ? Probablement, même s'il est chargé. Un certain sentiment de suffisance et d'autosatisfaction du fait d'être des manipulateurs brillants et efficaces, capables de concevoir des textes publicitaires aussi astucieux que « C'est plus amusant que de tirer sur le chat du voisin » ? « J'aime mon boulot », diraient-ils probablement si on les interrogeait.

Prenez ensuite les concepteurs de ces jeux. Ils en retirent tous ces avantages, mais avec une rémunération financière encore plus élevée, qui leur permet de s'acheter des Ferrari, des Porsche et de luxueuses demeures. Quelques-uns avouent qu'ils ne laisseraient jamais leurs propres enfants utiliser les jeux qu'ils produisent et qu'ils destinent aux enfants des autres. Mais cesser d'en fabriquer ? Pas s'ils sont si bien payés.

Gagner le monde entier, perdre son âme...

Que ces professionnels puissent apprécier leur travail sans ressentir le moindre remords quant à sa valeur ou à ses conséquences ultimes, cela atteste à coup sûr l'efficace escamotage des questions de sens et d'objectifs personnels dans notre économie moderne. Ils ne souffrent pas — du moins en apparence. Peut-être reçoivent-ils, pour leurs produits moralement discutables, des compensations suffisantes — argent, stimulation, pouvoir, prestige — pour anesthésier chez eux toute pointe de regret.

Sous les macarons du sourire

Des millions d'autres Américains ont cependant vraiment soif de sens. C'est ce qu'a découvert le Dr Michael Lerner, rabbin et écrivain, en travaillant dans une «clinique du stress» pour familles d'ouvriers, à Oakland, en Californie. Avec ses collègues, Lerner s'imaginait au départ «que la plupart des Américains sont surtout motivés par le gain personnel». «Nous avons donc été surpris de constater que ces Américains moyens subissent souvent un plus grand stress à sentir qu'ils perdent leur vie dans un travail inutile, qu'à avoir l'impression de ne pas faire assez d'argent[5].»

Michael Lerner et ses collègues rassemblèrent des groupes de travailleurs aux occupations diverses pour les faire parler de leurs vies. «Au départ, la plupart de nos interlocuteurs ont cherché à nous assurer, tout comme ils assuraient leurs collègues et amis, qu'ils allaient bien et se débrouillaient, sans jamais se laisser atteindre par le stress, menant la belle vie.» C'était, dit-il, le genre de réponse que les sondeurs obtiennent généralement lorsqu'ils posent aux gens des questions superficielles sur leur taux de satisfaction dans la vie. Mais avec le temps, à mesure que les participants osaient dévoiler plus honnêtement leurs émotions, un type de réponses différent apparut.

«Nous avons découvert que les gens de la classe moyenne sont profondément malheureux, car ils ont soif de servir le bien commun et d'y contribuer par leurs talents et leurs énergies, mais trouvent que leur travail actuel leur en donne peu d'occasions, écrit Michael Lerner. Ils recourent souvent à des demandes d'augmentation salariale en compensation d'une vie qui, autrement, leur paraît frustrante et vide.»

«C'est peut-être cette peur de ne plus être nécessaires dans un monde d'objets inutiles, qui explique le caractère artificiel, surréel, d'une grande partie de ce qu'on appelle actuellement le travail, écrivait Studs Terkel dans son best-seller intitulé *Working*. Les sentiments que décrivent Lerner et Terkel ont probablement entraîné l'une des statistiques les plus troublantes de l'Amérique contemporaine : le taux actuel de dépression clinique aux États-Unis est dix fois plus élevé qu'avant 1945. Des millions d'Américains anesthésient leur douleur psychologique à coups de Prozac et autres médicaments[6].

Plus les Américains contracteront la rage de consommer, plus les sentiments de dépression, d'anxiété et de manque d'estime de soi risquent d'augmenter. Cette prédiction scientifique s'appuie sur une série d'études récentes menées par deux professeurs de psychologie, Tim Kasser et Richard Ryan. Ils ont comparé des individus principalement motivés par le gain avec d'autres qui privilégiaient le service communautaire et des relations interpersonnelles solides.

Leurs conclusions sont sans équivoque : les individus pour lesquels l'enrichissement constitue une priorité «totalisent un niveau moindre d'accomplissement, une moins grande vitalité, un plus grand sentiment de dépression et d'anxiété». Ces études ont, selon leurs auteurs, «démontré les conséquences délétères de l'enrichissement monétaire comme principe directeur de la vie[7]».

Changer les valeurs des étudiants

Les études de Kasser et Ryan confirment la sagesse des traditions religieuses qui nous mettent en garde contre les dangers de la fixation sur l'argent. Mais depuis un certain temps, cette sagesse tombent dans l'oreille de sourds. En 1962, lorsque Tom Hayden, aujourd'hui sénateur de la Californie, a signé la déclaration de Port Huron, manifeste fondateur de Students for a Democratic Society (SDS), il a déclaré ceci : «La préoccupation principale et transcendante de l'université doit être le déploiement et le raffinement des capacités morales, esthétiques et logiques» afin d'aider les étudiants à trouver «un sens moral à leur vie[8]».

«La solitude, l'aliénation et l'isolement représentent la distance immense qui sépare actuellement les individus, écrivait Hayden. Ces tendances dominantes ne peuvent être renversées par une meilleure gestion personnelle, ni par des gadgets plus performants, mais uniquement lorsque l'amour de l'humain remplace le culte idolâtre de l'objet. »

Au cours des années 1960, de semblables appels au dévouement au service du monde ont inspiré des dizaines de milliers d'étudiants, qui répondaient en partie à l'appel de John F. Kennedy lors de son investiture : « Ne demandez pas ce que votre pays peut faire pour vous ; demandez plutôt ce que vous pouvez faire pour votre pays. » Historien de l'oralité, Studs Terkel, qui reconnaît tout de même quelques-uns des excès de jeunesse des années 1960 (la drogue, les excès de langage, la licence sexuelle), dit que son souvenir de cette décennie est dominé par un épisode de la Convention démocrate de 1968, à Chicago. La police avait alors pourchassé des manifestants pacifistes à travers les parcs Grant et Lincoln, en les matraquant et en les gazant.

Studs Terkel observait la manifestation avec James Cameron, un journaliste britannique, lorsque la police leur envoya soudain une salve de gaz lacrymogènes. « Nous nous sommes sauvés en courant, aveuglés par les larmes, et, alors que je chancelais, une bonbonne de gaz est tombée à mes pieds, se rappelle Terkel. Je n'oublierai jamais ce drôle de petit hippie aux longues boucles blondes. Il a donné un coup de pied à la bonbonne pour l'éloigner de Cameron et de moi, dans sa propre direction. Il nous a sauvés du gaz ! Le geste de ce garçon, c'était vraiment ça, les années 1960 ! On défendaient des causes extérieures à soi-même : les droits civils, le Viêtnam. C'était ça, les années 1960[9]. »

Les rêves des étudiants universitaires on remarquablement changé depuis.

Il n'y a pas longtemps, alors que Thomas Naylor enseignait à l'Université Duke, il a demandé à ses étudiants de définir leurs objectifs personnels. Par-dessus tout, ils voulaient de l'argent, du pouvoir et des objets — de très gros objets, comme des résidences secondaires, de luxueuses voitures importées, des yachts et même des avions. Ce qu'ils demandaient au personnel enseignant : «Enseignez-moi à être une machine à faire et à dépenser de l'argent.» Thomas Naylor se rappelle que la phrase qu'il a entendu le plus souvent entre étudiants de Duke était «Je ne peux pas croire à quel point j'étais saoul hier soir.» L'abus d'alcool (en particulier les beuveries) constitue un problème de plus en plus grave sur les campus américains. Les décès, les blessures et les empoisonnements reliés à l'alcool sont monnaie courante. Les étudiants dépensent maintenant près de six milliards par année en alcool, plus que pour toutes les autres boissons et leurs livres combinés[10].

Lorsque la gauche et la droite s'entendaient

De nos jours, ceux qui critiquent le vide d'un mode de vie lié à la consommation se situent le plus souvent à gauche. Mais cela n'a pas toujours été le cas. Avant Reagan, de nombreux conservateurs ne s'étaient pas encore ralliés au culte de l'économie de marché ultralibérale. D'éminents philosophes et économistes conservateurs étaient souvent aussi critiques envers la consommation que leurs collègues de gauche, et affirmaient qu'elle dépouille la vie de son sens.

Wilhelm Ropke faisait partie de ces géants de la pensée économique conservatrice traditionnelle. «L'*homo sapiens consumens* perd de vue tout ce qui contribue au bonheur humain à part la rémunération et sa propre marchandisation», écrivait-il en 1957. Ceux qui tombent dans un style de vie axé sur la rivalité avec les voisins, affirmait-il, «ne connaissent pas les conditions authentiques et essentiellement immatérielles du simple bonheur humain. Leur existence est vide et ils tentent de remplir ce vide d'une manière ou d'une autre[11].»

Dans son livre *A Humane Economy: The Social Framework of the Free Market*, Wilhem Ropke posait des questions importantes sur l'orientation de la société de consommation :

Ne vivons-nous pas dans un monde basé sur l'économie ou, comme le dit R. H. Tawney, dans une « société attachée aux biens de consommation », qui déclenche la pure avidité, engendre des méthodes commerciales machiavéliques et, en leur permettant de devenir la règle, noie tous les motifs supérieurs dans « les eaux glacées du calcul égoïste » (pour emprunter au Manifeste du Parti communiste*) et permet aux gens de gagner le monde mais de perdre leur âme ? Y a-t-il une façon plus sûre de dessécher l'âme de l'homme que l'obsession de l'argent et de ce qu'il permet d'acquérir ? Y a-t-il poison plus puissant que le mercantilisme omniprésent dans notre système économique*[12] *?*

Ropke soulignait que, dans la société capitaliste (dont il était un fervent partisan, en tant que conservateur), il est impératif que l'individu se pose des questions sur la valeur morale de ses activités, au lieu de se laisser porter par les tendances du marché. Sans cette vigilance, affirmait-il, la vie perd son sens. « La vie ne vaut pas la peine d'être vécue si nous n'exerçons notre profession qu'en vue du succès matériel, sans trouver dans notre vocation une nécessité intérieure et un sens qui transcende la simple rémunération, un sens qui donne de la force et de la dignité à notre vie[13]. »

Des gens normalisés

La meilleure explication de la façon dont la poursuite de buts matériels engendre une vie inutile d'ennui perpétuel nous vient d'un autre conservateur, le philosophe Ernest van den Haag.

D'abord, soulignait-il, la production de masse, qui rend possible le style de vie axé sur la consommation universelle, incite bien des gens à abandonner des occupations plus variées, comme l'artisanat et l'agriculture familiale. Elle les rassemble dans des usines, où la division du travail réduit l'envergure de leurs activités à quelques mouvements répétitifs. Leur labeur n'offre ni variété ni contrôle.

Avec le temps, l'accroissement de la production et l'organisation de la demande permettent aux travailleurs de partager les fruits matériels de leur travail. Mais pour fournir une quantité de biens adéquate, ils doivent accepter des produits fabriqués en série et, par conséquent, normalisés. « Les avantages de la production de masse, écrivait Ernest van den Haag, ne se récoltent qu'en associant au travail désindividualisé une consommation désindividualisée. » Par conséquent, affirmait-il, « il en coûte de ne pas réprimer la personnalité individuelle pendant ou après les heures de travail ; en fin de compte, *la production d'objets normalisés par des personnes exige aussi la production de personnes normalisées*[14] » (nous soulignons).

La désindividualisation, qui résulte du progrès matériel même, ne peut que dépouiller la vie de son sens et de son intérêt intrinsèque. Le travailleur-consommateur est vaguement insatisfait, impatient et ennuyé, sentiments que renforce et augmente la publicité, qui tente délibérément de les exploiter en lui offrant de nouveaux produits comme échappatoires. Les produits de consommation et les médias (qui eux-mêmes ne pourraient exister sans publicités pour des produits de consommation) « étouffent le cri des talents inutilisées, de l'individualité réprimée », nous laissant « apathiques ou perpétuellement agités », déclarait Ernest van den Haag. Les produits et les médias nous détournent de l'aspiration naturelle de notre âme à des activités véritablement signifiantes.

L'individu qui ne trouve aucune occasion d'exprimer délibérément et d'une manière signifiante ses ressources intérieures et sa personnalité, disait Ernest van den Haag, souffre « d'un insatiable désir de voir arriver des choses. Le monde extérieur doit lui fournir ces événements pour remplir le vide. La demande populaire d'histoires "vraies", le besoin de participer par procuration à la vie privée des "personnalités", reposent sur la soif de vie privée (même celle des autres) que ressentent ceux qui ont à peine conscience de n'en avoir aucune, ou du moins aucune vie qui retienne leur intérêt[15]. »

Ce que désire vraiment la personne qui s'ennuie, c'est une vie signifiante et authentique. Les publicités laissent croire que cette vie peut prendre la forme de produits ou d'expériences commerciales sous emballage. Mais la religion et la psychologie affirment qu'on a plus de chances de la trouver dans le dévouement aux autres, dans les relations amicales et familiales, dans le contact avec la nature et dans un travail doté d'une valeur morale intrinsèque.

Après la rage de consommer

La culture américaine offre des possibilités de vie beaucoup plus utiles et créatives que n'en vivent la plupart d'entre nous. Ses technologies étonnamment productives pourraient permettre à tous de consacrer moins de temps à un travail répétitif et normalisé, ou à une production peu valorisante, en donnant les moyens d'échanger une augmentation de salaire contre une réduction des heures de travail.

De tels choix nous laisseraient plus de temps à consacrer à un travail librement choisi, volontaire, souvent bénévole, qui améliorerait nos relations et nos communautés et/ou nous permettrait d'exprimer davantage nos talents et notre créativité. Et ces choix nous laisseraient du temps pour trouver de la joie et un sens dans la beauté et les merveilles de la nature, dans le jeu délicieux des enfants ou dans le travail de restauration de notre environnement dégradé. Ils nous donneraient du temps pour penser à ce qui compte vraiment pour nous, et à la façon dont nous voulons utiliser les années qui nous restent.

CHAPITRE 10

Les cicatrices sociales

En 1993, en Thaïlande, une usine de jouets a été détruite par le feu. Incapables de s'échapper, des centaines de travailleuses ont péri dans les flammes et la fumée. On a retrouvé leurs cadavres calcinés dans les ruines de l'édifice, une souricière qui ressemblait à bien des endroits, dans les pays en voie de développement, où l'on fabrique des millions de jouets en plastique pour les enfants américains. Ici et là, dans les ruines noircies, gisaient certains de ces jouets — des poupées Bart Simpson, par exemple. Peu d'Américains ont vu ces images horrifiantes (après tout, ils ne manifestent pas beaucoup d'intérêt envers les nouvelles de l'étranger).

Un grand nombre des femmes ayant péri dans l'incendie étaient des mères, auxquelles leurs maigres revenus ne permettaient même pas d'acheter pour leurs propres enfants les jouets qu'elles fabriquaient et qui étaient destinés à l'exportation. Les lugubres images de cet incendie et les réalités qui les sous-tendent en disent long sur le fossé de plus en plus large qui sépare les riches et les pauvres à l'ère de la rage de consommer.

Un fait est tout simplement indéniable : aucun, mais aucun système économique n'est capable de produire des biens de consommation à un prix aussi bas que le libre marché déréglementé et, bien sûr, appuyé par les pouvoirs militaires et policiers de l'État. Par exemple, il parvient (surtout avec l'aide de régimes qui laissent aux travailleurs peu de liberté d'organisation) à produire des jouets à si bas prix qu'on peut les envoyer à l'autre bout du monde et les offrir gratuitement, avec des repas à deux dollars, à des comptoirs de fast-food comme McDonald's et Burger King.

La déréglementation de l'économie américaine, commencée dans les années 1980 sous Ronald Reagan et associée au déclin précipité de l'influence du syndicalisme, a augmenté la productivité intérieure des États-Unis. Elle livre la marchandise, mais d'une manière beaucoup moins équitable qu'avant.

Par contraste avec d'autres sociétés, les Américains ont longtemps considéré leur société comme une société sans classes, où peu de citoyens étaient très riches ou très pauvres. Cette idée d'une Amérique sans classes a toujours été suspecte. Même en 1981, lors de l'abandon soudain de tous les efforts politiques en vue de contrer la rage de consommer ou de la mettre en quarantaine, les États-Unis se sont retrouvés au 13e rang parmi les 22 premiers pays industriels sur le plan de l'égalité salariale.

Mais aujourd'hui, les Américains occupent la toute dernière place[1].

L'autre Amérique

La marée montante de l'opulence américaine n'a pas soulevé toutes les barques, mais a noyé bien des rêves. Un vide titanesque sépare maintenant les riches des pauvres d'Amérique. « En examinant le grand boom de la consommation depuis les années 1980, dit Juliet Schor, de Harvard, on découvrira entre autres qu'il se concentre largement dans la classe moyenne supérieure et au-dessus[2]. »

En effet, durant les années 1980, les trois quarts de l'augmentation du revenu véritable avant impôt sont allés à 1 % des familles les plus riches, qui ont retiré un accroissement moyen de leurs gains de 77 %. Les familles à revenu médian n'ont connu qu'un gain de 4 %, tandis que les 40 % des familles de niveau inférieur ont en fait perdu du terrain. Certains prétendront peut-être que ces chiffres reflètent une surestimation de l'inflation et que, par conséquent, tous les secteurs ont en fait gagné davantage que ne le suggèrent les chiffres officiels. Mais ce qui est incontestable, c'est la distribution étonnamment inégale des gains[3].

En augmentant leur part du revenu national au cours des années 1980, les super-riches sont également devenus plus avares. Ils ont donné aux œuvres de charité une part bien moindre de leurs revenus qu'auparavant. En 1979, les gens qui gagnaient plus d'un million (en dollars de 1991) ont donné 7 % de leurs revenus après impôt. Douze ans plus tard, ce chiffre était descendu à moins de 4 %[4]. Et ce, à une époque où les champions des réductions draconiennes des programmes d'aide sociale affirmaient que les œuvres de charité allaient combler une partie de la différence.

En réalité, et ce n'est pas étonnant, le pourcentage de familles pauvres, qui avait décliné, a recommencé à monter. Le nombre de gens qui travaillent mais gagnent des salaires inférieurs au seuil de la pauvreté a presque doublé au cours des années 1980, tandis que, de 1979 à 1994, le taux de pauvreté infantile a augmenté de 18 à 25 %[5].

En Amérique, malgré l'image d'abondance et les étalages de supermarchés toujours pleins à craquer, dix millions de personnes ont faim à chaque jour, dont 40 % d'enfants et une majorité de travailleurs ayant un emploi. Vingt et un millions d'autres échappent à la faim en ayant souvent recours à des programmes d'urgence, comme les banques alimentaires et les soupes populaires. Tous les soirs, au moins 750 000 Américains sont sans abri et, dans une année, près de deux millions de gens sont confrontés à ce problème. Voilà pour la mauvaise nouvelle. La bonne nouvelle, c'est que neuf millions d'Américains possèdent des résidences secondaires. La pénurie de logements en Amérique n'est peut-être, en réalité, qu'un problème de répartition[6].

La concentration croissante du revenu s'est poursuivie tout au long du boom économique sous Clinton. Vingt pour cent des familles américaines gagnent maintenant presque autant que le reste de la population (49 contre 51 % du revenu national), un taux d'inégalité record. La distribution de la richesse est encore plus faussée. Dès 1999, 92 % de toute la richesse financière de l'Amérique (actions, obligations et propriétés immobilières) était aux mains des 20 % des familles les plus riches (et les premiers 10 % possédaient 83 % des actions). Une grande part des Américains les plus riches trouvent moyen d'éviter l'impôt, en totalité ou en partie. Un article intitulé, « Tax Cheater's Paradise », paru dans le magazine *Mother Jones* de décembre 2000, explique comment les riches évitent de payer des millions en impôt en abritant leur argent dans des comptes extraterritoriaux, dans les Caraïbes et ailleurs.

Les grands gagnants...

À un moment donné, avant qu'une chute du cours de l'action de Microsoft ne réduise de moitié la valeur nette de sa fortune, Bill Gates détenait des actifs d'environ 90 milliards, équivalant presque à ceux de la moitié inférieure de la population américaine (et supérieurs au produit national brut de 119 des 156 pays du monde). Mais la fortune de Bill ne vaudrait maintenant que 45 pauvres millions. Par contraste, 40 % des Américains n'ont aucun actif.

Rien n'illustre mieux l'étreinte de l'opulence en Amérique que l'indemnisation offerte aux cadres supérieurs des grandes entreprises. Dans un dossier intitulé « Is Greed Good ? », le magazine *Business Week*, qui semble croire que oui, l'avidité est une bonne chose, rapportait qu'en 1998 l'indemnisation totale moyenne des p.d.g. des 365 premières compagnies américaines avait augmenté de 36 % pour atteindre 10,6 millions chacun. Par contraste, les ouvriers avaient obtenu une augmentation de 2,7 %.

L'indemnisation totale moyenne des p.d.g. a augmenté de 442 % depuis 1990, date à laquelle ils ne recevaient, les pauvres, que 2 millions par année. Ils gagnent maintenant plus de 400 fois le salaire moyen de leurs travailleurs, contre 40 fois dans les années 1980[7]. Par contraste, encore récemment, avant qu'ils ne commencent à sentir le besoin de rivaliser avec leurs homologues américains, les p.d.g. japonais et allemands ne recevaient qu'environ 20 fois le salaire moyen de leurs travailleurs.

Et les perdants

En attendant, le chroniqueur David Broder rapporte que les gens qui nettoient les salles de bain et les bureaux des «maîtres de l'univers» (comme il surnomme les millionnaires de la haute technologie) gagnent des salaires de misère. À Los Angeles, il a trouvé des concierges en grève pour une augmentation qui devait leur rapporter 21 000 $ par année en 2003. Même avec ce salaire, il faudrait 27 380 de ces concierges pour gagner ce qu'un seul p.d.g. de Los Angeles, Michael Eisner, de Disney, a gagné en 1998, soit 575 millions.

Pour les riches, les pauvres sont devenus invisibles. «Il y a des millions de gens dont le travail rend notre vie plus facile, depuis les commis des restaurants jusqu'aux aides-soignants des hôpitaux, mais qui vivent à la limite de la pauvreté, écrit David Broder. La plupart d'entre nous n'échangeons jamais un mot avec ces travailleurs[8].» Près des yeux, mais loin du cœur.

Pour bien montrer qu'ils formaient une société sans classes, les Américains soulignaient qu'aux États-Unis peu de familles employaient des domestiques (par comparaison avec les riches d'Amérique latine, par exemple). Mais cette situation est en train de changer à mesure qu'ils deviennent une société à deux vitesses. Les Américains de la classe moyenne supérieure ont désormais largement recours à des domestiques. En 1999, de 14 à 18 % des foyers américains employaient une personne de l'extérieur pour faire leur ménage, ce qui représente une augmentation de 53 % depuis 1995. Les femmes de ménage et les domestiques à temps plein gagnaient en moyenne 12 220 $ en 1998, soit 1092 $ de moins que le seuil de pauvreté pour une famille de trois[9].

«Cette soudaine émergence d'une classe de domestiques correspond à ce que certains économistes appellent la "brésiliani-sation" de l'économie américaine», écrit Barbara Ehrenreich dans *Harpers*. «Conformément à la polarisation croissante des classes, la posture classique de soumission effectue un retour en force», accuse cette journaliste qui a travaillé comme bonne à 6,63 $ de l'heure dans le cadre de la recherche pour son article. Elle souligne que Merry Maids, une compagnie franchisée, annonce même ses services domestiques au moyen d'un dépliant dans laquelle elle se vante ainsi : «Nous récurons vos planchers à l'ancienne : à genoux et sur les mains[10].»

Barbara Ehrenreich est allée récurer des McDomiciles à Portland, dans le Maine, se pliant à des règles qui lui interdisaient même de prendre un verre d'eau au cours de son travail. Elle a découvert que certaines maisons étaient équipées de caméras cachées pour vérifier qu'elle travaillait comme prévu. Elle était étonnée par le genre de saletés qu'on lui laissait. Surtout les enfants, dont l'un s'est exclamé en la voyant : «Regarde, maman, une domestique blanche!»

Après avoir, en tant que domestique, «nettoyé les chambres de bien des adolescents surprivilégiés», Barbara Ehrenreich a conclu que «la classe supérieure américaine est en train d'élever une géné-ration de jeunes qui, sans assistance constante, vont suffoquer dans leurs propres détritus».

Peu importe qu'ils sachent lire suffisamment ou non pour com-prendre ce que cela veut dire.

Les pauvres paient deux fois... et même davantage

La rage de consommer affecte des Américains de toutes les classes, mais ses impacts sont plus destructeurs pour les pauvres. D'abord les pauvres sont souvent les premières victimes des conséquences environnementales des stratégies de réduction des coûts de production. Ils vivent entassés dans les endroits où la contamination de l'environnement et les formes de pollution sont les plus graves — par exemple, dans la fameuse «Cancer Alley», en Louisiane, où des usines de pétrochimie relâchent une quantité effrayante de substances carcinogènes dans l'air et dans l'eau.

En même temps, les salaires largement gonflés versés aux gagnants de la nouvelle «économie de l'information» font monter les enchères sur un stock de maisons, ce qui enfle le coût du logement et le met hors de portée des salariés moyens. Beaucoup sont obligés de quitter des quartiers où ils ont passé toute leur vie avec leurs familles.

Finalement, on provoque les pauvres au moyen d'émissions et de publicités télévisées qui font miroiter devant eux des images qui passent pour refléter la consommation de l'Américain moyen. Une prétendue norme qu'ils n'ont aucune chance d'atteindre — sauf peut-être en cambriolant une banque ou en gagnant à la loterie.

Felicia Edwards, une Afro-Américaine mère de deux enfants, qui habite un petit appartement dans un projet domiciliaire à Hartford, dans le Connecticut, s'inquiète des pressions que subissent les enfants pour leur faire porter les mêmes vêtements griffés que leurs camarades de classe. «Les écoles ont tendance à ressembler à des défilés de mode, dit-elle en secouant la tête. Le groupe met beaucoup de pression et ça peut mener au crime. Des jeunes de l'école en ont tué d'autres pour une paire de chaussures de sport. Les parents doivent cumuler deux ou trois emplois pour habiller leurs enfants.» Les enfants de Felicia la harcèlent rarement, mais lorsque son fils aîné l'a suppliée de lui acheter une paire d'Air Jordan qu'il avait vue en solde à 90 $ au lieu de 120, elle a cédé, non sans lui avoir dit qu'elle ne pouvait pas se permettre de les acheter. «Sa tante et moi, on a décidé de les lui payer moitié-moitié, dit-elle. Alors, il a eu ses chaussures[11]. »

Dans les milieux les plus pauvres, le sentiment de privation est intense. Gerald Celente rapporte sa conversation avec un intervenant qui travaille auprès des membres d'un gang de jeunes. «Je lui ai demandé ce qui, d'après lui, était la principale cause de ces problèmes. Sans hésiter une seconde, il a répondu: "L'avidité et le matérialisme. Ces jeunes ont l'impression que leur vie ne vaut rien s'ils n'ont pas le produit le plus *hot* sur le marché[12]." »

Margaret Norris est d'accord. Codirectrice de l'Omega Boys Club de San Francisco, elle dit que l'éthique chez les jeunes des classes pauvres avec lesquels elle travaille se résume à «Habille-toi de ton argent», à n'importe quel prix. Une telle pression mène souvent au crime.

«Oubliez ça et enfermez-les», telle semble être la réponse de la société à cette situation. Le taux de criminalité a baissé au cours des dernières années, une tendance généralement attribuée à la croissance de l'emploi dans le contexte actuel de boom économique. Mais les États-Unis comptent déjà deux millions de citoyens derrière des barreaux, pourcentage plus élevé que dans n'importe quel pays du monde, et dix fois celui de la plupart des pays industrialisés. À elle seule, la Californie compte plus de détenus que la France, l'Allemagne, la Grande-Bretagne, le Japon, Singapour et la Hollande combinés. Dans certaines villes industrielles de la «Rust Belt», comme Youngstown, en Ohio, les prisons sont devenues la plus grande source d'emploi. Des compagnies privées, comme la Corrections Corporation of America, font des millions en assurant le fonctionnement d'installations pénitentiaires. De brillants courtiers de Wall Street jouent à «dongeon pour des dollars», investissant à fond dans l'industrie carcérale nouvellement privatisée[13].

L'infection mondiale

Les cicatrices sociales que laisse la rage de consommer sont maintenant visibles dans le monde entier, car un nombre croissant de cultures copient le style de vie américain. Comme la télévision expose chaque jour des millions d'habitants de pays en développement au style de vie du consommateur occidental (sans leur montrer ses failles), ils ont hâte de l'adopter. David Korten, auteur de *When Corporations Rule the World*, croyait jadis qu'on pouvait et qu'on devait les intégrer. Il enseignait la gestion commerciale à Stanford et à Harvard, jusqu'à ce qu'il parcoure l'Afrique, l'Asie et l'Amérique centrale pour la Harvard Business School, la Ford Foundation et l'Agence américaine de développement international.

«Ma carrière s'est concentrée sur la formation des cadres commerciaux en vue de créer l'équivalent de notre économie de forte consommation dans des pays du monde entier, dit maintenant Korten. La mondialisation des entreprises vise de plus en plus à entraîner chaque pays dans la société de consommation. Et on insiste très fortement pour rejoindre les enfants, afin de modeler leurs valeurs dès le départ, pour les convaincre que le progrès se définit par ce qu'ils consomment[14]. »

David Korten croit maintenant qu'en faisant la promotion des valeurs de consommation dans les pays en développement, il répandait plutôt le virus de la rage de consommer. Plus il travaillait dans le domaine du développement, plus les symptômes de ce virus lui sautaient aux yeux. Peu à peu, il a constaté que ses efforts causaient plus de tort que de bien. «J'ai fini par voir que le système que je proposais ne fonctionnait pas et ne pouvait pas fonctionner. En réalité, il gâchait la vie de bien des gens. Nous avons été témoins du saccage de l'environnement et de la désintégration des cultures et du tissu social. »

À mesure que la rage de consommer se répand à travers le monde, l'écart entre riches et pauvres s'élargit constamment, et les cicatrices sociales qui demeurent cachées aux États-Unis suppurent ailleurs comme des plaies ouvertes. Les sinistres bidonvilles de Rio s'étendent jusqu'aux sables dorés de Copacabana et d'Ipanema. Les luxueux centres commerciaux de Manille sont alignés le long de Smoky Mountain, un dépotoir géant où des milliers de gens habitent dans les détritus, dépendant pour leur survie de ce qu'ils peuvent récupérer.

Le virus se transmet facilement du Sheraton au taudis.

Le cinquième de la population mondiale — un milliard d'êtres humains — vit dans une pauvreté abjecte et meurt lentement de faim et de maladie. Des millions d'autres manquent désespérément de biens matériels. Mais s'ils se mettaient à consommer comme les Américains, il en résulterait une catastrophe écologique.

Il est crucial que les États-Unis se mettent à donner un autre exemple au monde, et vite.

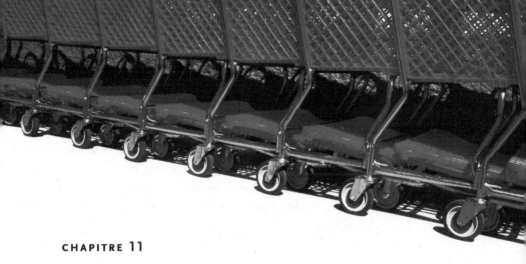

CHAPITRE 11

L'épuisement
des ressources

Dernière heure :

WASHINGTON, D.C. — Selon une étude de l'Agence américaine de protection de l'environnement, menée conjointement avec le groupe de travail de l'ONU sur l'impact mondial du développement, la diversité des produits de consommation excède maintenant la biodiversité. L'étude révèle que, pour la première fois de l'histoire, la vaste gamme de produits disponibles dans les centres commerciaux et les supermarchés dépasse le nombre des espèces vivantes qui peuplent la planète.

«À la suite de l'extinction de la poule huppée de la Caroline, la mise en marché de la gomme Dentyne cannelle-menthe a placé les produits de consommation en tête du point de vue de la diversité, a déclaré le président Donald Hargrove. Aujourd'hui, à elle seule, la sous-espèce Procter & Gamble dépasse à deux contre un le nombre des insectes.» La brusque croissance du nombre de produits de consommation — plus de 200 millions de nouvelles options d'achat engendrées depuis 1993 — constitue une bonne nouvelle pour ceux que dérange la diminution du nombre d'espèces de plantes et d'animaux.

« Bien que la flore et la faune soient en déclin, la gamme de marchandises proposées aux consommateurs est plus grande que jamais. Et nous devons tous en être fiers », a dit Donald Hargrove. Jonathan Grogan, biologiste à l'Université de Chicago, a déclaré ceci : « Tout système complexe, que ce soit la forêt amazonienne ou le Mall of America, a besoin d'une riche diversité d'espèces, ou de produits, pour survivre. C'est pourquoi, à la lumière de l'effondrement de l'écosystème mondial, il est de plus en plus essentiel de favoriser la diversification du marché global en achetant la plus large gamme de produits de consommation possible. »

Une parodie, oui. Mais cette blague anonyme diffusée sur l'Internet est douloureusement proche de la vérité. Et les dommages s'accélèrent à chaque instant. Le temps qu'il faut pour lire ce chapitre, on passe au bulldozer au moins 30 acres de terres agricoles et d'espace libre pour répondre à la demande toujours brûlante de minichâteaux de banlieue. La fabrication de chacune de ces maisons requiert généralement un demi-hectare d'arbres, de même que l'équivalent d'un trou de la taille d'une maison pour fournir les minéraux qui servent à produire le béton, l'acier et les autres matériaux de construction.

La demande d'habitations, de carburant et de produits de consommation envoie dans la nature vierge et sauvage d'immenses pelles à benne traînante, des haveuses, des scies à chaînes, des bulldozers et des installations de forage pétrolier.

« L'industrie déplace, exploite, extrait, ramasse à la pelle, brûle, gaspille, pompe et détruit deux millions de kilos de matériel afin de subvenir pendant un an aux besoins d'une seule famille ordinaire de classe moyenne », écrivent Paul Hawken et Amory et Hunter Lovins dans *Natural Capitalism*[1]. Selon le Programme des Nations Unies pour l'environnement, les Américains dépensent davantage pour des sacs à ordures que 90 des 210 pays du monde pour tout! Au cours d'une vie moyenne, chaque Américain consomme tout un réservoir d'eau (172 millions de litres) pour combler ses besoins personnels, industriels et agricoles[2], et un petit navire-citerne de mazout (2500 barils[3]). Selon les géologues américains, la production pétrolière mondiale atteindra son sommet d'ici 10 ou 20 ans, avant d'entamer son déclin final.

Vous n'êtes pas encore déprimé? Ces chiffres sont comme des appels téléphoniques urgents au milieu de la nuit. La nature, notre mère, ne va pas bien du tout. Négligée par les médias, elle a été admise à l'urgence avec une fièvre grave et des hémorragies au thorax. Ses lointains parents (les Américains typiques) attendent depuis des heures dans des salles climatisées des nouvelles de son état (ou une reprise de leur sitcom préférée, selon ce qui se présentera en premier). De manière compulsive, ils consomment des friandises, des cigarettes et des jeux électroniques, histoire d'oublier qu'ils sont tous porteurs de la rage de consommer, la maladie humaine qui s'attaque à la nature comme une douzaine d'ouragans permanents.

Le sentier du papier

La plupart des longues randonnées donnent lieu à un exercice de comparaison du poids des sacs à dos. Pendant une randonnée d'une centaine de kilomètres sur le West Coast Trail de l'île de Vancouver, Colin, 16 ans, le fils de David Wann, prétendait que son sac était plus lourd que celui de son père, parce qu'il contenait plus de nourriture. David soutenait que celui qui transportait la tente, le tapis de sol et le réchaud avait la plus lourde charge. Lorsqu'on sent le poids de ses affaires sur son dos, on est porté à analyser le rapport masse-utilité pour chacunes d'elles. Pendant leur lente remontée de la côte de l'île de Vancouver, de ponts suspendus en bûches moussues, David et Colin se sont livrés à un débat récurrent sur la valeur relative des objets.

« Tu n'aurais pas dû apporter autant de friandises », asticotait Colin. (Chacun portait ses propres barres protéinées, boissons en poudre et noix.) David répliquait : « Et si le parc mettait un pèse-personne à la disposition des randonneurs, pour qu'ils puissent régler leurs différends ? Alors, on verrait bien qui fait tout le boulot. » « La prochaine fois, emporte un pèse-personne », suggérait Colin en haussant les épaules.

Cette randonnée fut une expérience déterminante pour le père et le fils. Ils saisirent — dans leur corps — la valeur inhérente à la nature vierge, débarrassée du marketing, et surtout éprouvèrent le sentiment d'être en vie. Ils en tirèrent une leçon qui amena David à collaborer à ce livre et Colin à devenir instructeur pour Outward Bound : on n'a pas besoin de grand-chose quand on apprécie vraiment la valeur de ce qui nous est donné. À mesure que leurs esprits s'éclaircissaient, leurs yeux devenaient plus sensibles à d'autres formes de richesse que l'argent : l'abondance biologique de la forêt pluviale et de l'océan, la richesse sociale et culturelle des indigènes de l'île de Vancouver et leur propre mieux-être, qui était sûrement la plus précieuse de toutes les richesses.

Originellement destiné à la survie des marins naufragés, le West Coast Trail offre des points de vue spectaculaires : le bleu de l'océan et le blanc des vagues qui viennent s'écraser sur le rivage sont encadrés par les sombres silhouettes de la forêt pluviale. Des trous remplis d'étoiles de mer et de crabes, des familles d'aigles à tête blanche qui planent en silence et des centaines de baleines à bosse avec leurs jets, tout cela parle de l'abondance de la nature.

Cependant, les plages étaient jonchées de troncs d'épinettes et de sapins morts, charriés sur une rivière par l'industrie forestière qui a dépouillé l'île d'une grande partie de son capital naturel. Une photographie montre Colin debout sur un morceau de tronc d'arbre de la taille d'une petite scène. Cette expérience rappela à David et à son fils d'une façon éloquente qu'un grand nombre des produits domestiques qu'ils consomment proviennent de cette région, qui fournit par ailleurs le dixième du papier journal produit dans le monde.

Si on leur avait demandé quel est l'atout de l'île de Vancouver, David et Colin auraient probablement répondu, enthousiastes : « La nature sauvage. Laissons-la se régénérer. » Si l'on posait la même question au bûcheron dont la semi-remorque transporte trois troncs d'arbres de 26 m de long, il dirait : « Le bois d'œuvre. Laissez-moi le récolter. » La question n'est pas simple, surtout depuis que les Américains consomment le tiers des ressources mondiales de bois. Au retour du voyage, David s'est remis à consommer plus de papier que la moyenne, car il est écrivain, tandis que le bûcheron cherchait probablement un bel endroit où emmener ses enfants, car lui aussi est père.

Bien que les compagnies forestières laissent des rideaux de feuillus le long des routes pour camoufler leurs ravages, David et Colin ont aperçu entre les arbres des zones dénudées. Ce qu'on ne voit pas, c'est que ce genre d'opérations engendre des coûts supplémentaires pour la société. Les frais d'adduction d'eau augmentent lorsque les sédiments provenant de l'abattage des arbres polluent les rivières qui fournissent de l'eau potable. Les taxes grimpent lorsque chemins et ponts sont emportés par l'inondation des zones de coupe à blanc. Les prix du bois d'œuvre et du papier montent lorsque les compagnies se sentent obligées d'annoncer que leurs pratiques sont vertes. Bref, chacun signe des chèques et abat des heures supplémentaires pour compenser la négligence qu'on entretient « loin des yeux, loin du cœur ».

Loin du cœur

Au Moyen Âge, les gens brandissaient des bâtons d'encens dans l'espoir d'éloigner la peste qui, croyaient-ils, était causée par de mauvaises odeurs. Sept cents ans plus tard, nous négligeons encore de faire les vrais liens, par exemple, entre notre consommation et l'actualité mondiale. Nous achetons du café cultivé en plantation, sans nous apercevoir que chaque tasse expose un nouvel oiseau migrateur à des pesticides potentiellement mortels. Comme Rachel Carson, nous n'entendons plus de pépiements dans nos jardins, mais nous prenons une autre gorgée de café sans faire le rapport. Chaque année des oiseaux cessent de parcourir les milliers de kilomètres qui séparent l'Amérique centrale et du Sud des jardins de l'Amérique du Nord, car ils meurent. Et s'ils survivent à ce voyage de retour au bercail, ils risquent de retrouver leurs habitats nordiques recouverts de routes, de maisons, de terrains de golf et de parcs de stationnement.

Lorsqu'on achète un ordinateur, on ne pense pas qu'au moins 700 matériaux différents sont entrés dans sa fabrication, provenant de mines, de tours de forage pétrolier et d'usines chimiques de partout dans le monde. Au cours de sa fabrication, la jolie machine colorée qui ronronne sur chaque bureau a produit 63 kg de déchets solides et dangereux, 28 000 l d'eaux usées et utilisé environ le quart de la consommation d'énergie de sa vie utile. Chaque année, on se débarrasse de plus de 12 millions d'ordinateurs, totalisant plus de 270 tonnes métriques de détritus électroniques[4]. L'essentiel à retenir, c'est que lorsqu'on achète un ordinateur, tout le reste vient avec, même si ce qui est loin des yeux est loin du cœur.

Que dire du courrier-déchet? Il s'agit, la plupart du temps, de publicités commerciales, mais même les organismes sans but lucratif sont coupables d'en produire. Selon Donella Meadows, il faut 150 000 envois de messages publipostés pour attirer 1500 inscriptions à une quelconque organisation. «Cela veut dire que 148 500 messages ne sont que de la pollution. Fabriqués avec des arbres, imprimés avec de l'encre par des machines qui consomment du carburant, rassemblés, étiquetés, triés par d'autres machines, chargés dans des camions qui crachent de la pollution, livrés dans les boîtes aux lettres, chargés dans d'autres véhicules vers des usines de recyclage (20 %) ou des sites d'enfouissement (80 %[5]). » Mettre aux rebuts un prospectus sans se plaindre, c'est encourager l'industrie du courrier-déchet.

Chaque fois que l'on mange un hamburger, un réservoir de 2400 l d'eau l'accompagne, si l'on tient compte de ce qu'ont bu le bœuf et les cultures fourragères[6]. Et lorsqu'on ouvre cérémonieusement les petits écrins contenant les anneaux d'or du mariage, 5,4 tonnes métriques de minerai très terne leur sont invisiblement reliées — qui reposent à la mine, dans un tas de résidus, polluant souvent un ruisseau[7].

Les vraies étiquettes de prix

Mais le record des impacts invisibles et des coûts occultes revient à l'automobile. Imaginez le choc si l'étiquette de votre nouveau VUS comprenait non seulement le prix franco à destination, mais aussi l'intégralité des coûts environnementaux et sociaux du véhicule. Il faudrait qu'elle couvre presque complètement les fenêtres du véhicule pour énumérer ces coûts cachés. En voici un résumé :

**LE COÛT VÉRITABLE DE VOTRE VÉHICULE
UTILITAIRE FLAMBANT NEUF**

Félicitations ! Vous venez d'acheter un véhicule qui coûtera 130 000 $ lorsque vous aurez fini de le payer ! (En fait, si vous êtes dans la vingtaine, le financement d'un véhicule semblable tous les cinq ans pour le reste de votre vie vous coûtera plus d'un demi-million de dollars en paiements et en intérêts.) Un Américain moyen se servira de son véhicule pour effectuer 82 % de ses trajets, contre 48 % pour un Allemand, 47 % pour un Français et 45 % pour un Britannique.

Le coût d'un trajet aller-retour de 50 km dans ce véhicule sera d'environ 15 $ par jour, à supposer que le prix de l'essence demeure au niveau actuel. À ce rythme, vous dépenserez en moyenne plus de 3500 $ par année pour vos trajets quotidiens reliés au travail. En ajoutant les assurances, les mensualités, l'entretien, l'immatriculation, le carburant et les autres coûts, vous dépenserez plus de 8000 $ par année pour stationner ce véhicule pendant 22 heures par jour et le conduire pendant deux heures.

Au cours de sa fabrication, ce véhicule a dégagé plus de 300 kg de pollution atmosphérique et 3,5 tonnes de carbone. Il va consommer au moins 1800 l d'essence par année, soit plus de 35 pleins de carburant. Vous allez consacrer trois journées entières par année à passer l'aspirateur, à polir et laver les vitres du véhicule, et à l'attendre avec impatience chez le garagiste. En divisant le nombre de kilomètres de conduite par le temps passé à acheter et entretenir votre voiture, vous allez rouler à environ 8 km/h, encore plus lentement qu'à l'heure de pointe à Los Angeles.

Aux États-Unis, ce nouveau véhicule contribuerait aux coûts nationaux suivants :

- 620 milliards de litres d'essence brûlés annuellement ;
- 60 milliards de dollars par année pour assurer un approvisionnement en pétrole du Moyen-Orient ;
- 40 000 collisions mortelles chaque année et 6000 décès de piétons ;
- 250 millions de personnes estropiées ou blessées depuis l'époque de Charles Olds (1905) et plus de morts que toutes les guerres de l'histoire des États-Unis ;
- 50 millions d'animaux tués chaque année, dont au moins un quart de million appartenant à notre «famille élargie» : les chats, les chiens et les chevaux ;
- du bruit et de la pollution qui entravent le sommeil et contribuent l'augmentation radicale des cas d'asthme, d'emphysème, de maladies cardiaques et d'infection des bronches ;
- un quart des gaz à effet de serre produits aux États-Unis, qui contribuent à l'augmentation des sécheresses, des ouragans et du déficit de récoltes ;
- plus de 3 milliards de kilos de ferraille et de détritus non recyclés par année ;
- plus de 200 milliards de dollars en impôt, chaque année, pour la construction et l'entretien de routes, le déneigement, le stationnement subventionné, les dépenses de santé publiques, etc.

Au total, plus d'un trillion de dollars par année en coûts sociaux

Sources : Paul HAWKEN, Amory LOVINS et L. Hunter LOVINS, *Natural Capitalism*, Little Brown and Company, 1999 ; site Web de la Consumers Union, «How Green Is Your Pleasure Machine?», 17 septembre 1999 ; Clifford W. COBB, *The Roads Aren't Free*, Redefining Progress.

Les frais de la grande vie

Alan Durning, de Northwest Environment Watch, fait observer ceci : « Tout ce que nous utilisons dans la vie quotidienne a un effet écologique qui se répercute à travers les écosystèmes de la planète. » Avec son collègue John Ryan, il a retracé les impacts de produits de consommation courante dans un livre intitulé *Stuff : The Secret Lives of Everyday Things*. Leur café, par exemple, provenait des hauts plateaux de la Colombie, où 100 grains de café sont cueillis pour chaque tasse. Ces grains étaient emballés dans des sacs de 60 kg et expédiés sur un immense navire de charge vers une usine de torréfaction, puis un entrepôt, un supermarché et, enfin, une tasse de café. À chaque étape, on utilisait de l'énergie et des matériaux pour ajouter de la valeur au café. Le début du récit est particulièrement troublant.

> *Les forêts de la Colombie font de ce pays une superpuissance biologique. Bien que le pays couvre moins de 1 % de la superficie de la Terre, il sert d'habitat à 18 % des espèces de plantes du monde et à un plus grand nombre d'oiseaux qu'aucun autre pays... À la fin des années 1980, les propriétaires fermiers ont abattu la plupart des arbres d'ombrage entourant les caféiers pour planter des variétés à haut rendement, augmentant leurs récoltes, mais aussi l'érosion du sol et nombre d'oiseaux morts. Les biologistes rapportent n'avoir trouvé, dans ces nouveaux champs de café ensoleillés, que 5 % des espèces d'oiseaux présentes dans les traditionnelles plantations de café ombragées. Avec la disparition de l'habitat des oiseaux et autres mangeurs d'insectes, les insectes nuisibles ont proliféré et les agriculteurs ont augmenté leur usage de pesticides. Certains des produits chimiques vaporisés sont entrés dans les poumons des travailleurs agricoles ; d'autres ont été emportés par les eaux ou par le vent, et absorbés par des plantes et des animaux... Pour chaque kilo de grains de café, environ deux kilos de pulpe ont été déversés dans la rivière. En se décomposant, cette pulpe consommait l'oxygène nécessaire aux poissons[8]...*

« Quand j'ai commencé à examiner le coût réel des choses, dit Durning, un ami a lu mon manuscrit puis m'a dit : "Ah, je pige, tu parles de sentiments de culpabilité." Mais ce n'est pas vraiment ça. Je parle de créer un style de vie qui ne serait pas aussi exigeant, afin de nous rendre plus heureux. Des trucs simples, comme le fait d'acheter du café cultivé sous ombrage, ce qui réduit l'usage de pesticides. Nous devons penser à ce que nous en retirons, et non à ce que nous cédons[9]. »

Peu d'entre nous produisent leur propre nourriture et presque tout ce que nous consommons vient d'ailleurs, des pommes de terre au pétrole, en passant par les crayons. « Le problème, c'est que nous sommes à court d'"ailleurs", surtout quand des pays en développement tentent d'imiter le style de vie occidental », dit l'ingénieur Mathis Wackernagel, collaborateur à temps plein de Redefining Progress[10]. En divisant la superficie biologiquement productive du sol et des océans par le nombre d'humains sur la planète, Mathis Wackernagel et son collègue William Rees sont arrivés à 2,2 hectares par personne. À condition de ne rien laisser aux autres espèces.

« Par contraste, dit Mathis Wackernagel, le citoyen du monde utilisait en moyenne 2,83 hectares en 1996 — ce que nous appelons son "empreinte écologique". C'est plus de 30 % supérieur à ce que la nature peut engendrer. Autrement dit, il faudrait 1,3 année pour régénérer ce que l'humanité utilise en un an. » Il poursuit : « Si tout le monde vivait comme l'Américain moyen, avec une empreinte de 12 hectares, on aurait besoin de cinq autres planètes. »

Mathis Wackernagel fait observer ceci : « Nous ne pouvons utiliser toutes les ressources de la planète, car nous ne sommes qu'une seule espèce sur plus de dix millions. Mais si nous voulons laisser la moitié de la capacité biologique aux autres espèces (ou si la taille de la population humaine double), il faudra adapter les besoins humains à une surface de 1,2 hectare par habitant, soit le dixième de la capacité actuellement utilisée par les Américains. »

La solution ? Pas de problème, il suffit d'aller acheter cinq autres planètes.

Darwin en sens inverse

Il est assez pénible de voir s'épuiser les ressources, et les beautés, de la nature au fil du pillage de la planète qu'encourage la rage de consommer. Mais il est encore plus inquiétant de voir diminuer la diversité des espèces vivantes à mesure que leurs habitats disparaissent. Perdre une espèce clé d'un écosystème, c'est un peu comme retirer un melon à la base d'un étalage de supermarché. Une avalanche de melons dégringole avec un grondement sourd. Ainsi, lorsque le soleil réchauffe un ruisseau de montagne parce qu'une coupe à blanc a éliminé l'ombre naturelle de ses rives, c'est un holocauste pour la population de truites, car la truite vit dans l'eau froide. Et lorsque le sédiment est drainé du sol dénudé jusque dans ce ruisseau, il bouche les interstices entre les rochers, qui constituaient des cachettes pour les bébés poissons. En retour, les mammifères qui se nourrissent de truite perdent une importante source de protéines, et les services écologiques que fournissent ces mammifères diminuent...

Une éternité de travail écologique se défait en un instant. La vérité alarmante, c'est que des centaines d'«avalanches de melons» se produisent chaque jour sur les champs de bataille de l'extraction des ressources. Loin d'être limitées aux forêts tropicales, la destruction de l'habitat et l'extinction qui l'accompagne se produisent sous nos yeux. «Une silencieuse extinction massive est en train de se produire dans les lacs et les rivières de l'Amérique», note le biologiste Anthony Ricciardi[11]. Ses recherches indiquent que les espèces d'eau douce, des escargots aux poissons en passant par les amphibiens, meurent cinq fois plus vite que les espèces terrestres — aussi rapidement que celles de la forêt pluviale, généralement considérées comme étant les plus menacées de la Terre. Aux États-Unis, la moitié des marécages ont disparu, et 99 % des prairies de hautes herbes. Tandis que l'on détruit ces écosystèmes, 935 espèces (356 d'animaux, 579 de plantes) luttent pour leur survie aux États-Unis[12].

Avant que la santé de la nature ne commence à décliner, nous songions rarement à la façon dont un produit nous parvenait, et à

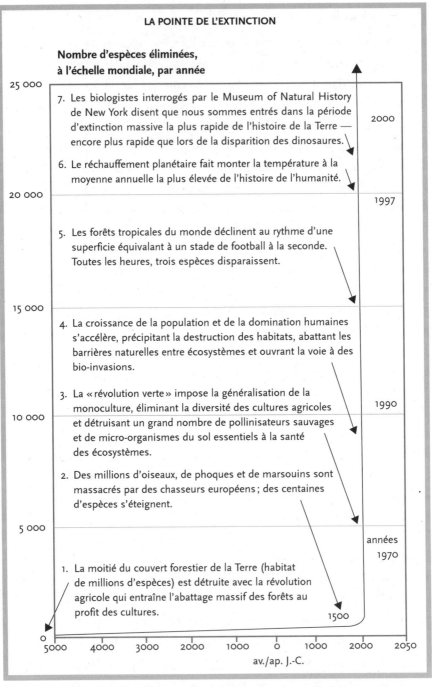

LA POINTE DE L'EXTINCTION

**Nombre d'espèces éliminées,
à l'échelle mondiale, par année**

7. Les biologistes interrogés par le Museum of Natural History de New York disent que nous sommes entrés dans la période d'extinction massive la plus rapide de l'histoire de la Terre — encore plus rapide que lors de la disparition des dinosaures.

6. Le réchauffement planétaire fait monter la température à la moyenne annuelle la plus élevée de l'histoire de l'humanité.

5. Les forêts tropicales du monde déclinent au rythme d'une superficie équivalant à un stade de football à la seconde. Toutes les heures, trois espèces disparaissent.

4. La croissance de la population et de la domination humaines s'accélère, précipitant la destruction des habitats, abattant les barrières naturelles entre écosystèmes et ouvrant la voie à des bio-invasions.

3. La « révolution verte » impose la généralisation de la monoculture, éliminant la diversité des cultures agricoles et détruisant un grand nombre de pollinisateurs sauvages et de micro-organismes du sol essentiels à la santé des écosystèmes.

2. Des millions d'oiseaux, de phoques et de marsouins sont massacrés par des chasseurs européens ; des centaines d'espèces s'éteignent.

1. La moitié du couvert forestier de la Terre (habitat de millions d'espèces) est détruite avec la révolution agricole qui entraîne l'abattage massif des forêts au profit des cultures.

25 000
20 000
15 000
10 000
5 000
0

2000
1997
1990
années 1970
1500

5000 4000 3000 2000 1000 0 1000 2000 2050
av./ap. J.-C.

Source : Ed Ayes, *God's Last Offer: Negotiating for a Sustainable Future*, New York, Four Walls Eight Windows, 1999.

ESPÈCES MENACÉES

Espèce	Observation
Plantes	Le quart des plantes du monde sont menacées d'extinction d'ici l'an 2010.
Amphibies	Plus de 38 % des amphibiens des États-Unis sont en danger.
Oiseaux	Les trois quarts des espèces d'oiseaux sont en déclin ; 11 % d'entre elles sont menacées d'extinction.
Carnivores	Presque toutes les espèces de félins et d'ours sont en grave déclin.
Poissons	Le tiers des poissons d'eau douce d'Amérique du Nord sont rares ou menacés.
Invertébrés	Chaque jour, une centaine d'espèces d'invertébrés disparaissent à cause de la déforestation.
Mammifères	25 % des espèces de mammifères sont menacées d'extinction.
Reptiles	Plus de 40 % des espèces de reptiles sont menacées, dont 20 % d'extinction.

Source : *Hutchinson Encyclopedia*, Helicon, 1999 [www.helicon.co.uk].

ses conséquences ; nous nous contentions de le consommer et d'en jeter les restes. Nous ne pensions pas aux plantes, aux animaux, ni même aux humains qui étaient déplacés ou détruits lors de l'extraction des matières premières. À présent, lorsque des biologistes comme Norman Myers et E. O. Wilson nous disent que nous sommes peut-être au cœur de la plus grave extinction depuis celle des dinosaures, il y a 65 millions d'années, bien des gens sortent enfin du déni. La disparition des espèces est actuellement environ 1000 fois plus rapide que le taux d'extinction naturel.

Que diront les civilisations futures à propos de notre époque ? Remonteront-elles aux causes de ce déclin calamiteux de la diversité des espèces ? Ou bien hausseront-elles les épaules (si elles en ont) comme le font nos scientifiques lorsqu'ils réfléchissent aux extinctions du passé ? « C'était le réchauffement planétaire », concluront peut-être les futurs scientifiques. « Un usage inefficace du territoire », supposeront les autres. Mais pour sauvegarder la dignité de notre civilisation, espérons qu'aucune d'entre elles ne découvre la preuve humiliante de notre besoin obsessionnel de café, d'essence et de sous-vêtements bon marché.

CHAPITRE 12

La diarrhée industrielle

Imaginez que vous les repérez avec vos jumelles lors d'une partie de baseball : les stars de la pub, assises ensemble dans la première rangée derrière le marbre. Le cow-boy Marlboro et Joe Camel signent des autographes et distribuent des cigarettes aux jeunes. Le lapin Energizer lance à la foule des pleines poignées de piles potentiellement toxiques, comme si c'étaient des caramels, tandis qu'un Ronald McDonald sur la défensive discute avec un écologiste des hormones, des antibiotiques et des résidus de pesticides détectés dans le Big Mac. Le Géant vert observe le match depuis le parc de stationnement, poussant un «ho-ho» chaque fois que l'équipe locale marque un point. Personne n'embête un type de cette taille, même si les pesticides qui couvrent son corps vert tombent comme de gros morceaux de peau sèche.

Ils ont tous l'air si inoffensifs, n'est-ce pas — si américains ?

Les Américains ont grandi avec ces personnages, ils adorent leur optimisme, leur bouffonnerie et leur allure sympathique. C'est la demande qui permet à l'économie américaine de produire à un rythme enfiévré et vertigineux, et il est indéniable que les éblouissants produits de l'Amérique font paraître la vie brillante et facile. Mais en les consommant régulièrement, on risque de porter gravement atteinte à son environnement et à sa santé. Un grand nombre des marchandises qu'on achète contiennent des éléments toxiques, mais, pour une raison quelconque, on refuse de le croire.

La génération des surprises

On refuse de croire que les cigarettes tuent actuellement plus de 430 000 Américains par année, détruisant dans le même laps de temps cinq millions d'années de vie potentielle. Que la radiation des centrales nucléaires — jadis considérées trop bon marché pour qu'on installe des compteurs — détruit l'ADN, provoque le cancer et fait disparaître pour toujours certains écosystèmes. Qu'une seule minuscule particule de dioxine transmise à un fœtus au mauvais moment pourrait perturber à jamais le système reproductif de l'enfant à naître. Qu'entre 1940 et 1995, la fabrication de produits de synthèse a été multipliée par 600 — on en produit à présent 727 kg par année par habitant. Et que deux Américains sur cinq, dont un pourcentage croissant d'enfants, développeront un cancer à un moment donné de leur vie[1].

«Par tradition, les Américains font confiance aux fabricants», dit le Dr Suzanne Wuerthele, toxicologue au bureau de l'Environmental Protection Agency à Denver. «Depuis l'époque du moulin à farine, de la petite tannerie et du forgeron, les produits transformés sont présumés innocents jusqu'à preuve du contraire — alors que ce devrait être l'inverse. Nous travaillons selon une stratégie du "risque acceptable". La position de l'industrie, c'est: "Montrez-moi des cadavres ou laissez-moi fabriquer mon produit comme je l'entends." Il faut attendre un désastre pour que l'industrie commence à réagir, et encore, pas toujours. »

Comme le souligne Suzanne Wuerthele, le dossier des produits de synthèse est truffé de surprises désagréables. « De la radiation nucléaire et des CFC aux divers pesticides à base d'hydrocarbures chlorés, nous avons toujours eu du retard à rattraper. Nous avons découvert trop tard les effets de tous ces produits sur la santé et l'écologie. La surprise la plus récente, c'est que les organismes génétiquement modifiés peuvent migrer dans l'environnement, même lorsqu'ils sont intégrés aux cellules des plantes.

La plupart du temps, nous prenons pour acquis que quelqu'un veille au grain et s'assure que tous ces produits chimiques sont sécuritaires. En réalité, sur 75000 produits chimiques actuellement en usage commercial, seulement 1200 à 1500 ont été soumis à des tests de cancérogénicité. Dans son livre *Living Downstream*, le Dr Sandra Steingraber écrit: « La grande majorité des produits chimiques en usage commercial ont été mis en marché avant 1979, année où la législation fédérale a rendu obligatoire l'examen des nouveaux produits chimiques. Ainsi, de nombreux contaminants cancérigènes sont susceptibles de demeurer à l'abri de l'identification, de la surveillance et de la réglementation[2]. »

Sandra Steingraber, elle-même victime d'un cancer de la vessie, se rappelle la vaste campagne publicitaire en faveur du DDT, un produit revenu victorieux de la Deuxième Guerre mondiale pour avoir protégé les soldats américains de la malaria et autres maladies tropicales. « Une publicité, écrit Sandra Steingraber, montrait des enfants barbotant dans une piscine tandis que l'on vaporisait du DDT au-dessus de l'eau. Une autre présentait une ménagère en tablier, portant des talons aiguille et un casque colonial, qui dirigeait un vaporisateur en direction de deux cafards géants debout sur son comptoir de cuisine. Ils levaient en l'air leurs pattes avant, en signe de reddition. La légende disait: "Supermunitions pour la bataille continuelle sur le front intérieur[3]." »

Le DDT était considéré comme un allié inoffensif, même si, au moment où apparaissaient ces annonces, les biologistes avaient déjà constaté que ce produit chimique tuait des oiseaux et des poissons, bouleversait les systèmes reproductifs des animaux de laboratoire, provoquait l'augmentation soudaine de populations de parasites d'une résistance accrue, et montrait sans équivoque des effets cancérigène. Dès 1951, le DDT était connu pour être un contaminant du lait maternel humain, et l'on savait qu'il se transmettait de la mère à l'enfant.

On continua toutefois de considérer le DDT comme un remède miracle jusqu'à ce que le livre *Silent Spring* de Rachel Carson attire l'attention du public sur des oiseaux qui mouraient en convulsions sous les ormes. Depuis l'époque de ces publicités pour le DDT, le cancer a lentement pris des allures d'épidémie : cancers du cerveau, du foie, du sein, du rein, de la prostate, de l'œsophage, de la peau, de la moelle des os, de la lymphe — tous ont grimpé en nombre au cours des 50 dernière années, tandis que l'incidence de cette maladie augmentait de plus de la moitié.

Au départ, l'usage de produits chimiques comme le DDT semblait justifié. Après tout, d'autres pesticides avait contribué à faire baisser le prix des aliments aux États-Unis. (En termes de pourcentage des revenus, les Américains ont les aliments les moins chers du monde.) Mais quels sont les coûts dissimulés de ces pratiques ?

Concoctions accidentelles

Depuis l'époque de l'alchimie, la chimie souffre d'un défaut catastrophique : elle est séparée de la biologie. Les humains ont déployé la technologie bien avant de comprendre les causes de maladie ou l'interrelation entre les êtres vivants. Isaac Newton a peut-être découvert la gravitation, mais il ne semblait pas le moindrement se douter que les métaux lourds avec lesquels il faisait ses expériences pouvaient le tuer. Dans une lettre de 1692 à son collègue John Locke, il attribuait à l'insomnie, à la dépression, à la mauvaise digestion, à l'amnésie et à la paranoïa le fait de «dormir trop souvent au coin du feu». Nous avons découvert autre chose, 300 ans plus tard, lorsque des scientifiques ont analysé une mèche de ses cheveux conservée par ses descendants. Cette mèche était un véritable gisement de molécules de plomb, d'arsenic, d'antimoine et de mercure provenant de ses expériences alchimiques. Ses notes décrivaient soigneusement le goût de chacun de ces produits chimiques. Il n'avait aucune idée de la gravité de ses gestes.

Même lorsqu'ils connaissaient les effets toxiques de certains produits, nos ancêtres prenaient souvent le parti du risque acceptable. Dès 400 av. J.-C., on extrayait du mercure en Espagne, en dépit des effets néfastes sur la santé — saignement chronique des gencives, démence et mort éventuelle. On estimait les risques acceptables, car l'extraction était accomplie par des détenus et des esclaves.

Les bénéfices n'augmentent que pour ceux qui vendent ou utilisent ces produits, mais les risques touchent souvent toute la population. S'ils sont rentables, les produits chimiques sont considérés comme inoffensifs jusqu'à preuve alarmante du contraire. Par exemple, les ouvriers d'une usine de pesticides ne s'étaient pas aperçus que leur exposition au Kepone les rendait stériles, jusqu'au jour où, assis autour de la table pour le déjeuner, ils discutèrent de leur commune incapacité à fonder une famille.

Mieux vivre grâce à la chimie?

Tandis que la croissance économique américaine atteignait des sommets sans précédent dans l'histoire de l'humanité, des millions de composés chimiques ont été introduits dans le monde. La plupart n'ont pas trouvé d'usage immédiat, mais un siècle de bricolage a créé une soupe à l'alphabet de molécules persistantes qui traînent dans notre monde comme des intruses. Un grand nombre sont incorporées dans des produits familiers comme des détergents, des vernis, des plastiques, du poli à ongles, de l'antimoustiques et des produits pharmaceutiques, ainsi que des produits industriels plus discrets, comme les dégraissants et les plastifiants.

On découvre une nouvelle substance chimique toutes les neuf secondes d'une journée de travail, et la main invisible du marché en suscite continuellement, comme une foule de balais tout droit sortis de *L'apprenti-sorcier*. Comme il est devenu impossible de rappeler ces substances, nous vivons plongés dans la mer de nos propres déchets de fabrication. Les scientifiques les appellent des TBP : toxines bioaccumulatives persistantes. Nous sommes exposés à ces substances chimiques par les produits que nous consommons et par nos lieux de travail. Nous sommes également bombardés de particules invisibles qui contaminent notre eau, l'air de nos maisons et le tissu vivant de nos corps. Il ne reste plus aucun endroit sur Terre qui ne contienne certaines de ces molécules en fuite. « Dans des échantillons d'écorce d'arbres provenant de plus de 90 sites du monde entier, même dans les régions les plus éloignées, on a détecté la présence de DDT, de chlordane et de dieldrine », écrit Ann Platt McGinn dans *State of the World 2000*[4].

Si nous avions une vision microscopique, nous sortirions peut-être un peu plus souvent dehors (où l'air est plus pur) parce que nous verrions dans nos propres maisons des horreurs qui nous feraient fuir. D'infimes particules de plastique, de fibres de tapis et de pesticides s'engouffrent dans les narines de toute la famille, pour ne plus jamais en sortir ! À cause de toutes les substances chimiques que contiennent les produits que nous utilisons quotidiennement, les taux de pollution peuvent être de deux à cent fois plus élevés à l'intérieur qu'à l'extérieur, surtout maintenant que les maisons sont mieux isolées, pour des raisons d'économie d'énergie et de climatisation.

Pris au piège

David et Mary Pinkerton étaient des gens confiants. Ils se faisaient construire une maison de rêve dans le Missouri et adoraient parcourir le chantier après le travail, pour voir la maison prendre forme. Lors d'une visite, juste avant d'emménager, David a remarqué un avertissement relatif à la santé imprimé sur le sous-plancher qui venait d'être installé dans leur nouvelle maison. L'exposition aux produits chimiques du contreplaqué pouvait provoquer une irritation des yeux et des voies respiratoires supérieures. Mais il a fait confiance au constructeur. « Il gagne sa vie à construire des maisons. Il n'y mettrait rien de nocif. »

« En moins d'un mois, rapporte-t-on dans *Toxic Deception*, les trois filles et leurs parents étaient devenus assez malades. David s'assoyait dans un vieux fauteuil jusqu'à ce que le dîner soit prêt; après quoi il se mettait habituellement au lit… Un soir, Mary a essayé de faire à manger et David l'a trouvée appuyée contre le mur, la poêle à la main… Tous les cinq ont eu des vomissements et des diarrhées qui les réveillaient presque toutes les nuits. Brenda ne voulait plus aller à ses cours de danse, même si la danse avait été "la passion de sa vie", se rappelait Mary[5]. »

La famille fut obligée d'évacuer la maison moins de six mois après y avoir emménagé. Après son départ, un inspecteur en environnement de l'État y a trouvé dix parties par million de formaldéhyde, une quantité bien supérieure à la norme.

Jusqu'à 40 millions d'Américains sont peut-être allergiques à leurs propres maisons, selon l'American Lung Association. Depuis cinq ans seulement, 15 millions d'entre eux ont développé des allergies, bombardés qu'ils sont par les produits chimiques que contiennent les vapeurs de peinture, les produits de nettoyage, l'aggloméré, le plastique, la colle, le papier peint, les cosmétiques et une centaine d'autres produits ordinaires du XXIe siècle.

Des zones mortes

Les scientifiques, eux, ont une vision microscopique et, avec l'équipement du nouveau millénaire, ils trouvent des produits toxiques partout où ils regardent. Le corps de l'Américain moyen abrite jusqu'à 500 produits chimiques. Les cours d'eau comptent actuellement toutes sortes de corps étrangers, vestiges du style de vie américain : des traces d'analgésiques, d'antibiotiques, de contraceptifs, de parfums, de codéine, d'antiacide, d'hypocholestérolémiants, d'antidépresseurs, de médicaments d'œstrogénothérapie, d'agents de chimiothérapie, de filtre solaire et d'hormones provenant de parcs d'engraissement d'animaux. Ces composés survivent au traitement par les microbes, l'aération et la chloration des eaux usées, et finissent par se présenter sans prévenir dans l'eau potable.

Comme les pesticides, le plomb et autres composés industriels font la une des journaux du pays entier, il n'est pas étonnant que la consommation d'eau en bouteille par habitant ait augmenté au rythme étourdissant de 900 % de 1977 à 1997. Toutefois, selon le Natural Resources Defense Council, l'eau en bouteille, qui coûte jusqu'à mille fois plus cher que l'eau du robinet, est non seulement coûteuse, mais quelque peu suspecte. Au moins le tiers de l'eau en bouteille sur le marché n'est que de l'eau du robinet conditionnée, et un autre 25 % contient des traces de contaminants chimiques.

« Autrefois nous cherchions les éléments vraiment toxiques, ayant des effets immédiats comme la mort et le cancer », dit Edward Furlong, un chimiste américain[6]. « Maintenant, nous commençons à examiner de plus près des composés dont les effets sont plus subtils et moins aisément identifiables. » À sa surprise, Edward Furlong a découvert ce qu'il appelle « l'effet Starbucks ». Selon lui, la caféine pourrait causer une effervescence indue de la vie aquatique. Carburant de base du mode de vie américain (près de 100 l de café sont consommés par an et par habitant), la caféine est un composé très persistant et facilement détectable. De la même façon qu'elle reste souvent présente dans les veines lorsqu'on essaie de dormir, elle persiste aussi dans les rivières et les ruisseaux. Ces découvertes ne sont que les plus récentes d'une série d'observations qui renvoient aux questions que pose notre civilisation opulente et souvent inconsciente. Combien de temps l'économie peut-elle prospérer sans réserves adéquates d'eau potable ?

Il y a environ dix ans, des pêcheurs commencèrent à faire état d'une « zone morte » dans le golfe du Mexique, d'où leurs filets revenaient toujours vides et où leurs lignes ne faisaient jamais mouche. Lorsque le Mississippi atteint le golfe du Mexique, il contient suffisamment de pesticides, de nutriments perdus (provenant de l'érosion du sol agricole) et de produits pétrochimiques pour empoisonner une surface aquatique de la taille du New Jersey. Pour comble d'insulte, de luxueux paquebots déversent dans le golfe, entre autres déchets, des eaux usées non traitées. Des lacunes dans la législation permettent aux paquebots de décharger légalement partout leurs eaux grises (des eaux usées ne contenant pas de déchets humains) et de déverser des déchets humains et de la nourriture broyée lorsqu'ils sont à plus de cinq kilomètres de la côte. Pendant une croisière d'une semaine, un paquebot des lignes Carnival ou Royal Caribbean ayant à son bord 3000 passagers et membres d'équipage génère 7,25 tonnes métriques de déchets, quatre millions de litres d'eaux grises, 100 000 l d'eau contaminée par de l'huile et 800 000 l d'eaux usées[7]. Quelqu'un veut faire de la plongée ?

Mortelle imitation

Les surprises ne cessent de survenir : dans d'autres zones mortes, dans les Grands Lacs, dans l'Arctique et même, éventuellement, dans le ventre des futures mères. Comme des preuves dans un sordide dossier criminel, l'accumulation des données en dit plus qu'on ne veut en savoir. La scientifique Theo Colburn a compilé des milliers de données couvrant trois décennies qui font état de chaos et de dysfonctions dans le monde naturel : des alligators mâles aux organes sexuels chétifs ; des coqs qui ne chantent pas ; des aigles qui ne construisent pas de nids pour prendre soin de leurs petits ; des mouettes « gaies » qui nichent ensemble parce que les mâles ne sont pas intéressés ; des baleines hermaphrodites et autres cas de confusion sexuelle.

Même si elle savait que les produits chimiques constituaient une preuve cruciale dans cette affaire, Theo Colburn ne put en déduire le mécanisme jusqu'à ce qu'elle commence à chercher les causes du cancer, maladie standard de la toxicologie. Avec ses collègues, elle retraça des produits chimiques persistants, comme les BPC, le DDT, la dioxine et autres polluants du corps humain, où ils sont emmagasinés dans les graisses, transmises par la proie au prédateur et par la mère au bébé nourri au sein. Découverte clé : ces produits chimiques persistants bluffent pour pénétrer dans le système endocrinien, en se faisant passer pour des hormones comme l'œstrogène et l'androgène. Et lorsque les messagers chimiques que sont les hormones sont libérés ou supprimés au mauvais moment et dans de mauvaises quantités, la vie se déforme.

Par exemple, au début des années 1990, l'écotoxicologue Pierre Béland a commencé à découvrir des baleines mortes échouées sur les rives du fleuve Saint-Laurent, parfois trop empoisonnées pour qu'on les envoie avec les déchets toxiques. Ses autopsies ont généralement révélé une atrocité du diable : tumeurs au sein, tumeurs à l'estomac et kystes — tous des indicateurs d'une production industrielle détraquée.

Il serait déjà assez pénible que la perturbation endocrinienne ne fasse des dégâts que sur la faune de la planète. Mais les recherches révèlent à présent ce que certains scientifiques soupçonnent depuis des années : les humains ne sont aucunement à l'abri, car les systèmes endocriniens fonctionnent de façon similaire dans tout le règne animal. Une expérience portait sur la santé d'enfants dont les mères avaient mangé du poisson contaminé aux BPC durant leur grossesse. Par comparaison avec une population témoin, les 200 enfants exposés étaient nés plus tôt, pesaient moins et avaient un QI plus bas[8].

Qu'ils prennent du Viagra

D'autres recherches ont démontré que des molécules à peine détectables d'une certaine matière plastique ont, de façon inattendue, émergé de béchers de laboratoire, imité l'œstrogène et initié une croissance cancéreuse dans des expériences menées avec des cellules de seins d'humains. En 1992, une expérience renversante, concernant 15 000 hommes de 20 pays différents, indiquait un déclin de 50 % dans la production de sperme humain depuis 1938. «Songez à ce que cela peut signifier pour notre société si les produits chimiques de synthèse minent l'intelligence humaine comme ils semblent avoir miné le taux de spermatozoïdes», écrivent les auteurs de *Our Stolen Future*[9], qui spéculent également sur des liens entre des produits chimiques et l'incidence accrue de l'hyperactivité, de l'agressivité et de la dépression — comportements qui sont tous régulés par des hormones.

Les produits qui provoquent la diarrhée industrielle sont en apparence relativement inoffensifs : emballages de plastique, jouets, voitures et circuits d'ordinateurs. Mais lorsqu'on retrace ces produits chimiques dangereux de leurs sources à leurs points d'aboutissement, on barbote dans la gadoue à chaque étape du trajet. Même le bacon ou le filet de porc salé, qui se retrouve chaque jour dans les assiettes des Américains, ont pour conséquence finale une diarrhée industrielle, comme l'écrit l'auteur Webster Donovan :

> *L'élevage des porcs était jadis une entreprise familiale, jusqu'à ce qu'un fermier entreprenant de la Caroline du Nord en fasse un commerce important. Aujourd'hui, cette industrie nationale en plein boom engendre au moins un sous-produit indésirable : des millions de litres d'excréments de porcs qui souillent l'eau et polluent l'air.*
>
> *C'est l'odeur qui frappe en premier. Comme un marteau, elle vous comprime les récepteurs nerveux du nez, puis pénètre dans votre tête et vous secoue le cerveau. Imaginez un chien malpropre qui court par une journée humide ; une couche qui n'a pas été lavée depuis longtemps, restée dans un sac de plastique scellé ; le cadavre d'un animal écrasé sur la route, gonflé sous le plus chaud soleil d'été. La voilà, cette odeur : moitié toilettes extérieures, moitié musc, assaisonnée d'un coup d'ammoniaque à vous faire serrer les mâchoires.*
>
> *Ces dernières années, cette puissante mixture de cétones, comme en dégage la pourriture, et de sulfure d'hydrogène, qui rappelle les œufs pourris, a envahi des dizaines de milliers de maisons — et des millions d'hectares — de toutes*

les régions rurales de l'Amérique. L'odeur s'insinue, invisible, et parfois s'en va pour quelques heures ou quelques semaines, pour revenir pendant que les voisins sont en train de ramasser des feuilles mortes, de dégivrer leur pare-brise ou de mettre la table pour un barbecue familial[10].

N'est-il pas temps de dire adieu à la Révolution industrielle — affligée de diarrhée dès sa naissance — et d'inaugurer une nouvelle ère de conception et de prudence écologiques ?

CHAPITRE 13

Le virus de la dépendance

Pour 35 millions d'Américains, le café (au rythme de quatre à cinq tasses par jour), c'est la vie. Le reste n'est qu'une période d'attente. Mais le café n'est pas la pire dépendance, loin de là. Quatorze millions d'Américains utilisent des drogues illégales, 12 millions sont de gros buveurs et 60 millions sont accrochés au tabac. Cinq millions d'Américains ne peuvent s'empêcher de jouer leurs revenus et leurs économies. Et au moins dix millions ne peuvent s'arrêter d'acheter de plus en plus — la dépendance la plus destructrice, peut être, à long terme[1].

Lianne, publicitaire d'un grand magasin de New York, est une consommatrice à problèmes. Chaque année, elle utilise son escompte d'employée pour accumuler plus de 20 000 $ en factures de vêtements et d'accessoires. Elle s'est mise à soupçonner sa dépendance lorsqu'elle a rompu avec son petit ami et déménagé toutes ses affaires de l'appartement de celui-ci. « Certaines femmes ont tendance à magasiner beaucoup parce qu'elles vivent à deux endroits, chez elles et

chez leur copain, explique-t-elle. Mais quand j'ai vu combien de vêtements identiques j'avais, je me suis aperçue que j'avais un problème[2].»

La dépendance aux objets est difficile à comprendre. C'est une
bouillonnante marmite où se mêlent l'anxiété, la solitude et le
manque d'estime de soi. «J'aimerais croire que j'achète parce que je
ne veux pas ressembler à quelqu'un d'autre, confie Lianne, mais la
véritable raison, c'est que je ne veux pas me ressembler à moi-
même. Il est plus facile d'acheter quelque chose de neuf pour être
content de soi que de se changer soi-même.»

Les accros doivent sans cesse récidiver pour se sentir bien à nouveau. La substance ou l'activité qui crée une dépendance masque
l'inconfort émotionnel de leur vie quotidienne et libère les tensions
accumulées liées au désir. La personne retrouve un état qui lui
donne une impression de pouvoir et d'abandon désinvolte. Le
buveur, soudainement déchaîné, perd ses inhibitions, certain d'être
l'homme le plus drôle du monde. Le joueur ressent l'allégresse du
risque et met tout en jeu pour que la chance puisse le toucher.
L'acheteuse invétérée cherche à retrouver l'euphorie qu'elle a
éprouvée, quelques jours plus tôt, en achetant une robe qui dort
encore dans sa boîte.

Selon le Dr Ronald Faber, les acheteurs compulsifs font souvent
état de sensations accrues au cours de leur shopping. Les couleurs
et les textures sont plus intenses et l'on atteint des niveaux extrêmes
de focalisation et de concentration — littéralement, des états de
conscience modifiés. Certains acheteurs extrêmes comparent leurs
moments d'euphorie aux sensations procurées par la drogue, tandis
que d'autres ont comparé l'achat à un orgasme[3].

«Je suis accrochée à l'odeur du cuir de daim, à la douce texture
de la soie et au froissement du papier de soie», avoue une acheteuse.
Elle adore aussi l'attention qu'elle force de la part des boutiquiers.
Et parce que sa carte de crédit est toujours à portée de la main, elle
peut magasiner chaque fois qu'elle le veut. Ça, c'est du pouvoir.

Jamais assez

Le frisson du shopping n'est qu'un aspect de la dépendance aux objets. Bien des Américains sont également accrochés à l'élaboration de forteresses personnelles au moyen de leurs achats. Que ce soit un nouvel ensemble de golf ou une penderie remplie de pulls et de chaussures, le fait d'avoir ce qu'il faut et d'envoyer le bon message rassure d'une manière ou d'une autre les acheteurs dépendants. L'ennui, c'est que le monde envoie des signaux sans cesse changeants : ainsi, les dépendants n'atteignent jamais le point de satiété. Leur ordinateur n'a jamais assez de mémoire et n'est jamais assez rapide. Leur VUS n'ayant pas de système de GPS, comment savoir où l'on se trouve ? Sans services d'affichage et de mise en attente, le système téléphonique est désuet ; le réfrigérateur ne distribue pas de cubes de glace ; il manque au moins deux mètres à la télé à grand écran pour occuper toute la largeur du mur du salon. De pareilles déficiences deviennent inacceptables quand se déclare la rage de consommer.

Les économistes appellent cela « la loi de l'utilité marginale décroissante », du charabia qui veut tout simplement dire que l'on doit courir plus vite pour faire du surplace. Comme l'énonce David Myers, psychologue social : « La deuxième pointe de tarte ou la deuxième tranche de 100 000 $ ne goûte jamais aussi bon que la première[4]. »

Cependant, en dépit du plaisir décroissant que provoque cet effet d'accoutumance évident, les victimes de la rage de consommer s'enlisent dans le mode *plus*, sans savoir quand ni comment s'arrêter. Quand on n'est pas rassasié de tarte, on croit devoir en manger plus pour se satisfaire. À ce stade, la rage de consommer, de simple infection, est devenue une dépendance. « La consommation devient pathologique parce que son importance s'accroît en proportion directe de la diminution de notre satisfaction », dit l'économiste Herman Daly[5].

Quant aux facteurs sociaux qui déclenchent le virus de la dépendance, saluons d'abord le travail des « revendeurs » du côté de l'offre.

Par exemple, lorsque les autoroutes deviennent engorgées, les revendeurs font la promotion de nouvelles autoroutes, qui deviennent obstruées elles aussi. Lorsqu'on s'habitue à un certain degré de publicité sexuellement explicite, les revendeurs l'élèvent d'un cran, puis d'un autre, jusqu'à présenter des préadolescents dans des poses suggestives pour faire la promotion de sous-vêtements à la télévision.

Il en va de même dans les restaurants, les comptoirs de fast-food et les cinémas, où les portions deviennent plus grosses, puis carrément énormes. Les assiettes se transforment en plats de service, les Biggie Burgers en Dino-Burgers et les cornet de maïs soufflé en seaux. Et quoi encore, des barils exigeant des chariots de manutention ? Les estomacs se distendent pour contenir des portions plus grandes, que l'on trouvera bientôt normales (deux litres de boisson gazeuse, c'est normal ? !).

Parfois, il ne suffit pas d'avoir plus et en plus grande quantité. Lorsqu'on ne peut plus entretenir son euphorie de consommateur au moyen d'activités et de produits familiers, on cherche de nouvelles sensations. Les sports deviennent des sports extrêmes ou des sports de fantasme, dans lesquels les amateurs de frissons sautent à l'élastique du haut de gratte-ciel ou parient sur des ligues sportives fictives sur Internet. Les athlètes professionnels, qui ont des salaires faramineux, en veulent toujours plus. Lorsqu'une jeune et brillante recrue du baseball signe un contrat de dix millions par année, le vieux routier qui ne fait que sept millions se sent soudain insatisfait. Voilà la détresse de celui qui souffre de la rage de consommer : même trop, ce n'est jamais assez.

Magasiner pour remplir le vide

Les similitudes entre les formes de dépendance sont alarmantes. Un accro fera tout ce qui est nécessaire pour conserver ses habitudes pathologiques. Les joueurs, comme les acheteurs compulsifs, font des chèques en bois, empruntent à leurs amis et s'endettent lourdement pour entretenir leur habitude, mentant souvent à leurs proches. Il n'est pas difficile de voir le rapport entre le comportement de dépendance et le saccage de notre culture et de notre environnement. Tout comme les joueurs qui vendent des objets de famille pour continuer à jouer, les consommateurs au stade de la dépendance sacrifient d'inestimables régions naturelles, une qualité de vie et des traditions pour entretenir un flux constant de produits.

Les psychologues nous disent que l'achat pathologique est généralement relié à la quête d'une plus grande reconnaissance ou acceptation, à l'expression d'une colère ou à une fuite dans le fantasme — tous des traits reliés à une image de soi vacillante. Comme l'écrit le Dr Ronald Faber :

> *Un acheteur invétéré avait acquis une chaîne stéréo et de l'équipement télévisuel coûteux, mais faisait montre de peu d'intérêt lorsqu'il parlait des genres de musiques ou d'émissions qu'il aimait. Il a fini par ressortir que le but de ses achats était surtout que les voisins le reconnaissent comme un expert en électronique et viennent lui demander conseil avant d'effectuer leurs achats[6].*

Ronald Faber rapporte qu'une frustration est souvent dissimulée dans l'achat pathologique : la dette devient un moyen de revenir vers le conjoint ou un parent. Dans d'autres cas, le shopping extrême permet de fuir momentanément la réalité :

> *Acheter procure une échappatoire dans un fantasme dans lequel l'individu revêt de l'importance et reçoit du respect. Certaines personnes indiquent que la possession et l'usage d'une carte de crédit leur a donné une impression de puissance ; d'autres ont trouvé que l'attention du personnel des ventes et le fait d'être connus par leur prénom dans des magasins exclusifs leur donnaient des sentiments d'importance et de prestige[7].*

À quoi pense-t-on ?

Si l'on pouvait lire dans les pensées des clients assidus du plus grand centre commercial du coin, ne serait-on pas ébahi ? On se sentirait certainement un peu moins anormal, car on verrait le centre commercial rempli de gens en magasinothérapie. (Nous sommes tous fous!) Au moins trois personnes sur dix accourent au centre commercial lorsqu'elles se sentent dépassées par la situation à la maison ou au travail. D'autres viennent sans achat particulier à l'esprit, juste pour se trouver au milieu des gens et se sentir moins seuls. Une femme est là, furieuse de devoir acheter un présent pour son fils, qui a récemment dérobé de l'argent de son sac à main. Plusieurs adolescentes souhaitent désespérément que leurs nouveaux vêtements facilitent leurs conquêtes sexuelles ce soir. Au moins six acheteurs sur dix retirent un sentiment d'euphorie de toute cette stimulation, mais c'est une euphorie teintée d'anxiété. Chaque acheteur sait par expérience que la culpabilité, la honte et la confusion (le regret du consommateur) les guettent une fois dehors.

Et pourtant, ils ne cessent d'y retourner, car ils sont dépendants.

À moins qu'ils ne trouvent une façon de vaincre le poison qui les consume, comme l'a fait Thomas Monaghan. En 1991, le fondateur de Domino's Pizza s'est mis à vendre plusieurs de ses biens les plus chers, y compris trois maisons conçues par Frank Lloyd Wright et 30 voitures antiques, dont une Bugatti Royale de 8 millions de dollars. Il a fait arrêter la construction de sa maison de plusieurs millions et vendu même son équipe de baseball, les Tigers de Detroit, parce que ce n'était qu'«une source d'orgueil excessif». Il aurait dit: «Rien, mais vraiment rien de ce que j'ai acheté ne m'a jamais rendu heureux[8]. »

CHAPITRE 14

Insatisfaction garantie

C'est comme entrer dans une pièce en oubliant ce qu'on est venu y faire, sauf que, dans ce cas, c'est toute la société qui oublie. On oublie de se demander : « À quoi sert donc une économie ? »

En marche vers un grand millénaire tout neuf, les États-Unis se sont fourvoyés. Les étiquettes de prix et les codes-barres ont commencé à recouvrir la surface de la vie des Américains, et la moindre activité est devenue une transaction. La nourriture, le divertissement, les rencontres, la santé et même la religion — tout est devenu une denrée négociable. Pour dormir ou avoir une relation sexuelle, une pilule. Pour manger, du fast-food ou un traiteur à domicile. Pour faire de l'exercice, un centre de conditionnement physique. Pour le plaisir, des cyberproduits à acheter sur l'Internet. Pour arrêter de fumer, un timbre ou du gaz hilarant sur prescription médicale (authentique) !

Pour vivre, les Américains achètent. Tout… sauf, bien sûr, « l'air gratuit » aux stations-service. Mais ce mode de vie n'est pas viable.

On ne peut retirer qu'un certain montant d'un fonds en fidéicommis. On ne peut extraire du sous-sol qu'une certaine quantité de carburants ou d'eau fossile. On ne peut faire qu'un certain nombre de kilomètres avec un véhicule — même avec une voiture de course. Le style de vie à l'américaine, avec son rythme haletant, confine vite à l'épuisement, car il exige des semaines de travail longues et stressantes qui consument l'existence, les ressources naturelles et la santé. Il conditionne les gens à remplacer le civisme et la compagnie par la consommation. Et il tente de répondre à des besoins immatériels par des biens matériels — une stratégie perdante.

La partie est finie

Le psychologue Richard Ryan rapporte que d'innombrables études (dont les siennes) démontrent que la richesse matérielle n'engendre pas le bonheur. « On cherche sans cesse à l'extérieur de soi des satisfactions qui ne peuvent venir que de l'intérieur », explique-t-il[1]. Chez l'humain, le bonheur provient de l'atteinte de buts intrinsèques, comme donner et recevoir de l'amour. Les buts extrinsèques, comme la richesse monétaire, la célébrité et l'apparence, sont des substituts, souvent poursuivis par des gens qui essaient de se gaver de récompenses « extérieures-intérieures ». Selon Richard Ryan, « les gens qui ont des buts extrinsèques aiguisent leur ego de façon à conquérir l'espace extérieur, sans du tout savoir comment naviguer dans l'espace intérieur ».

« Nous avons démontré que la quête de richesse naît souvent du malheur et de l'insécurité », poursuit-il. Est-ce étonnant, vu qu'il a été prouvé par ailleurs que la dépendance naît souvent de mauvais traitements subis dans l'enfance ? Au cours de trois études menées auprès de 140 adolescents, Richard Ryan et son collègue Tim Kasser ont montré que ceux qui aspirent à la richesse et à la célébrité étaient plus déprimés et avaient une estime de soi inférieure à celle d'autres adolescents dont les aspirations étaient centrées sur l'acceptation de soi, la famille et les amis, et le sentiment communautaire.

« De plus, ceux qui cherchent la richesse ont plus souvent des maux de tête ou d'estomac, et le nez qui coule », note Richard Ryan. Il croit que, même si les gens naissent avec une curiosité intrin-sèque, une motivation personnelle et un caractère enjoué, ces qualités sont trop souvent aspirées par « les dates de tombées, les réglementations, les menaces, les directives, les évaluations ou pressions et les buts imposés » qui proviennent de sources extérieures, échappant à leur contrôle, plutôt que de choix et de buts motivés intérieurement. Afin de connaître l'origine des buts extrinsèques, les psychologues ont examiné les influences familiales. « Lorsque les mères sont froides et autoritaires (de l'avis de la famille et des amis), les individus sont plus susceptibles de fonder leur estime de soi et leur sécurité sur des sources extérieures comme l'argent. »

Leurs découvertes ne prouvent pas que les riches sont toujours malheureux (certains le sont, d'autres non, selon l'usage qu'ils font de leur argent). Mais elles soulignent, par contre, que la recherche de buts extrinsèques peut défaire les liens vitaux aux gens, à la nature et à la communauté — ce qui peut rendre malheureux.

Les dysfonctions et les ruptures de contact altèrent aujourd'hui la vie de tous, riches comme pauvres. Dans *Beyond the Limits*, Donella Meadows l'affirme sans détours :

> *On n'a pas besoin d'énormes voitures, mais de respect. On n'a pas besoin de placards remplis de vêtements, mais de se sentir bien, d'avoir du plaisir, de la variété et de la beauté. On n'a pas pas besoin d'équipement électronique, mais de quelque chose de valable à faire de sa vie. On a besoin d'identité, de communauté, de défis, de reconnaissance, d'amour et de joie. Tenter de combler ces besoins par des objets matériels, c'est déclencher un insatiable appétit de fausses solutions à des problèmes réels et jamais satisfaits. Le vide psychologique qui en résulte est l'une des forces majeures qui sous-tendent le désir de croissance matérielle[2].*

Les sondages d'opinion révèlent que les Américains ont soif de retrouver leurs liens avec les sources réelles de satisfaction, mais comment s'y retrouver avec tous ces refrains publicitaires, ces bruits parasites, ces gadgets brisés et ces factures de cartes de crédit. Lorsqu'on demande «C'est combien ?» plutôt que «C'est bien ?», on adopte un schéma dont il est démontré qu'il abaisse la résistance à la rage de consommer. Il ne peut en résulter qu'une insatisfaction garantie. La quantité ne peut satisfaire autant que la qualité, et même une réserve infinie de réalité virtuelle ne sera jamais vraiment réelle.

Une autre vision de la richesse

Plus nous avons de richesse véritable (des amis, des talents, des bibliothèques, la nature et des siestes l'après-midi), moins nous avons besoin d'argent pour être heureux. Tout au long de l'histoire, bien des civilisations ont déjà découvert cette vérité, comme le montre Taichi Sakaiya dans *The Knowledge-Value Revolution*. Lorsque les cèdres du Liban et la couche arable de l'Afrique du Nord ont commencé à disparaître, les gens de ces régions ont fini par se réveiller et remplacer les biens matériels par la connaissance, l'esprit ludique, le rituel et la communauté. Leurs cultures en ont été enrichies. «Les circonstances ayant changé, ils abandonnèrent un principe directeur voulant que le bonheur vient d'une plus grande consommation [...] Il ne s'agissait plus de se tuer à travailler, juste pour produire et consommer davantage [...] La vraie belle vie, c'était celle qui leur laissait du temps libre pour s'enrichir le cœur et l'âme — et cela entraîna un raz-de-marée d'intérêt envers la religion. Au Moyen Âge, on accordait beaucoup d'importance à la loyauté et à la foi envers une vision entretenue collectivement[3].»

En période de rareté des ressources, la culture japonaise développa le *kenjutsu* (l'escrime), le *jiujitsu* (les arts martiaux), le *chadô* (la cérémonie du thé), l'*ikebana* (l'arrangement floral), le *gô* (la version japonaise des échecs), et bien d'autres raffinements culturels. Cette culture devint si hautement évoluée, selon Taichi Sakaiya, que les armes à feu furent prohibées, car c'était une façon trop grossière et destructive de régler les différends.

Lorsque le psychologue humaniste Abraham Maslow observa la culture amérindienne pied-noir au Canada, dans les années 1930, il découvrit également la preuve que le concept de richesse est une construction sociale, fondée en partie sur l'instinct et en partie sur la poursuite stratégique de buts socialement louables, comme l'équité, la diversité et la débrouillardise. « Les riches de la tribu accumulaient des monceaux de couvertures, de nourriture, de paquets de toutes sortes et, parfois, une caisse de Pepsi-Cola [...] Je me rappelle la cérémonie de la danse du soleil au cours de laquelle un homme se pavanait et, dirions-nous, se vantait de ses accomplissements [...] Puis, d'un geste de seigneur, d'une grande fierté mais sans être humiliant, il distribuait sa pile de richesses aux veuves, aux orphelins, aux aveugles et aux malades. À la fin de la cérémonie, il se tenait debout, dépouillé de tous ses biens, sans rien d'autre que les vêtements qu'il portait[4]. »

Abraham Maslow affirme que cette idée de la richesse est fondée sur des valeurs supérieures à la satisfaction matérielle. « Il semble que chaque être humain naisse non pas comme une boulette d'argile que la société va modeler, mais plutôt comme une structure que la société réprime ou bien sur laquelle elle construit. »

Plus bas dans la hiérarchie ?

Tout le monde connaît quelques individus exceptionnels (habituellement des gens âgés) qui sont en bonne santé, sages, enjoués, détendus, spontanés, généreux, ouverts et affectueux : des gens qui aiment se concentrer sur des problèmes extérieurs à eux-mêmes et ont une idée claire de ce qui est authentique et de ce qui ne l'est pas. Ce sont des gens chez qui la vie se mêle au travail, délibérément. Pour eux, le travail est un jeu, car ils choisissent celui qu'ils aiment. Abraham Maslow appelait ces gens des individus « accomplis ». Il accordait une grande confiance au potentiel humain pour répondre à des besoins fondamentaux, puis pour progresser (guidé par soi-même) dans une hiérarchie de besoins, vers l'accomplissement. Avant son décès en 1968, Abraham Maslow concluait que la plupart des Américains avaient satisfait les besoins fondamentaux relatifs à la matière et à la sécurité, et progressé au moins jusqu'à l'échelon «amour et appartenance» de la hiérarchie. Bien des individus étaient arrivés plus haut.

LA HIÉRARCHIE DES BESOINS DE MASLOW

Besoins d'accomplissement : atteindre son potentiel, sa vocation.
Besoins esthétiques : beauté, équilibre, forme.
Besoins cognitifs : connaissance, signification, ordre.
Besoins d'estime de soi : estime de soi,
respect et admiration des autres.
Besoins sociaux et affectifs : échange d'amour et d'affection.
Besoins de sécurité : stabilité et sécurité par rapport au crime,
à la maladie, à la pauvreté.
Besoins physiologiques : air, nourriture, eau,
logement, sexe, sommeil.

La question qu'on se pose, c'est : au cours des 30 dernières années, l'Amérique (affaiblie par la rage de consommer) a-t-elle dérapé vers le bas dans la hiérarchie ? On dirait que les barreaux de l'échelle de Maslow ont été enduits d'une huile glissante, comme dans un dessin animé. Selon des sondages, les Américains connaissent davantage la peur maintenant. Ils ont plus de craintes par rapport au crime, à la possible perte de leur emploi et à une maladie catastrophique. Chaque année, plus de 50 000 Américains meurent victimes d'une erreur médicale, ce qui augmente leurs craintes relatives à leur santé.

Comment répondre aux besoins communautaires intrinsèques lorsque l'étalement urbain crée des distances entre les gens ? Comment ressentir une impression de beauté, de sécurité et d'équilibre lorsque de magnifiques espaces libres sont étouffés par de nouveaux centres commerciaux et des rangées de maisons identiques ? (Parfois, la seule façon de trouver sa nouvelle maison consiste à appuyer sur le bouton de la télécommande du garage pour voir quelle porte s'ouvrira.) Comment respecter son propre travail quand il contribue à la destruction de l'environnement, à l'injustice sociale et à l'isolement des êtres vivants ? (Les crises cardiaques se produisent le plus souvent le lundi matin ; apparemment certains préféreraient mourir plutôt que de retourner travailler.)

Les États-Unis étant devenus un pays de consommateurs maternés par des produits automatisés, peu d'Américains utilisent leur habileté manuelle ou leur talent de bricoleur au travail. La satisfaction créative se perd dans la confusion, de même que la connaissance, le sens de la vie, la beauté et l'équilibre — barreaux les plus élevés sur l'échelle de Maslow.

Les psychologues, les anthropologues, les artistes et une voix lointaine dans la tête des gens soulignent l'urgence de redéfinir la richesse en Amérique. Si chacun alimente sa propre source immatérielle de richesse, combien économisera-t-on d'argent (et de travail rémunéré) ? Si chacun produit son propre divertissement — en apprenant la musique, le jardinage ou la menuiserie ; en cultivant l'art de la conversation informée ; en privilégiant la participation sportive plutôt que l'achat compulsif de billets —, les besoins financiers seront substantiellement réduits. Si l'on effectue à pied une partie ses déplacements (et son exercice) — en choisissant d'habiter plus près de son travail, de ses magasins et de ses loisirs —, on soustraira une large part des 7000 $ dépensés annuellement par le propriétaire d'un véhicule standard. Ainsi, au lieu de travailler du 1er janvier au 10 mars juste pour couvrir ses coûts de transport, on pourra s'arrêter en février.

Grâce à un bon régime alimentaire, un travail satisfaisant et de l'exercice régulier, on peut débarrasser son panier de supermarché de médicaments coûteux et inutiles, tout en prévenant certains des 30 000 décès annuels causés en Amérique par des réactions à des drogues vendues sous ordonnance. Faire la cuisine avec des ingrédients sains peut faire le bonheur de nos papilles, de nos synapses et de nos globules blancs, et nous permettre d'élever les franchises de notre assurance-santé tout en abaissant nos primes. Vivre dans une maison à bon rendement énergétique réduit d'au moins 300 $ les factures de services publics et procure un plus grand confort. Ces changements n'ont rien à voir avec la privation : ils augmentent plutôt la richesse de nos vies — et réduisent les factures, le stress et les déchets. La qualité satisfait plus profondément que la simple quantité.

Pour Abraham Maslow, les besoins physiques de base étaient des besoins de déficience : il supposait que, tant qu'on a de quoi manger, les besoins alimentaires sont satisfaits. Habiter dans une maison ou un appartement (par opposition à vivre dans la rue), c'est avoir comblé ses besoins en logement, et ainsi de suite. Mais son concept de déficience ne tient pas compte de la qualité de la nourriture ou du logement, ni d'une satisfaction des besoins soucieuse de préserver les systèmes — les fermes, les forêts et les pêcheries — qui y répondent. Car la satisfaction individuelle repose en définitive sur la stabilité du système.

Abraham Maslow ne prenait pas en considération le concept de suffisance ni les implications de la surconsommation au niveau des besoins de base. Il n'a pas non plus traité de l'efficacité dans la satisfaction des besoins — les technologies, les formes de production et d'utilisation. Pourtant, si les technologies sont destructrices et peu économiques, elles ne sont pas pleinement satisfaisantes, car elle laissent des cicatrices dans la nature. Dans notre libre marché, les déchets sont devenus en eux-mêmes une production importante, dont il est difficile d'être fier. Les prêts et les primes offerts par les banquiers, les décideurs fiscaux et les législateurs amènent les gens à des conceptions et des approches peu économiques, ce qui frustre davantage leur recherche d'accomplissement. Bref, notre système économique est programmé pour l'insatisfaction !

« Que la fourchette soit avec toi »

Malgré ses limites, la hiérarchie de Maslow est encore largement utilisée comme outil d'exploration de la croissance personnelle et culturelle. Nous nous en servons ici pour examiner comment la rage de consommer entrave la satisfaction. Imaginez-vous en train de transporter un plein sac d'épicerie du supermarché jusqu'à la voiture. Quelle est la valeur de son contenu ? Quel est l'apport de cette nourriture pour la santé ? De 1950 à 2000, l'Amérique a atteint le coût le plus bas du monde, par unité alimentaire, en pourcentage du revenu, mais aussi les coûts les plus élevés de soins de santé par habitant. Quel est le rapport ? Les sacs d'épicerie américains renferment-ils des articles toxiques ? Les habitudes des consommateurs — et celles de l'industrie — le sont-elles, elles aussi ?

En Amérique, l'obésité représente une plus grande menace pour la santé que la famine. Parce que le régime alimentaire typique est trop riche en graisses et en sucres et trop pauvre en glucides lents et non raffinés, 71 % des Américains ont une surcharge pondérale moyenne de 4,5 kg. Chaque année, quelque 300 000 Américains meurent à cause de leurs habitudes alimentaires et de l'inactivité chronique. Le PNB gonfle en proportion de la taille des Américains, car ils consacrent au moins 150 milliards de dollars au contrôle de l'obésité et au traitement des maladies connexes. Alors qu'ils s'empiffrent continuellement, le contenu de leurs sacs d'épicerie engendre diabète, troubles de la vésicule biliaire, hypertension, cancer et risques élevés d'accident cardiaque.

Les industries de la perte de poids et des soins de santé sont en pleine croissance, tandis que l'Amérique essaie sans succès de mincir. Les sacs d'épicerie sont remplis de frustration, cachée sous des emballages rutilants ! Chaque année, un Américain engloutit en moyenne un baril de 220 l de boissons gazeuses, 250 lb de viande grasse et l'équivalent de 53 cuillerées à thé de sucre par jour.

Une grande part de l'insatisfaction diététique tient au manque de vitalité que procure la nourriture traitée. La perte de contrôle quant aux choix alimentaires est également insatisfaisante. Le sucre en est un bon exemple. En 1997, les Américains ont consommé, par habitant, une quantité de sucre qui avait augmenté des trois quarts depuis 100 ans : à l'époque, la majeure partie de la production de sucre allait directement dans les foyers. Comme, il y a 100 ans, on préparait la plupart de ses repas, on pouvait déterminer la quantité de sucre qui y entrait. Aujourd'hui, on a perdu le contrôle, à bien des égards! Plus des trois quarts de la production actuelle de sucre entre dans les aliments préparés de notre sac d'épicerie.

Le régime protéiné est un exemple majeur de la façon inadéquate dont les Américains satisfont leurs besoins. Le bétail mange 70 % des céréales produites en Amérique, alors que, si les humains mangeaient directement plus de céréales, leur régime serait sept ou huit fois plus efficace par kilogramme. En somme, on ne gaspillerait pas l'énergie des céréales dans la production de montagnes d'excréments de vaches, de porcs et de poulet qui polluent les cours d'eau.

À mesure que le Japon et la Chine adoptent un régime occidental, des maladies auparavant rares font leur apparition dans ces pays, comme l'artériosclérose et la maladie coronarienne, explique le spécialiste de la santé Andrew Weil. «Les Japonaises qui conservent un régime traditionnel ont l'un des taux les plus bas de cancer du sein du monde entier, mais lorsqu'elles vont vivre en Amérique et mangent comme les Américains, leur risque de développer un cancer du sein s'élève rapidement[5].»

Andrew Weil fait remarquer qu'il y a beaucoup plus dans ce que l'on mange que les caractéristiques alimentaires bien connues (le gras, le croustillant, le sucré et le salé). La nourriture a toujours été un véhicule de l'activité sociale, explique-t-il. Le mot «compagnon» veut dire, littéralement, «avec qui l'on mange son pain». Une nourriture de grande qualité procure satisfaction et contentement, mais une nourriture de qualité inférieure engendre une mauvaise santé, de l'irritabilité, des résidus de pesticides, le cancer, l'érosion des terres et la disparition des communautés rurales à mesure que les

géants de l'industrie alimentaire prennent la relève. Bref, la camelote alimentaire diminue nos chances d'atteindre le sommet de
l'échelle de Maslow. Hélas, ce régime excessif produit trop souvent
des humains léthargiques et hyperactifs, qui n'ont ni l'énergie ni la
motivation nécessaires pour se hisser au sommet de leur potentiel.

Le sexe est-il l'objet?

Dans notre culture, le sexe est un besoin physique qui devient parfois un obstacle plutôt qu'un tremplin menant à l'accomplissement.
Parce que le sexe est un instinct irrésistible, il est devenu l'un des
agents les plus virulents de la rage de consommer. Le sexe fait
vendre. Mais comme la nourriture, il constitue aussi un lien social
fondamental. Erich Fromm écrit ceci: «L'expérience du partage
garde vivante la relation entre deux individus [...] Mais l'acte sexuel
— le prototype du plaisir partagé — est souvent si narcissique, si
égocentrique et possessif qu'on ne peut parler que de plaisir simul-
tané, mais non partagé[6].»

Et quelle forme de sexe peut être plus égocentrique que le
cybersexe, symbole montant de l'isolement et de l'irréalité? «La
disponibilité, l'accessibilité et l'anonymat de l'Internet ont répandu
un nouveau trouble psychologique chez les hommes et les femmes
qui cherchent la stimulation sexuelle au moyen de leurs ordinateurs.
Certains de ces accros passent chaque jour des heures à se masturber devant des images pornographiques affichées à l'écran, ou à
avoir des relations sexuelles en ligne avec quelqu'un qu'ils n'ont
jamais vu, entendu, touché, senti ni humé[7].» On peut considérer le
cybersexe comme une gratification, mais nullement comme une
satisfaction. C'est du plaisir sans conséquence. Ces hommes et ces
femmes rappellent une blague de Woody Allen: une mère surprend
son fils en train de se masturber. «Ne fais pas ça, hurle-t-elle, tu vas
devenir aveugle!». Résumant en une phrase l'essence de notre
culture de consommateurs dépendants, il la supplie: «Est-ce que je
peux continuer jusqu'à ce que j'aie besoin de lunettes?»

La crise culturelle

Une autre anecdote illustre l'absurdité de l'ère de la rage de consommer. Un indigène des îles du Pacifique, autosuffisant et en bonne santé, est en train de relaxer dans un hamac qui se balance doucement devant sa hutte, au bord de la mer, tout en jouant de la flûte en bois pour sa famille et pour son propre plaisir. Pour dîner, il cueille des fruits exotiques et transperce un poisson lune d'un coup de lance. Content, il mesure sa chance d'être en vie. (Pensez-y un peu : il est en vacances la plupart du temps !) Soudain, sans crier gare, la rage de consommer envahit l'île. Jerry Mander écrit ceci : «Un homme d'affaires arrive, achète le terrain, abat les arbres et construit une usine. Il embauche l'indigène pour y travailler contre de l'argent, afin qu'un jour celui-ci puisse se payer des fruits en conserve et du poisson du continent, une jolie maison en blocs de cendre au bord de la plage, avec vue sur la mer et des week-ends de congé pour en profiter[8].»

On nous incite, tels des indigènes du Pacifique, à subvenir à la plupart de nos besoins en achetant la production des multinationales — c'est ce qu'on pourrait appeler de la satisfaction pour emporter. «Presque chaque facette de la vie américaine est maintenant franchisée, fait observer l'écrivain Eric Schlosser, de la maternité de l'hôpital Columbia/HCS à la salle d'embaumement de Service Corporation International, établie à Houston — qui s'occupe aujourd'hui des restes derniers d'un Américain sur neuf[9].»

Ce qui vaut pour l'Amérique vaut pour le monde — c'est ce que vous diront les p.d.g. L'une des sept merveilles du monde moderne, les arches dorées de McDonald's, orne maintenant 25 000 restaurants dans 114 pays, un empire sur lequel le soleil ne se couche jamais. Un ami de David Wann, récemment revenu de Chine, y a observé une crise culturelle. «Les missionnaires de McDonald's répandent l'évangile du fast-food, dit-il, mais les Chinois ne semblent pas vraiment vouloir de fast-food — bien qu'ils soient intrigués par les burgers américains. Ils veulent s'asseoir et boire du thé en prenant leur temps. Ils ne comprennent pas pourquoi ils

devraient se dépêcher. Et ils ne peuvent aller manger dans leur voiture, car ils se déplacent à bicyclette[10]. »

Si la Grande Muraille montre désormais des fissures, le Taj
Mahal est-il encore à l'abri ? La vache sacrée de l'Inde deviendra-
t-elle un burger sacré ? Les promoteurs de la crise culturelle ont
déjà récolté une immense victoire en Espagne, où ils sont parvenus
à abolir la sieste. Dans son livre génial, intitulé *Leap*, Terry Tempest
Williams décrit une conversation qu'elle a eue dans un avion avec
un cadre de chez Procter and Gamble qui se vantait de son rôle
dans la disparition de la sieste en Espagne. Depuis plus d'un millier
d'années, les Espagnols avaient amélioré leur qualité de vie grâce à
une luxueuse pause du midi qui ne coûtait pas une peseta. Mais
pour le commerce, la sieste est une perte de temps complète. Le
monde a besoin de produire plus, de consommer davantage, de
moins relaxer et d'avoir plus d'argent. Réveillez-vous et vous
deviendrez riches ! Un ami britannique nous informe que le thé
anglais de l'après-midi est aussi en train de disparaître, en même
temps que le traditionnel dîner à table.

Cependant, la crise culturelle la plus fumante a eu lieu dans les
frontières jadis fertiles de l'esprit américain. On raconte qu'au
XVIIe siècle, l'Amérique du Nord était une forêt si vaste qu'un écu-
reuil pouvait voyager de la Virginie à l'Illinois sans jamais toucher le
sol. Aujourd'hui, grâce au libre marché soutenu par les médias, une
personne peut voyager d'une semaine à une autre sans élaborer une
seule pensée originale qui ne soit formée par des messages manipulateurs ! Une grande part du territoire qui s'étend entre nos oreilles
a été commercialement colonisée ! La question, c'est : si nous
sommes évincés de nos propres esprits, qui sommes-nous ?

Vouloir ce que nous avons

Supposons que, d'une manière ou d'une autre, vos besoins matériels
et votre sécurité soient assurés, même les besoins supérieurs de
Maslow — donner et de recevoir de l'amour. Vous avez évité la

camelote alimentaire, la négligence de l'industrie des soins de santé et les champs de bataille des blessures relationnelles qui étouffent les besoins d'amour et d'appartenance. Attention, car l'échelon suivant, celui de l'estime, est infesté de virus. Mieux vaut porter des gants lorsqu'on arrive au piège de l'estime. Quelle proportion de notre comportement de consommateurs est dictée par nos besoins d'estime de soi et d'approbation des autres? Dans notre quête en vue de combler ces besoins, nous nous déformons souvent pour «paraître», plutôt que pour «être» humains...

Nous cherchons l'approbation à l'extérieur de nous-mêmes, brandissant ce que nous possédons plutôt que d'exposer nos connaissances ou nos croyances. Il devient plus important d'avoir ce qu'on désire que de désirer ce qu'on a. Lorsque nous nous identifions à l'espèce sociale «consommateur», notre sentiment de confiance devient dépendant de facteurs que, la plupart du temps, nous ne pouvons maîtriser. Nous connaissons des sautes d'humeurs, au gré des mouvements des marées économiques.

Au moment où sont écrites ces lignes, la confiance de consommateurs des Américains est à un niveau record. Mais ce boom est-il un boom réel ou simulé? Le jour même où le journal rapportait que le niveau de confiance des consommateurs américains atteignait un sommet record, un article expliquait «Pourquoi les ignorants sont bienheureux[11]». David Dunning, professeur de psychologie à Cornell, démontrait que les gens qui font mal les choses semblent habituellement plus confiants et assurés que ceux qui les font bien. «Non seulement ils arrivent à des conclusions erronées et font des choix malheureux, mais leur incompétence ne leur permet pas d'en prendre conscience.» L'étude montrait que les sujets qui obtiennent les pires résultats lors de tests de logique, de grammaire et d'humour sont également les plus susceptibles de surestimer leurs performances.

Culturellement, ne sommes-nous pas de bienheureux ignorants? Ne faisons-nous pas l'erreur de croire qu'à force de chercher nous trouverons l'approbation de nos semblables, l'estime de soi et un sens à la vie dans les objets matériels?

DEUXIÈME PARTIE

Les causes

CHAPITRE 15

Le péché originel

Puisque vous connaissez maintenant la rage de consommer et ses multiples symptômes, vous vous demandez peut-être comment on en est arrivé là. Quelle est la genèse de ce phénomène ? Est-ce un bogue inhérent à la nature humaine ? Un conditionnement culturel ? Un phénomène à la fois naturel et culturel ? Voilà les questions auxquelles nous tenterons de répondre dans cette section. Nous essaierons de comprendre la mutation du virus et sa recrudescence dans leur rapport au cours de l'histoire.

Nous croyons nécessaire de comprendre les facteurs de la rage de consommer pour la combattre efficacement. En fouillant cet aspect de la question, nous avons acquis la conviction que la rage de consommer n'était pas une maladie nouvelle. Elle a cependant atteint une vitesse de propagation record au cours du dernier demi-siècle, avec l'érosion, sous les pressions commerciales et les changements technologiques de l'ère moderne, des valeurs culturelles qui la tenaient en échec.

À la recherche du « patient zéro »

Lorsque des épidémiologistes retracent l'évolution d'une maladie, ils cherchent le premier individu susceptible de l'avoir contractée, à qui ils collent l'étiquette sans gloire de « patient zéro ». Par exemple, le patient zéro officiel de l'épidémie de sida est un Sud-Africain décédé en 1959 (bien que l'on soupçonne la maladie d'être née dans les années 1920).

Alors, qui est le patient zéro de la rage de consommer ? La tradition judéo-chrétienne islamique en nomme deux : Adam et Ève. Ils avaient tout ce qu'il leur fallait au jardin d'Eden, et pourtant ils transgressèrent les limites imposées par Dieu en mangeant le fruit défendu. La première leçon de la Bible est une admonestation contre le fait de convoiter plus que ce que l'on a. Le véritable péché originel, c'est l'avidité.

Certains spécialistes de l'évolution affirment que les incertitudes de la vie primitive ont orienté la nature humaine vers l'accumulation. Ceux qui entassaient de la nourriture aux bonnes époques pouvaient s'en sustenter en période de vaches maigres. Ils survécurent et transmirent leurs gènes d'accumulation à leur descendance.

Par conséquent, l'entassement est tout à fait humain, et il n'y a pas de quoi s'offusquer.

D'un autre côté, durant 99 % de son existence terrestre, l'*homo sapiens* a été un chasseur cueilleur. L'ennui, c'est que notre recherche de nourriture a rapidement épuisé les fruits, les noix, les animaux et autres substances comestibles de notre habitat. Nous avons souvent dû nous déplacer pour permettre à ces régions de se régénérer. En ces temps primitifs, c'était la mobilité qui comptait. Or, celle-ci ne nous permettait pas de porter une grande charge. Pour survivre, il fallait donc un style de vie plus simple, allégé. Une tendance génétique à l'accumulation aurait été tout à fait mortelle.

La rage de consommer originelle

La vie des chasseurs-cueilleurs était pleine de dangers potentiels : animaux sauvages, accidents, maladies et ennemis occasionnels. La mortalité infantile était élevée, tout comme le taux d'infirmité. Les fractures ne guérissaient pas très bien. La médecine moderne aurait été d'une aide précieuse.

Mais l'âge de pierre ne fut pas aussi malheureux que la plupart d'entre nous se l'imaginent. Des anthropologues qui ont observé des cultures contemporaines restées à l'âge de pierre les appellent les «sociétés d'opulence originelles[1]». L'étude de groupes comme les Boschimans ! Kung du désert du Kalahari nous éclaire à ce propos : avant que la modernisation ne les confine à des régions de plus en plus restreintes et ne détruise les habitats biologiques dont ils tiraient leur subsistance, ces chasseurs cueilleurs pouvaient subvenir à leurs besoins fondamentaux en ne travaillant que trois ou quatre heures par semaine. Le prétendu âge de pierre comportait apparemment plus de loisirs que le nôtre.

L'anthropologue Allen Johnson de l'Université de la Californie à Los Angeles a passé deux ans avec sa famille dans la tribu des Machiguengas, des chasseurs-cueilleurs qui pratiquent aussi une certaine agriculture de subsistance dans les hauteurs de la forêt tropicale amazonienne du Pérou. Il est arrivé en pays machiguenga chargé de biens. «En quelques mois seulement, nous avons appris à nous passer de la plupart de nos objets, se rappelle Allen Johnson[2]. Après un certain temps, ce minimalisme nous a paru fort confortable et nous avons commencé à voir que tous les autres biens étaient complètement superflus. J'ai appris des Machiguengas que nous pouvions vivre à l'aise en menant une vie beaucoup plus simple.»

Selon Allen Johnson, les Machiguengas ne connaissent pas assez d'abondance pour bien vivre avec une journée de travail de quatre heures. «Les anthropologues, dit-il, ont peut-être un peu exagéré en décrivant la vie facile des chasseurs-cueilleurs, mais les Machiguengas sont certainement capables de satisfaire tous leurs besoins avec six ou huit heures de travail. Et cela leur laisse beaucoup de temps. Les Machiguengas m'ont toujours paru avoir du temps. Ils ne sont jamais pressés.»

Il en est venu à admirer leurs mœurs gentilles et leur sens des relations, le plaisir qu'ils prenaient à observer leur milieu, le fait qu'ils ne semblaient jamais s'ennuyer. «Une sorte de satisfaction générale imprègne leurs gestes, dit Johnson. C'est tout un plaisir que d'accompagner les Machiguengas dans leur travail. Ils sont calmes, physiquement à l'aise. Ils cousent ou tissent, ou fabriquent une boîte, un arc ou une flèche. Et l'on sent qu'ils ont du plaisir, comme s'il s'agissait d'un passe-temps ou d'un artisanat. Ils ne sont jamais pressés par le temps.»

«Le soir, remarque-t-il, ils s'assoient pour se raconter des histoires. Et alors, en longeant une maison machiguenga, à travers les lattes des murs, on voit le feu qui luit et on entend les voix douces qui racontent des histoires. Si un homme est allé à la chasse ce jour-là, il en décrit le tableau, les bruits, les odeurs. Ils partagent également des contes folkloriques. J'en ai traduit un grand nombre, absolument magnifiques: c'est de la vraie littérature.»

Retour en Amérique

Comme bien des voyageurs revenant d'un séjour dans des cultures dites «sous-développées» ou «primitives», Johnson eut de la difficulté à se replonger dans le frénétique de la vie à l'américaine. Dans une allée de supermarché remplie de mélanges à gâteau, il fut frappé d'un véritable choc culturel. Il se demandait: «Où est l'abondance? C'est vraiment ça, le progrès?»

La vie à Los Angeles lui paraissait surréelle. Ses enfants se plaignaient régulièrement d'ennui, en dépit d'une pléthore de jouets et d'activités. Il rencontrait des gens apparemment occupés, mais insatisfaits de leur vie, qui travaillaient et consommaient avec frénésie, comme pour combler une sorte de trou ou de vide, un état émotionnel qu'il n'avait jamais observé chez les Machiguengas.

Johnson n'avait pas idéalisé l'existence des Machiguengas. Leur espérance de vie était courte et ils étaient souvent victimes des maladies de la jungle. Mais ils ne montraient pas le moindre symptôme de la rage de consommer.

Ce virus n'est donc pas dans la nature humaine. Pourtant on trouve des preuves d'infection fort anciennes dans les sociétés qui accumulaient des surplus agricoles suffisants pour permettre, à long terme, un clivage entre classes et un embryon de vie urbaine. Dans ces cultures, des hiérarchies politiques et économiques apparaissaient et la classe supérieure, s'efforçant d'accroître ses richesses, se mettait à opprimer les pauvres et à asservir ses voisins. Les traditions prophétiques de toutes ces civilisations, en Orient comme en Occident, condamnaient leurs frères hautains, infectés par ce qu'on ne nommait pas encore rage de consommer. « Prenez garde à l'avarice ; c'est une maladie immonde et incurable », affirmait un proverbe égyptien ancien[3]. Le Bouddha enseignait que la voie du bonheur et de l'illumination consiste à juguler le désir, cause selon lui de la souffrance.

Antidotes moraux

Les prophètes hébreux s'insurgeaient contre ceux qui accumulaient des richesses en opprimant les pauvres et les faibles. Ils prônaient la modération : « Ne me donne ni la pauvreté ni la richesse, laisse-moi goûter ma part de pain », dit le livre des Prophètes. Chaque semaine, une journée, le sabbat, devait être exempte de toute activité lucrative ; c'était un jour sacré. À propos du sabbat, un grand érudit juif, le rabbin Abraham Heschel, écrit ceci : « Celui qui veut pénétrer le caractère sacré du jour doit d'abord cesser l'impiété du commerce bavard [...] et la furieuse soif de possession[4]. » Le Deutéronome, écrit vers 700 av. J.-C., lance une admonestation contre le gaspillage, corollaire naturel d'une vie de désir matériel. Comme le dit le rabbin Daniel Schwarz, « gaspiller la création, c'est comme cracher au visage de Dieu[5] ».

Les Grecs de l'Antiquité condamnaient eux aussi la rage de consommer. « La simplicité est un idéal ancien, et même primordial », dit l'historien David Shi, auteur de *The Simple Life* et président de l'université Furman. « Les Grecs parlaient de la "voie du juste milieu", ce point mitoyen entre le luxe et la privation. » Aristote lançait une mise en garde contre « ceux qui, ayant acquis plus de biens extérieurs qu'ils pourront jamais en utiliser, perdent les qualités de l'âme ».

En revanche, il affirmait que le bonheur venait à « ceux qui cherchent à cultiver leur caractère et leur esprit et modèrent leur acquisition de biens extérieurs ». « Aristote fut le premier à soutenir que l'argent avait une utilité marginale décroissante, écrit le philosophe Jerome Segal. Il croyait que chaque supplément d'argent est d'un bénéfice progressivement moindre pour son possesseur, et qu'au-delà d'un certain point, le fait de posséder davantage n'a aucune valeur et peut même être nuisible[6]. »

« La richesse illimitée, écrivait Aristote, est une grande pauvreté. » Deux lignes de pensée grecques, le stoïcisme et le cynisme, critiquaient encore plus sévèrement le matérialisme. Ces idées étaient déjà largement répandues à la naissance du Christ. Le philosophe romain Sénèque, un stoïcien, contestait sa propre culture : « Un toit de chaume abritait jadis des hommes libres ; le marbre et l'or logent l'esclavage[7]. »

Selon Burton Mack, spécialiste du Nouveau Testament, les premiers enseignements chrétiens ressemblaient fort à ceux que défendaient Épictète, Diogène et autres adeptes de la tradition cynique en Grèce. Vivant simplement, les cyniques se moquaient de la culture de leurs riches contemporains. Il y a 2000 ans, leurs idéaux étaient largement répandus dans tout le bassin méditerranéen.

Mais la plus forte condamnation de la rage de consommer naissante vint peut-être de Jésus-Christ. Ce dernier lança continuellement des avertissements sur les dangers de la richesse, déclarant que c'était l'obstacle majeur à l'entrée dans le royaume des cieux. Il serait plus facile pour un chameau de passer par le chas d'une aiguille que pour un riche d'entrer dans le Royaume des Cieux, dit-il à ses disciples. À un riche qui voulait le suivre, Jésus dit de commencer par vendre ses biens et donner l'argent aux pauvres. «Il s'en alla malheureux, car il avait une grande richesse.»

N'amassez pas de trésors terrestres, ordonnait le Christ. Soyez plutôt comme les oiseaux et les fleurs, qui ne possèdent rien. Dieu en prend soin, et leur beauté surpasse celle de Salomon dans toute sa gloire. Les premiers disciples de Jésus vivaient simplement, en communautés partageant tout et prêchant que «l'amour de l'argent est la racine du mal».

«Je crois que l'un des passages les plus saisissants du Nouveau Testament, c'est celui où le Christ met en garde contre Mammon, qui représente le pouvoir de la richesse et de l'argent», dit le Dr Richard Swenson lors de ses conférences dans des églises évangéliques. «Le Christ a déclaré qu'on ne pouvait servir à la fois Dieu et Mammon. Il n'a pas dit que c'était difficile ou délicat, mais que c'était impossible[8].»

En fait, l'un des derniers gestes publics de Jésus condamne violemment la rage de consommer qui avait commencé à se répandre à son époque. En chassant les marchands du temple et en renversant leurs étals, le Christ s'attaque physiquement au mercantilisme profane qui s'était insinué jusque lieu sacré par excellence.

Le théologien chrétien (et scientifique écologiste) Calvin De Witt considère que notre approche moderne de la consommation inverse les enseignements sacrés: «Pour être heureux, consommez davantage. Demeurez insatisfaits de tout, pour continuer à vouloir plus, et encore plus. C'est le message que nous entendons aujourd'hui. Mais la Bible enseigne à se contenter de ce qu'on a, à honorer Dieu, à prendre soin de la création, à donner du pain aux pauvres. Car la joie est un sous-produit de l'esprit de service. En présentant l'antithèse exacte des enseignements bibliques, on se trouve à décrire notre société de consommation actuelle[9].»

Une crise culturelle

Au printemps 1877, le chef bien connu d'une tribu de chasseurs-cueilleurs s'adressa à un conseil de son peuple, rassemblé autour de lui sur les plaines venteuses du Dakota du Sud. Le chef sioux lakota Tatanka Yotanka (Sitting Bull) rendit grâce pour le cycle des saisons et la généreuse abondance de la terre. Mais il mit son peuple en garde à propos d'«une autre race, qui était petite et faible lorsque nos pères en ont fait la connaissance, mais qui est devenue grande et dominatrice». Il décrivit les visages pâles venus exploiter des mines et labourer la terre, apportant avec eux (pour y convertir les Indiens) les paroles d'un homme qui prêchait la fraternité, la paix et la bonne volonté entre tous, une préférence à l'égard des pauvres et une vie dépourvue des embarras des biens matériels.

Quelque chose semblait s'être perdu lors de la traduction, car, comme le fit observer Sitting Bull, «ces gens ont conçu bien des règles que les riches peuvent enfreindre, mais pas les pauvres. Ils soutirent une dîme aux pauvres et aux faibles pour soutenir les riches régnants. Ils prétendent que notre mère, la Terre, leur appartient et la clôturent pour en éloigner leurs voisins; ils la défigurent par leurs édifices et leurs déchets. Leur nation est comme un torrent en crue qui inonde ses rives et détruit tout sur son passage. Nous ne pouvons demeurer à leurs côtés[10]».

Pour Sitting Bull, une chose était certaine à propos des envahisseurs blancs: «L'amour de la possession est chez eux une maladie.» Aujourd'hui, il aurait sans doute appelé cette maladie la rage de consommer. Il aurait découvert qu'à son époque déjà, même parmi les Blancs, beaucoup partageaient ses craintes quant à ce virus.

CHAPITRE **16**

Une once de prévention

La peur de la rage de consommer, même si elle n'est jamais identifiée en tant que telle, fait partie de la tradition américaine depuis l'arrivée des premiers colons européens. On note une grande diversité parmi ceux qui risquèrent leur vie et leur bien-être pour traverser l'Atlantique sur de petits navires de bois. Certains recherchaient des richesses : les Espagnols voulaient de l'or ; les Français, des fourrures ; les Hollandais exploraient de nouvelles routes commerciales vers les Indes fabuleuses.

Mais les premiers arrivants européens comptaient aussi parmi eux des réfugiés voulant échapper au matérialisme profane qui, selon eux, prenait rapidement racine en Europe. « En arrivant au Nouveau Monde, les puritains voulaient surtout fonder une communauté chrétienne pratiquant la simplicité de vie », explique l'historien David Shi[1].

Dans leur colonie de la baie du Massachusetts, les puritains adoptèrent ce qu'on appela les lois somptuaires, qui interdisaient l'étalage de la richesse, exigeant par exemple des colons qu'ils portent des vêtements simples. Mais parce qu'elles ne furent jamais appliquées équitablement, ces lois ne parvinrent pas à enrayer un commerce croissant d'objets luxueux venant d'Europe. Des puritains plus riches et nantis d'un pouvoir politique pouvaient ignorer les lois et porter tout ce qu'ils voulaient, tandis que leurs semblables plus pauvres étaient punis pour leurs transgressions au code vestimentaire. Finalement, les lois somptuaires ne firent qu'exacerber des différences de classes visibles.

En Pennsylvanie, les quakers, sous la houlette de John Woolman, connurent plus de succès dans leurs tentatives pour limiter la rage de consommer. «Mes chers amis, prêchait John Woolman, suivez cet exercice de simplicité, cette sobriété et cette frugalité auxquelles mène la vraie sagesse[2].» «Chez les quakers, écrit le philosophe Jerome Segal, les restrictions sur l'étalage de la richesse et la consommation étaient appliquées davantage. Et surtout, on faisait le lien entre la poursuite de la consommation de luxe et une vaste gamme d'injustices et de problèmes sociaux, comme l'alcoolisme, la pauvreté, l'esclavage et les mauvais traitements infligés aux Indiens[3].»

Une révolution de dandys ? Que non !

À certains égards, la Révolution américaine fut elle-même une révolte contre la rage de consommer. Les autorités britanniques saignaient leurs colonies américaines afin de se garantir un style de vie luxueux, proche de la décadence. Les seigneurs anglais consacraient souvent la moitié de leur journée à leur habillement, en grande partie à leurs perruques de plus en plus élaborées (d'où l'expression *bigwigs*, ou «gros bonnets»). Puis, ils s'empiffraient lors de dîners qui duraient des heures.

Pendant ce temps, les colons américains contestaient avec véhémence les taxes qui leur étaient imposées pour garder bien garnis les coffres britanniques. Mais les colons influents eux-mêmes étaient troublés par la poursuite débridée de richesse entretenue par certains de leurs concitoyens. «La frugalité, ma chère, doit être notre refuge», écrivait John Adams à son épouse Abigail au cours de la Révolution. «J'espère que les dames réduiront incessamment leurs ornements, et les gentilshommes aussi. Mieux vaut boire de l'eau et manger des patates plutôt que de se soumettre à une domination injuste[4].»

Après le bouleversement politique dû au triomphe des révolutions américaine et française, la fin du XVIIIe siècle connut une transformation économique. Les «fabriques sombres et sataniques» (William Blake) de la révolution industrielle utilisaient l'énergie de la vapeur et les techniques de ligne d'assemblage pour produire textiles et autres marchandises en une fraction du temps jadis requis. Benjamin Franklin prétendit qu'avec de tels outils de production à sa disposition, l'humanité pourrait réduire à trois ou quatre heures par jour le temps de travail exigé pour produire toutes les «nécessités» de la vie[5].

Mais en fait, c'est le contraire qui arriva. Au début de la révolution industrielle, les heures de travail furent plus ou moins multipliées par deux, au lieu de diminuer. Les spécialistes estiment qu'au Moyen Âge la journée de travail comptait en moyenne neuf heures; elle était plus longue en été, plus courte en hiver[6]. De plus, le rythme du travail, assez lent, comprenait des pauses fréquentes. Dans certaines régions d'Europe, les travailleurs pouvaient profiter de près de 150 congés religieux et fériés. Les tableaux de Pieter Breughel, au XVIe siècle, montrant des paysans en train de danser, de festoyer ou de faire la sieste dans leurs champs, illustrent avec talent l'époque dont il fut témoin.

L'esprit de la Saint-Lundi

Mais avec la révolution industrielle, les travailleurs d'usines (attirés par l'enfer à la Dickens des villes industrielles, car leurs anciennes terres agricoles avaient été réquisitionnées et clôturées pour l'élevage des moutons) travaillaient 14, 16 et même 18 heures par jour. En 1812, on louait l'humanité et les idées progressistes du propriétaire d'une usine de Leeds, en Angleterre, parce qu'il refusait d'embaucher des enfants de moins de 10 ans et limitait le travail des enfants à 16 heures par jour.

Les travailleurs d'usines ne se plièrent pas facilement à la nouvelle discipline industrielle. Dépouillés de leurs vieux congés religieux, ils en inventèrent un nouveau : la Saint-Lundi. Aux prises avec la gueule de bois après les beuveries du dimanche soir à la taverne, ils restaient au lit ou ne se présentaient pas à l'usine le lendemain. Comme ils étaient payés à la pièce, ils travaillaient aussi longtemps qu'ils en avaient besoin pour subsister. Quand un employeur leur versait un supplément pour les inciter à s'affairer davantage, sa stratégie se retournait bientôt contre lui. Comme l'affirme Max Weber, « la possibilité de gagner davantage était moins attirante que celle de travailler moins[7] ».

Telle était, évidemment, la situation avant que ne se répande la rage de consommer.

Par conséquent, comme Karl Marx le répéta à maintes reprises, les employeurs cherchèrent à verser les salaires les plus bas possibles, afin que les ouvriers poursuivent leur travail pendant de longues heures pour leur simple survie. Mais cette avarice, comportement rationnel pour certains employeurs, minait l'ensemble de l'industrie capitaliste. Le faible pouvoir d'achat des travailleurs entraîna des crises de surproduction qui détruisirent périodiquement des industries entières.

« Chaque crise, écrivaient Marx et Engels dans le *Manifeste du parti communiste* (1848), détruit régulièrement non seulement une masse de produits déjà créés, mais encore une grande partie des forces productives elles-mêmes déjà existantes [...] La société se trouve subitement ramenée à un état de barbarie momentanée [...] Comment la bourgeoisie surmonte-t-elle ces crises ? D'un côté, en détruisant par la violence une masse de forces productives ; de l'autre, en conquérant de nouveaux marchés et en exploitant plus à fond les anciens[8]. »

Marx et la rage de consommer

Comment donc la bourgeoisie exploite-t-elle «plus à fond» ces marchés? En exposant, en somme, ses clients potentiels à la rage de consommer, bien que, de toute évidence, Marx n'utilise jamais cette expression. Mais dans un brillant passage des *Manuscrits de 1844*, Marx décrit le processus. «L'absence de mesure et la démesure» deviennent la «véritable mesure» de l'économie, écrit-il.

> [...] *la croissance des produits et des besoins devient l'esclave inventif et calculateur d'appétits inhumains, raffinés, antinaturels et imaginaires [...] (Tout produit sert à appâter ce qui constituer l'essence d'autrui, son argent; tout besoin réel ou possible est une faiblesse qui attirera la mouche dans la glu [...]) [...] L'industriel se plie aux caprices les plus infâmes de son voisin, joue l'entremetteur entre son besoin et lui, excite en lui des appétits morbides, guette chacune de ses faiblesses pour lui demander ensuite le salaire de ses bons offices[9].*

Ce passage, écrit il y a plus de 150 ans, décrit avec précision le fonctionnement d'une grande part de la publicité moderne qui, en effet, stimule «des appétits imaginaires», faisant un usage méthodique du sexe pour vendre des produits, et «excite des appétits morbides», notamment dans des cas comme celui des jeux vidéos décrit au chapitre 7.

En définitive, Marx croyait que l'expansion du marché serait toujours inadéquate et que la seule façon d'empêcher les crises de surproduction serait que les travailleurs mêmes acquièrent les usines et utilisent la machinerie pour le bien commun. Cela dépasse le simple partage plus équitable d'une production matérielle croissante. Marx n'a jamais eu d'objectif matérialiste. En effet, il soulignait que la simple augmentation du pouvoir d'achat des travailleurs «ne serait qu'une meilleure rémunération d'esclaves et ne redonnerait, ni au travailleur ni au travail, leur importance et leur valeur humaines[10]».

La richesse, c'est du temps disponible

Une « égalité salariale imposée par la force », promulguée par un gouvernement socialiste, ne mènerait pas non plus au bonheur qui, selon Marx, réside plutôt dans nos relations avec les autres et dans le développement de nos capacités d'expression créatrice. « L'homme riche, écrivait-il, est celui qui a besoin d'une variété de manifestations de vie humaine et dont l'accomplissement personnel constitue une nécessité intérieure. » « Un surcroît de biens utiles, affirmait-il, engendre un surcroît de gens inutiles[11]. »

Bien sûr, Marx comprenait que les humains doivent avoir de la nourriture saine en quantité suffisante, un logement décent et des vêtements adéquats. La production de masse, pensait-il, permettait à chacun d'atteindre ces objectifs. Et pour cela, chaque personne devrait accomplir un minimum de travail répétitif et non créatif. Marx appelait « le domaine de nécessité » ce temps qui, croyait-il avec Engels, pouvait (même au milieu du XIXe siècle) être réduit à quatre heures par jour.

Des augmentations de la productivité permettraient de réduire davantage le temps de travail nécessaire pour satisfaire les véritables besoins matériels, « mais il reste toujours un domaine de nécessité, au-delà duquel commence ce développement du pouvoir humain, qui est sa fin en soi, le véritable domaine de liberté », où prévaut l'activité autonome. De ce domaine de liberté, ajoutait Marx, « le raccourcissement de la journée de travail est la condition préalable et fondamentale ». « Dans une nation vraiment riche, la journée de travail est de six heures au lieu de douze », écrivait-il, citant d'un ton approbateur l'auteur anonyme d'un article publié en Angleterre en 1821 : « La richesse, c'est la liberté — la liberté de rechercher le loisir, la liberté de jouir de la vie, la liberté de cultiver son esprit : c'est du temps disponible, et rien d'autre[12]. »

Thoreau, tout simplement

Entre-temps, de l'autre côté de l'Atlantique, un mouvement américain offrait une critique semblable de l'industrialisation et de la soif de possession qu'elle engendre. Les transcendantalistes, comme ils s'appelaient, avaient pour idéal une vie simple, proche de la nature. Ils fondèrent à partir de leurs principes des communautés comme Brook Farm et Fruitlands (dont aucune n'allait durer très longtemps).

On se rappelle davantage, même s'il fut aussi court, le séjour de Henry David Thoreau, en 1845, dans une cabane d'une pièce qu'il construisit au bord de l'étang de Walden, près de Boston. «La simplicité, la simplicité, la simplicité, écrivait Thoreau dans *Walden*. La plupart des habitudes de luxe, et une grande partie de ce qu'on nomme le confort, sont non seulement des choses nullement indispensables, mais même de véritables obstacles à l'ascension de l'humanité[13].»

Dans *La vie sans principe*, Thoreau condamnait encore plus l'homme de l'ère industrielle, attaché aux biens et déjà affaibli par la rage de consommer. Comme Marx, Thoreau croyait que la richesse véritable était d'avoir assez de loisir pour développer une activité créatrice autonome, suggérant qu'une demi-journée de travail permettrait de se procurer les véritables nécessités matérielles. «Si je devais vendre mes matinées et mes après-midi à la société, comme la plupart semblent le faire, je suis certain que ma vie n'aurait plus d'utilité qui en vaille la peine», écrivait Thoreau.

> *Considérons notre emploi du temps. Le monde est une place d'affaires. Quel brouhaha sans fin [...] Il n'y a aucun sabbat. Il serait glorieux de voir l'humanité au loisir, pour une fois. Ce n'est que du travail, du travail, du travail. J'ai de la difficulté à acheter un cahier vierge dans lequel écrire mes pensées ; ils sont ordinairement réglés pour la comptabilité [...] Je crois que rien, pas même le crime, n'est plus contraire à la poésie, à la philosophie, oui, à la vie même, que ce commerce incessant[14].*

« Si un homme passe la moitié de ses journées à marcher dans les bois pour le plaisir, il court le risque d'être considéré comme un paresseux, mais s'il passe toute sa journée à spéculer, à scier des arbres et à mettre la terre à nu, il est estimé et considéré comme un citoyen industrieux et entreprenant[15] » écrivait Thoreau. Ses paroles sont d'autant plus significatives, aujourd'hui, que des spéculateurs commerciaux comme Charles Hurwitz, de la Pacific Lumber Company, rasent entièrement des forêts anciennes de séquoias pour payer des obligations à risque élevé.

Pour Marx, Thoreau et bien d'autres philosophes du milieu du XIXᵉ siècle, souvent cités mais plus souvent ignorés, le développement industriel n'était justifiable que parce qu'il permettait de raccourcir le temps passé en corvées, et par conséquent de donner aux gens du temps libre pour se consacrer à une activité autonome.

Entre un supplément de temps et un supplément d'argent, ces philosophes ont opté pour le premier choix. Exactement un siècle après la retraite de Thoreau à Walden, ce choix, comme le suggère notre prochain chapitre, allait engager les Américains dans un débat vaste et passionné, qui serait finalement soudain résolu — en faveur du supplément d'argent — sans pourtant être oublié.

CHAPITRE 17

Le chemin le moins fréquenté

Après les horreurs de la guerre civile, un nouveau conflit, plus discret mais aussi déterminant, naquit aux États-Unis. Deux chemins s'offrirent aux Américains qui, après une période d'indécision de près d'un siècle, en choisirent un, «ce qui fit toute la différence» selon Robert Frost, auteur du magnifique poème intitulé «Le chemin le moins fréquenté».

Les Américains du XIXe siècle avaient plus de respect pour les économes que pour les dépensiers. Le mot «consommation» avait à cette époque un tout autre sens. Comme l'explique Jeremy Rifkin, «dans le dictionnaire de la langue anglaise de Samuel Johnson, consommer voulait dire épuiser, piller, dévaster, détruire. En fait, même pour la génération de nos grands-parents, lorsque quelqu'un avait la tuberculose, on parlait de "consomption". Donc, jusqu'au présent siècle, il n'était pas bien vu d'être un consommateur; c'était très mal considéré[1]. »

Mais le système des usines avait permis de grandes économies sur le plan du temps de production. Voilà donc les racines du nouveau conflit: que faire de tout ce temps? Les uns proposaient de l'utiliser pour fabriquer davantage; pour les autres, il fallait travailler moins. Le luxe ou la simplicité. L'argent ou le temps.

Le droit à la paresse

De l'autre côté de l'Atlantique couvait le même débat. En 1883, alors incarcéré en France, Paul Lafargue, gendre de Karl Marx, écrivit un essai provocateur intitulé *Le droit à la paresse*, dans lequel il remettait en question l'éthique qui encourageait la croissance de la production et de la consommation. Paul Lafargue se moquait des industriels qui vont «chez les nations heureuses qui lézardent au soleil» pour «poser des chemins de fer, ériger des fabriques et importer la malédiction du travail[2] ».

Selon Paul Lafargue, la paresse était «la mère des arts et des nobles vertus». Il considérait que, déjà à son époque, les usines étaient si productives que seulement trois heures de labeur par jour auraient suffi à répondre aux besoins réels. Comme Marx, il soulignait que l'Église catholique avait accordé aux travailleurs beaucoup de jours pour honorer les saints, où le travail était interdit. Il n'était pas étonnant, affirmait-il, que les industriels préfèrent le protestantisme (avec son éthique du travail) qui «détrônait les saints du ciel afin d'abolir leurs congés sur terre».

Pendant ce temps, en Angleterre, William Morris, poète, artiste, essayiste et concepteur d'un célèbre fauteuil, prétendait que, dans le système des usines, «l'immense masse des hommes est forcée par la folie et l'avidité à produire des choses nuisibles et inutiles». «Un immense travail», écrivait William Morris, est consacré à fabriquer «tout ce qui, dans les vitrines des boutiques, est gênant ou superflu».

[Je vous supplie] de songer à l'énorme masse d'hommes qui sont occupés par cette misérable tromperie, depuis les ingénieurs qui ont dû fabriquer les machines pour les produire, jusqu'aux pauvres commis assis à longueur de journée, année après année, dans les horribles tanières où se transige tout ce commerce de gros, et les boutiquiers qui, n'osant pas assumer leurs âmes, les vendent au détail [...] au public oisif qui n'en veut pas mais les achète pour y trouver l'ennui et en avoir par-dessus la tête[3].

Pour William Morris, «la belle vie dans le futur» serait tout à fait différente de celle des riches de son époque. «Des hommes libres, soutenait-il, doivent vivre simplement et avoir des plaisirs simples.» Une vie décente et aisée exigeait selon lui «un corps sain, un esprit actif, une occupation digne d'un corps sain et d'un esprit actif, et un monde magnifique où vivre».

La vie simple

Aux États-Unis, de nouvelles institutions, comme les grands magasins favorisèrent un mode de consommation ostentatoire. «Les grands magasins urbains sont arrivés durant les années 1880, dit l'historienne Susan Strasser, principalement pour créer un genre d'endroit où les gens iraient se perdre et, pendant ce temps, dépenser leur argent[4].» Dès les années 1890, de riches Américains exhibaient fièrement les signes matériels de leur succès, faisant étalage, pourrait-on dire, de leur rage de consommer. Mais cela n'impressionnait pas tout le monde.

«À la fin du xixe siècle, il y eut chez les Américains un important regain d'intérêt pour la vie simple, dit l'historien David Shi. Theodore Roosevelt fut à l'époque l'un des grands partisans de la simplicité aux États-Unis. Il disait ouvertement qu'en dépit de son appui au capitalisme américain, il craignait qu'un développement économique illimité finisse par engendrer une civilisation corrompue[5].» David Shi fournit d'autres exemples de cet intérêt pour la simplicité au tournant du siècle dans son merveilleux livre *The Simple Life*. Même le *Ladies' Home Journal*, le magazine américain le plus vendu à l'époque, faisait la promotion de la simplicité.

Le mouvement pour la réduction du temps de travail

Le syndicalisme non plus n'avait pas encore accepté que «vivre bien» signifie «vivre pour les biens» et que la production soit l'indice du progrès. En effet, pendant plus d'un demi-siècle, la diminution du nombre d'heures de travail a dominé les revendications. En 1886, des centaines de milliers de travailleurs envahirent les villes américaines en exigeant l'homologation de la journée de travail de huit heures. Il fallut attendre 1938 pour que le Wagner Labor Relations Act ratifie la journée de huit heures et la semaine de 40 heures. Puis, les dirigeants syndicaux se battirent pour la journée de six heures. Elle était nécessaire, affirmaient-ils, pour des raisons spirituelles autant qu'économiques.

«Les qualités humaines du loisir sont encore plus grandes que son importance économique», écrivait William Green, président de l'American Federation of Labor, en 1926. William Green affirmait que le travail moderne, «absurde, répétitif, ennuyeux», n'offrait «aucune satisfaction des besoins intellectuels». Une diminution des heures de travail était selon lui nécessaire «pour assurer un meilleur développement des facultés spirituelles et intellectuelles». Son vice-président, Matthias Woll, reprochait aux méthodes de production modernes d'ignorer «les qualités exquises de la vie. Malheureusement, notre société industrielle, dominée par l'esprit de production matérialiste [la rage de consommer?], accorde peu d'attention au développement du corps humain, de l'esprit humain ou de la vie de l'âme[6].»

Juliet Stuart Poyntz, directrice de la formation à l'International Ladies Garment Workers Union, un syndicat de travailleuses du vêtement, déclara que ce que ses membres désiraient le plus, c'était «du temps pour être humains». «Les travailleuses, fit-elle observer, ont décidé de ne pas brader leurs vies.» «Aucun salaire, quel qu'il soit», n'avait plus d'importance que le temps dont elles avaient besoin[7].

Du temps pour Dieu

Derrière eux, comme le souligne le professeur Benjamin Hunicutt, de l'université de l'Iowa, dans son livre *Work Without End*, se rallièrent d'éminents dirigeants religieux, inquiets du manque de temps que les travailleurs pouvaient consacrer à la réflexion et aux questions spirituelles — du «temps pour connaître Dieu». Les dirigeants juifs, reprochant au travail du samedi d'enfreindre leur sabbat, se battirent pour une semaine de travail de cinq jours. Les dirigeants catholiques approuvèrent le pape Léon XIII, qui en appelait (dans son encyclique *Rerum Novarum*, en 1891) à un «salaire naturel», ou «salaire familial», qui garantirait à l'ouvrier ayant charge de famille un salaire suffisant pour une vie de «confort frugal». Mais surtout, ils estimaient plus important que les travailleurs aient davantage de temps que davantage d'argent.

Au cours des années 1920, Mgr John Ryan, rédacteur en chef de la *Catholic Charities Review*, rappelait que, selon saint Augustin, la loi naturelle fixait un niveau de vie maximum aussi bien qu'un minimum. «La doctrine véritable et logique, écrivait John Ryan, c'est que lorsque les hommes ont produit ce qui répond à l'essentiel de leurs besoins et leur procure un confort raisonnable, ils doivent passer le temps qu'il leur reste à cultiver leur intellect et leur volonté, dans la poursuite d'une vie meilleure.» Ils doivent, disait-il, «s'interroger sur le sens de la vie[8]». Felix Cohen, spécialiste de la religion juive, soulignait que, dans la tradition biblique, le travail était une malédiction infligée à Adam pour son péché dans l'Eden. Il affirmait qu'en abolissant le gaspillage de la production inutile, il serait bientôt possible de réduire la semaine de travail à 10 heures[9]!

L'évangile de la consommation

Mais les dirigeants industriels des années 1920 avaient leur propre religion, l'évangile de la consommation. Ils croyaient qu'une réduction des heures de travail risquait de renverser le système capitaliste. Pour Thomas Nixon Carver, économiste de Harvard, une augmentation des loisirs nuirait au commerce :

> *Il n'y a aucune raison de croire qu'un accroissement des loisirs augmenterait le désir de marchandises. Il est fort possible que le temps libre serait employé à cultiver les arts et le savoir-vivre, à fréquenter les musées, les bibliothèques et les galeries d'art, ou en promenades, en jeux et en divertissements peu coûteux [...] cela diminuerait le désir de biens matériels. En augmentant le temps consacré au jardinage, à la peinture, aux réparations domestiques et autres occupations, cela diminuerait la demande pour les produits de nos industries rémunératrices*[10].

En somme, une réduction du temps de travail diminuerait la rage de consommer. Cela lui posait un problème. Pas à nous.

Le modèle T commença à sortir des lignes d'assemblages de Ford en 1913, suivi par une multitude de produits de consommation. Les entreprises cherchèrent des façons de les vendre — et de répandre l'évangile économique de la consommation —, donnant naissance à une industrie publicitaire qui eut recours — et le fait encore — à la psychologie de la vente.

« Vendez-leur leurs rêves, disait un promoteur à des hommes d'affaires de Philadelphie en 1923. Vendez-leur ce qu'ils attendaient et ont toujours désiré, ce qu'il ont presque désespéré d'avoir un jour. Vendez-leur des chapeaux en les inondant de lumière du soleil. Vendez-leur des rêves — des rêves de *country clubs*, de fronts de mer et de visions de ce qui pourrait arriver, si seulement... Après tout, les gens n'achètent pas des objets, ils achètent de l'espoir — l'espoir de ce que votre marchandise leur apportera. Vendez-leur cet espoir et vous n'aurez pas à vous soucier de leur vendre des marchandises[11]. »

Les capitaines de l'industrie américaine déclarèrent que les désirs du peuple étaient insatiables et donc que les occasions d'affaires s'avéraient illimitées. Au cours des années 1920, leur évangile de la richesse attira un grand nombre de fidèles. La première société de consommation de masse du monde faisait son apparition en dansant le Charleston. Les tiroirs-caisses sonnaient, la bourse montait en flèche — de plus en plus haut —, comme celle des années 1990. Certains crurent qu'elle ne redescendrait jamais.

Des heures de travail plus courtes pendant la Dépression

Puis, un certain vendredi noir d'octobre 1929, tout s'effondra. « Wall Street pond un navet », titra le magazine *Variety*. Des millionnaires soudainement ruinés se défenestrèrent. Des queues se formèrent devant les soupes populaires. Des millions de gens étaient au chômage et personne n'avait 10 cents à donner. Avec un taux de chômage aussi élevé, l'idée de raccourcir les heures de travail, le partage du travail revint à la mode. Même Herbert Hoover estima que la réduction de la journée de travail était la façon la plus rapide de créer davantage d'emplois.

Une fois de plus, les dirigeants syndicaux comme William Green exigeaient « la journée de six heures et la semaine de cinq jours dans l'industrie ». Imaginez leur joie lorsqu'on annonça au Capitole à Washington, le 6 avril 1933, que le Sénat venait d'adopter une loi réduisant à 30 heures la semaine de travail officielle aux États-Unis. Tout le reste constituait des heures supplémentaires. Trente heures ! C'était il y a sept décennies...

Mais le projet de loi échoua à la Chambre, par quelques votes. Le président Roosevelt s'y opposa parce qu'il était convaincu que les programmes fédéraux de création d'emplois — le New Deal — offraient une meilleure solution au chômage tout en garantissant la force de l'industrie.

Pourtant certaines entreprises avaient déjà adopté la semaine de 30 heures avec d'excellents résultats. Le magnat des céréales W.K. Kellogg avait ouvert la voie en décembre 1930. Kellogg était un capitaliste paternaliste qui dirigeait sa compagnie d'une main de fer. Il avait une vision radicale. Pour lui, rapporte Benjamin Hunnicutt, c'était le temps de loisir, et non la croissance économique sans fin, qui représentait «la fleur et le couronnement du capitalisme[12]». Sa vision s'enracinait dans les regrets que lui avait laissés une enfance rigide et dans sa propre dépendance à de longues heures de travail. «Je n'ai jamais appris à jouer», avoua-t-il un jour tristement à son petit-fils.

Kellogg offrit à ses travailleurs un salaire de 35 heures pour des semaines de 30 heures et leur fit construire des parcs, des camps d'été, des centres de découverte de la nature, des jardins potagers, des terrains de sports et autres installations récréatives. Son plan créa immédiatement 400 nouveaux emplois à Battle Creek, dans le Michigan, où étaient situées ses usines. La productivité s'éleva si rapidement qu'en moins de deux ans, Kellogg put verser à ses travailleurs pour 30 heures le salaire qu'il leur donnait auparavant pour 40 heures. Un sondage réalisé auprès des travailleurs de Kellogg au cours des années 1920 montrait un appui extraordinaire à la semaine de 30 heures; seuls quelques hommes célibataires souhaitaient travailler plus et être payés davantage.

Aplaties par les huit heures

Mais après la mort de Kellogg, la compagnie mena une longue campagne pour revenir à la semaine de 40 heures. La raison: augmenter les bénéfices. Comme les bénéfices jouaient un rôle plus grand dans le forfait salarial, il était plus sensé d'embaucher moins de travailleurs et de les faire travailler plus longtemps. Mais la semaine de 30 heures chez Kellogg ne fut tout à fait abandonnée qu'en 1985, lorsque la compagnie menaça de quitter Battle Creek si les derniers travailleurs à 30 heures (environ 20 % des effectifs, presque tous des femmes) n'acceptaient pas de travailler plus longtemps. Autour d'un cercueil, les femmes enterrèrent la semaine de 30 heures dans un bar local appelé Stan's Place, et l'une d'elles, Ina Sides, composa cet éloge funèbre:

Adieu, ma bonne amie, oh ma journée de six heures
C'est triste mais vrai, te voilà partie — et nous on s'ennuie,
Sortez vos vitamines, appelez le docteur,
Car cette chère journée de huit heures nous aplatit[13].

En écrivant son livre *Kellogg's Six Hour Day*, Ben Hunnicutt a rencontré un grand nombre d'anciens travailleurs de Kellogg à Battle Creek. La plupart se rappelaient la semaine de 30 heures avec beaucoup d'affection. Ils se souvenaient d'avoir bien utilisé leurs loisirs — pour jardiner, apprendre des techniques artisanales, se consacrer à des passe-temps, faire de l'exercice et partager une vie communautaire active. «On n'était pas aussi fatigués en sortant du travail, a dit un homme. On avait assez d'énergie pour faire quelque chose.»

Chuck et Joy Blanchard, un couple d'anciens travailleurs de l'usine, se rappelaient que Chuck prenait soin des enfants et faisait partie des parents bénévoles de leur école «bien longtemps avant qu'on entende parler du féminisme[14]». Ils se rappelaient également qu'après le retour aux 40 heures, le bénévolat diminua et le taux de criminalité augmenta à Battle Creek. Les Blanchard considèrent que, même s'ils possédaient peu de chose, leur vie, améliorée par un temps de loisir généreux, était plus heureuse que celle des jeunes familles actuelles, qui possèdent tellement d'objets mais ne semblent jamais avoir de temps.

Jamais auparavant, ni depuis, en Amérique, des travailleurs industriels ordinaires ne se sont autant rapprochés de l'«autre chemin» — celui du temps plutôt que de l'argent. En ce sens, les travailleurs de Kellogg étaient, selon Ben Hunnicutt, les explorateurs d'un territoire nouveau et merveilleux que tous les Américains auraient pu atteindre si la Deuxième Guerre mondiale n'était pas intervenue et n'en avaient fermé l'accès, en exigeant une énorme production nationale. Aujourd'hui, les gens ne peuvent croire qu'il y a plus d'un siècle, dans un coin des États-Unis, des travailleurs à temps plein ne passaient que 30 heures par semaine au travail. C'est pourtant vrai et cela se reproduira peut-être, lorsqu'on aura maîtrisé la rage de consommer.

CHAPITRE 18

Une épidémie
en émergence

Au cours de la Deuxième Guerre mondiale, les Américains accep-
tèrent le rationnement et la privation matérielle. Il n'était pas question de consommer inutilement. Dans chaque ville, des citoyens
recueillaient de la ferraille pour contribuer à l'effort de guerre. La
plupart cultivaient leurs propres aliments, dans ce qu'on appelait les
«jardins de la victoire». Pour économiser le carburant, on limita la
conduite automobile. Malgré les sacrifices, ce que bien des Américains ont retenu de cette époque, c'est le sentiment de communauté, de partage pour le bien de tous, et d'unité devant un ennemi
commun.

Mais peu après la fin de la guerre, la demande économique
refoulée qui s'était accumulée sous forme d'économies personnelles,
jointe aux prêts gouvernementaux à faible taux d'intérêt et au
développement rapide du crédit privé, engendra un boom de

consommation sans précédent. Le G.I. Bill* déclencha une construction domiciliaire massive aux abords des villes américaines, à commencer par le fameux développement de Levittown, à Long Island. Même si la taille moyenne du bungalow de Levittown n'était que de 75 m², sa popularité encouragea d'autres promoteurs construire des maisons plus grandes, provoquant un étalement des banlieues.

Avec le début du baby-boom, de nouvelles familles occupèrent ces nouvelles maisons. Chacune avait besoin de beaucoup de nouveaux appareils et — comme le transport en commun n'existait pas dans les banlieues — de voitures pour se déplacer. Il est fascinant de regarder les nombreux films produits à l'époque par le gouvernement et les entreprises, qui documentent et chantent les louanges de la nouvelle société de consommation de masse.

Vivre pour des biens

«Les nouvelles voitures sortent nombreuses des usines», proclame le narrateur dans un film de la fin des années 1940. «Un nouveau pouvoir d'achat fait irruption dans chaque communauté. C'est la prospérité la plus grande de toute l'histoire.» Le même film montre des gens en train de dépenser, et la narration devient plus dynamique : «Le plaisir d'acquérir, d'étaler son argent et la joie de dépenser son chèque de paie font le bonheur de millier de familles[1] !» L'utopie s'est réalisée !

Un autre film proclame : «Nous vivons une ère d'abondance croissante !», et presse les Américains de rendre grâce pour «notre liberté d'acheter tout ce nous voulons» (les paroles s'accompagnent d'un chœur fredonnant «America the Beautiful» et d'images de la statue de la Liberté). Un troisième film rappelle que «la liberté fondamentale du peuple américain est celle de choisir» (notamment des produits à acheter, bien sûr).

---

* Une loi qui accordait des avantages sociaux aux soldats démobilisés (NDT).

Un film demande aux femmes de prendre la relève des soldats en menant «la bataille immémoriale de la beauté». «Il paraît que la beauté ne se vend pas en pot, dit la narratrice, mais ce vieil adage est dépassé. Nous avons de l'argent et nous voulons toutes ces adorables lotions, savons et crèmes de beauté.» C'est de la joie en pot. Pendant que des femmes essaient des parfums dans un grand magasin haut de gamme, la narratrice continue: «Ce qui comble notre amour propre, c'est un bon investissement dans du luxe véritable — c'est ce qu'on pourrait appeler le gaspillage discrètement ostentatoire[2].» «Économiser protège du besoin», a sévèrement averti Benjamin Franklin. Le nouveau slogan aurait pu être: «Gaspiller prolonge le besoin». Presque du jour au lendemain, bien vivre voulait dire «vivre pour des biens».

L'obsolescence planifiée

«L'immédiat après-guerre représente un immense changement dans l'attitude des Américains à l'égard de la consommation», dit l'historienne Susan Strasser, auteur de *Satisfaction Guaranteed*[3]. «Le gaspillage discrètement ostentatoire» fut relancé par les spécialistes du marketing sous le nom d'«obsolescence planifiée». Les produits étaient soit fabriqués pour ne durer que peu de temps et être fréquemment remplacés (ce qui multipliait les ventes), soit continuellement améliorés, plus souvent du point de vue du style que du point de vue de la qualité. Ce concept, né bien avant la guerre avec les rasoirs jetables de Gillette, prit bientôt de l'ampleur.

Henry Ford, qui contribua à lancer le boom de la consommation dans les années 1920, en versant à ses travailleurs la somme alors fantastique de cinq dollars par jour, fait figure de conservateur pour ce qui est du style: il promettait aux consommateurs qu'ils pourraient acquérir ses fameux modèles T dans n'importe quelle couleur, pourvu qu'ils choisissent le noir. Puis, juste avant la Grande Dépression, General Motors introduisit l'idée du changement annuel de modèle, une idée qui décolla après la guerre. On encouragea les familles à changer de voiture chaque année. «On disait que la voiture qu'on avait achetée l'an dernier n'était plus bonne, parce qu'elle n'avait pas l'apparence qui convenait, explique Susan Strasser. Un nouveau modèle sortait, c'était celui qu'il nous fallait conduire[4]. »

L'argent instantané

Bien sûr, seuls les Américains les plus riches pouvaient consacrer chaque année quelques milliers de dollars à une nouvelle voiture, ou à l'un ou l'autre des nouveaux biens de consommation durables convoités par les familles. Qu'importe, car il existait plusieurs façons de financer sa fièvre d'achats. «Consommateur américain! Chaque année, vous consommez des quantités fantastiques de nourriture, de vêtements, d'habitations, de divertissements, d'appareils électroménagers et de services de toutes sortes. Cette consommation massive fait de vous la plus puissante force du pays[5] », clame le narrateur d'un joli film d'animation du milieu des années 1950, produit pour le compte de la National Consumer Finance Association (NCFA), un organisme de crédit à la consommation.

«Je suis un géant», se vante M. le Consommateur américain en accumulant une montagne d'objets. Et comment peut-il se le permettre? En empruntant, dit le film : «Entre les mains de millions d'Américains, les prêts à la consommation donnent un immense pouvoir d'achat. Un pouvoir d'achat qui crée chez les consommateurs une demande pour toutes sortes de biens et de services et, par conséquent, un niveau de vie supérieur dans tout le pays.» On entend presque les tambours et trompettes...

À la même époque, une pub télévisée de la Bank of America montre un homme manifestement inquiet. Le narrateur demande : «L'argent vous rend-il nerveux? Demandez à l'aimable Bank of America une tasse de remède sous forme d'argent instantané. De l'A-R-G-E-N-T. Sous la forme d'un prêt personnel pratique.» L'homme sirote une tasse de café remplie de dollars, s'arrête de trembler et saute de joie[6].

Ce monde était basé sur le principe «achetez maintenant, payez plus tard», et il allait le devenir encore plus avec l'arrivée de la carte de crédit dans les années 1960.

L'Amérique des centres commerciaux

La ruée vers les banlieues s'est poursuivi durant les années 1950 et 1960 — et elle ne s'est pas encore arrêtée. Elle fut lancée en 1946 par le G.I. Bill. Dix ans plus tard, un autre programme gouvernemental accentua le phénomène. Le président Eisenhower lança un vaste programme de financement fédéral en vue de créer un système d'autoroutes à l'échelle du pays. On fit accepter ces infrastructures en partie dans le cadre de la défense nationale — il fallait que les routes soient assez larges pour y faire rouler des chars d'assaut en cas d'invasion des Russes. Les nouvelles autoroutes encouragèrent un mouvement de masse vers des banlieues encore plus éloignées. Celles-ci étaient toutes construites en fonction de l'automobile et des énormes centres commerciaux, dont les vitrines, affirme un film promotionnel du début des années 1960, reflétaient «un merveilleux monde de dépenses[7]».

«Les centres commerciaux, poursuivait ce film, considèrent que les jeunes adultes ont besoin de croissance [quel choix de vocabulaire intéressant!]. Ce sont des gens qui achètent de grandes quantités de marchandises et les emportent dans leurs voitures. Ils représentent un marché considérable!» «Ces jeunes adultes, s'extasie le narrateur, qui magasinent avec la même détermination qui les a entraînés vers les banlieues, constituent la crème d'un pays qui bouge et vit grâce à l'automobile.» Pour ces consommateurs déterminés, se rendre au centre commercial constitue une aventure digne de l'Everest, du moins selon ce film, qui poursuit en affirmant que pour eux le plus grand défi consiste à retrouver sa voitures dans le parc de stationnement géant.

Dès 1970, les Américains dépensaient quatre fois plus que les Européens dans les magasins. Les centres commerciaux encourageaient le shopping du dimanche, aussi rare à cette époque aux États-Unis qu'en Europe. Pour sa gloire éternelle, la compagnie Sears, Roebuck s'opposa à l'ouverture de ses magasins le dimanche, affirmant qu'elle voulait «donner à ses employés leur sabbat». Mais dès 1969, elle céda à la concurrence et ouvrit les dimanches «à grand regret et avec un certain sentiment de culpabilité[8]».

La boîte lumineuse

Le grand boom économique ne fut pas le résultat d'un seul facteur. Une série d'événements synchrones le rendit possible : la demande refoulée, les prêts gouvernementaux, l'essor du crédit, le développement des banlieues, l'élargissement des heures d'ouverture des magasins et la transformation de l'Amérique en centre commercial géant. Mais le facteur le plus déterminant fut une boîte qui, dès les années 1950, pénétra dans la plupart des foyers américains.

La télévision montrait à chacun comment vivait l'autre moitié de la population (la moitié supérieure). Ses émissions diffusées gratuitement n'étaient rendues possibles que par la vente de temps d'antenne à des annonceurs qui vantaient leurs articles entre et pendant les programmes. D'abord rudimentaires, les annonces atteignirent graduellement une grande sophistication — à la fois visuelle, grâce au développement des technologies, et psychologique, car des régiments d'experts fouillaient l'esprit humain pour trouver des moyens de vendre plus efficacement.

Au départ, la publicité télévisée utilisait souvent l'humour : «Toutes les filles peuvent se trouver un bon mari, mais trouver l'homme qui saura s'occuper de vos cheveux, c'est tout un problème.» Comme la publicité imprimée ou radiophonique qui l'avaient précédée, elle jouait sur des problèmes gênants, stigmatisant des calamités comme la mauvaise odeur corporelle. Mais surtout, elle montrait les belles choses qui attendaient seulement qu'on aille tous les acheter.

À la télé, on idéalisait le confort intégral que procuraient les objets jetables. «Après un seul usage, vous n'avez qu'à le jeter.» Loin des yeux, loin du cœur. Les plateaux télé en aluminium jetables. Les bouteilles non consignées. Les repas sans tracas. Les gens dansaient avec les produits. Les ondes bourdonnaient de refrains publicitaires. John De Graaf ne peut toujours pas s'empêcher de chanter cette vieille rengaine qui a dû jouer à la télé chaque soir de son enfance: «Adieu dents ternes à tout jamais / Ça, Pepsodent vous le promet.»

Le mécontentement de la surabondance

Bien sûr, tout le monde ne voulait pas que les Américains attrapent la rage de consommer. «Seulement ce dont vous avez vraiment besoin et dont vous ne pouvez pas vous passer», a dit un jour le président Truman à la télé. Dès les années 1950, des films éducatifs mettaient les enfants en garde contre la surconsommation. Mais ils étaient, en un mot, *ennuyeux*. Ils n'avaient rien à voir avec le charme et l'humour de la télé. Dans l'un d'eux, un personnage vieux jeu, appelé Mr. Money, enseigne l'épargne à des étudiants. On imagine le bâillement collectif dans la classe. Dans un autre, la voix de Dieu proclame: «Vous êtes coupables de jeter votre argent dans un trou à rats. Vous avez oublié qu'il faut 100 sous pour faire un dollar.» Les images sont tout aussi saisissantes: une main met un dollar dans un trou étiqueté (vous l'avez deviné) «trou à rats[9]».

Pendant ce temps, des critiques sociaux avisés, à la fois de gauche et de droite, prévenaient des coûts élevés de la nouvelle opulence de l'Amérique. L'économiste conservateur Wilhelm Ropke craignait qu'on «néglige de calculer, dans l'accroissement des biens matériels, les pertes possibles sur le plan immatériel[10]». Le centriste Vance Packard reprochait à la publicité d'encourager la rivalité entre voisins et l'obsolescence planifiée*. À gauche, John Kenneth Galbraith

---

* Il a écrit *La persuasion clandestine* (1957), *À l'assaut de la pyramide sociale* (1959) et *L'art du gaspillage* (1960).

affirmait qu'une économie en croissance comblait les besoins qu'elle-même créait, ce qui n'entraînait aucun accroissement du bonheur. En mettant l'accent sur l'«opulence privée», les États-Unis avaient, selon lui, produit une «misère publique» — un déclin des systèmes de transport en commun, des écoles, des parcs, des bibliothèques et de la qualité de l'air et de l'eau. De plus, cela donnait «des millions de gens affamés et mécontents dans le monde. Sans la promesse de soulager cette faim et cette privation, le désordre est inévitable[11].»

Pour Galbraith, la société d'abondance avait fini de satisfaire les besoins matériels véritables. À présent, elle avait d'autres priorités. «Meubler une pièce vide, c'est une chose. Continuer à l'encombrer de meubles jusqu'à ce que les fondations cèdent, c'en est une autre. Ne pas combler les carences de la production de marchandises, cela aurait été prolonger l'infortune la plus ancienne et la plus cruelle de l'homme. Mais il serait tout aussi tragique de ne pas voir qu'on les a comblées et de ne pas s'attaquer aux problèmes suivants[12].»

La jeune Amérique réagit

Au cours de la décennie suivante, bien des jeunes Américains sentirent que les critiques de la consommation avaient raison. Ayant grandi en banlieue, ils rejetèrent ce style de vie, avec ses «petites boîtes de pacotille bâties à flanc de montagne» (comme le chantait Malvina Reynolds), où tout le monde était élevé «de la même façon». Un tumultueux mouvement pour la liberté d'expression naquit à Berkeley, en 1964, et son leader, Mario Savio, attaqua un système scolaire qui voulait faire des étudiants «des enfants bien élevés dans un paradis de consommation chromé[13]». Une nouvelle contre-culture s'affirma, rejetant le matérialisme. Des milliers de jeunes Américains quittèrent les villes pour pratiquer la simplicité volontaire dans des communes agricoles, dont les plus réussies survivent encore.

Un grand nombre de jeunes critiquèrent l'importance qu'on attachait à la croissance du produit national brut comme mesure de la santé du pays. Ils furent appuyés par le populaire sénateur Robert F. Kennedy. Durant sa campagne présidentielle de 1968 (qui se termina par son assassinat), Bobby Kennedy insista sur ce fait.

> *Nous ne trouverons ni objectif national ni satisfaction personnelle dans la simple poursuite du progrès économique, dans l'accumulation sans fin de biens matériels [...] Le produit national brut implique la destruction des séquoias et la mort du lac Supérieur[14].*

Dès la première journée de la Terre, le 22 avril 1970, de jeunes Américains mirent en question l'impact sur la planète du style de vie fondé sur la consommation. D'importants écologistes, comme David Brower, fondateur des Amis de la Terre, prévenaient que le rêve américain de la croissance sans fin n'était pas durable.

Puis, en 1974, une pénurie de pétrole à l'échelle nationale poussa bien des Américains à se demander s'ils pourraient un jour manquer de ressources. Les fournisseurs d'énergie réagirent, comme ils le font encore, en poursuivant les travaux de forage. «Au lieu de favoriser la conservation, écrit l'historien Gary Cross, le président Gerald Ford appuya les demandes des entreprise concernant le développement des centrales nucléaires, les forages pétroliers en mer, les concessions et l'extraction de gaz sur des territoires fédéraux», de même que «l'assouplissement des normes relatives à la pollution de l'air[15]».

La dernière bataille de Carter

Mais Jimmy Carter, le successeur de Ford, n'était pas d'accord. Il fit la promotion des mesures de conservation et des sources d'énergie alternatives. Carter alla jusqu'à mettre en question le rêve américain, dans son célèbre discours de 1979 sur le «malaise national». «Nous sommes trop nombreux à vouloir rendre un culte à l'auto-satisfaction et à la consommation», déclara-t-il. C'était le dernier combat courageux mené par un président américain contre l'épidémie de rage de consommer.

Et cela contribua à la défaite de Carter, un an plus tard. «L'échec de Jimmy Carter, dit l'historien David Shi, vient en partie de n'avoir pas mesuré à quel point l'idée vaste et séduisante de la croissance économique et du développement du capital s'était profondément enracinée dans la psyché américaine moderne[16].»

L'ère de la rage de consommer avait commencé.

CHAPITRE 19

L'ère de la rage de consommer

«Le jour se lève sur l'Amérique», annonçaient les publicités télévisées de Ronald Reagan, dont le message disait que les Américains pouvaient avoir le beurre et l'argent du beurre, ce qui irritait le prudent défenseur des ressources naturelles Jimmy Carter. Oui, c'était bien le matin d'un jour nouveau, l'aube, pourrait-on dire, de l'ère de la rage de consommer. Malgré les hauts et les bas de l'économie, les deux dernières décennies du XXe siècle allaient témoigner d'une expansion commerciale sans précédent. Ces publicités pour Reagan, montrant de petites villes où les gens souriaient dans la lumière dorée, ont à présent un charme suranné, comme si elles annonçaient le crépuscule d'une ère ancienne, plutôt que l'aube d'une nouvelle ère. Par exemple, l'Amérique qu'elles dépeignent ne présente ni panneau publicitaire ni aucun produit à vendre, à l'exception du candidat Reagan. Or l'Amérique, ce n'est plus cela.

La décennie de Reagan a été marquée par une politique économique de l'offre, mais aussi par une fabrication de la demande. Les yuppies ont été fabriqués, ils ne sont pas nés ainsi. « L'avidité est bonne en soi », susurrait Ivan Boesky, de Wall Street. Le premier bal d'investiture de Reagan, où Nancy portait une robe de 15 000 $, envoyait un message clair : il est bon de consommer et d'étaler sa richesse. Le ton de la publicité des années 1980 faisait écho à ce sentiment : « Faites-vous plaisir. Vous le méritez bien. »

Depuis 1980, peu d'industries ont connu une croissance aussi rapide que la publicité. À preuve, la valeur immobilière de Madison Avenue est désormais la plus élevée de toute la planète. Un seul mètre carré d'espace (moins que la superficie d'un lit simple) s'y loue maintenant pour 6500 $ par année !

La rage publicitaire

Tout le monde sait que la publicité a pour but premier de favoriser la rage de consommer. Même ses partisans les plus éminents l'ont souvent affirmé à leur façon. Déjà en 1957, Pierre Martineau, directeur du marketing au quotidien *Chicago Tribune*, disait que « le principal rôle social de la publicité est d'intégrer l'individu dans l'économie américaine de consommation ultrarapide[1] ». « L'individu moyen ne fabrique rien », écrivait-il dans son célèbre livre, *Motivation in Advertising*. « Il achète tout, et notre économie fonctionne au rythme accéléré de ses achats, à partir de besoins largement créés par la publicité. » Ce n'est pas le discours d'un ennemi de la publicité, mais bien celui de l'un de ses maîtres les plus éminents.

« Le niveau de vie américain est le plus élevé du monde, poursuivait Pierre Martineau, parce que notre qualité de vie est la plus élevée, ce qui veut dire que nos besoins sont les plus élevés. Malgré les protestations des intellectuels, qui déplorent le mécontentement et l'insatisfaction liés à ces nouveaux besoins créés par la publicité et qui proposent de freiner la machine, il doit être clair que le bien-être de tout notre système dépend du degré de motivation que l'on crée chez le consommateur pour qu'il continue d'avoir des besoins. » Si Pierre Martineau était encore en vie, il serait sûrement fier de voir à quel point on motive maintenant les « besoins » des consommateurs.

Si, comme le dit le proverbe, « charbonnier est maître chez lui », alors Madison Avenue a une armée de béliers pour enfoncer la porte. Les deux tiers de l'espace des journaux sont maintenant consacrés à la publicité. Près de la moitié du courrier qu'on reçoit sert à vendre.

Le coût élevé de la motivation

On pourrait appeler cette maladie la téléphagie. L'Américain moyen passera près de deux ans de sa vie à regarder des publicités à la télévision[2]. Un enfant en verra peut-être un million en 20 ans. On y consacre toujours plus de temps — la demi-heure moyenne de télévision commerciale comporte maintenant huit minutes de publicités, contre six il y a deux décennies. Et les messages sont plus nombreux car la rapidité du montage (qui vise à empêcher de zapper) et le coût croissant du temps d'antenne ont raccourci la publicité moyenne.

Le prix de ces publicités est exorbitant : produire un spot de 30 secondes à la télévision nationale américaine coûte maintenant 300 000 $ — c'est-à-dire 10 000 $ par seconde ! Par contraste, le coût de production d'une heure entière de télévision publique aux heures de grande écoute est presque le même : 300 000 $, soit 83 $ par seconde. La programmation des réseaux commerciaux est un peu plus coûteuse, mais ne se compare pas au coût des annonces. Est-il si étonnant que certains trouvent que la publicité, c'est la télé à son meilleur ?

Par ailleurs, les sociétés paient des centaines de milliers de dollars chaque fois que leurs annonces sont diffusées aux heures de grande écoute. Des tranches horaires de 30 secondes durant le Superbowl se vendent jusqu'à 2,4 millions chacune. La publicité à la télévision, vecteur principal du virus de la rage de consommer, est maintenant une industrie de 200 milliards par année, qui croît à un taux annuel de 7,6 %, soit plus de deux fois le taux de croissance moyen de l'économie dans son ensemble[3].

Et c'est rentable. Lorsque, dans un centre commercial du Maryland, le présentateur Scott Simon a demandé à des adolescentes ce qu'elles achetaient, elles ont débité une liste de marques : Donna Karan, Calvin Klein, Tommy Hilfiger, American Eagle. Selon une étude récente, l'Américain moyen sait identifier moins de dix espèces de plantes, mais il reconnaît des centaines de logos d'entreprises.

Bienvenue en Logotopie

Afin de créer de la demande, les spécialistes en marketing cherchent à placer des messages partout. La publicité extérieure représente une industrie de 5 milliards par année (et son taux de croissance est de 10 % par année), dont plus d'un milliard consacré à des panneaux publicitaires. « La publicité extérieure fait maintenant un tabac d'enfer, dit Brad Johnson dans la revue *Advertising Age*. Il y a pénurie d'espace[4]. »

Trente-cinq ans après la campagne « Embellissons l'Amérique » menée par Lady Bird Johnson, le paysage est envahi d'un nombre record de panneaux publicitaires. La critique Laurie Mazur les qualifie de « déchets sur pilotis ». « Du point de vue du marketing, les panneaux publicitaires sont un instrument idéal, dit Mazur. On ne peut ni les fermer, ni les zapper[5]. »

Même les spécialistes du marketing reconnaissent que l'environnement publicitaire est « encombré », souligne Laurie Mazur. Les vendeurs sont toujours à la recherche de nouveaux endroits pour placer leurs annonces. Les écoles, comme on l'a vu au chapitre 7, constituent une cible de choix, atteinte de toutes sortes de façons, par exemple en imprimant des logos dans les manuels de mathématiques. « Si Joe a 30 biscuits Oreo™ et qu'il en mange 15, combien lui en reste-t-il ? » Bien sûr, la page présente une grande image de biscuits Oreo. L'éditeur pourrait peut-être ajouter une autre question : Combien Joe a-t-il de caries ?

Les producteurs de Hollywood ont maintenant des échelles tarifaires pour le placement des produits. «Dix mille dollars pour que le produit apparaisse dans le film, précise Laurie Mazur, 30 000$ pour qu'un personnage le tienne. Dans *L'argent des autres*, Danny De Vito tient une boîte de beignets et dit en regardant la caméra: «Si je ne peux pas me fier à Dunkin' Donuts, à qui est-ce que je peux me fier[6]?»

«La publicité imprègne tout simplement chaque parcelle de notre société», dit Michael Jacobson, co-auteur avec Laurie Mazur de *Marketing Madness*. «Pendant un événement sportif, vous voyez des annonces dans le stade. Vous voyez des athlètes porter des logos. Vous voyez des publicités dans les toilettes publiques. Même certaines voitures de police servent maintenant de support publicitaire. Il y a des annonces dans les trous, sur certains terrains de golf. Et des milliers de gens essaient de trouver le nouvel endroit où ils seront les premiers à placer leur annonce[7].»

Daniel Schifrin a trouvé cet endroit. Il a lancé dans la Silicon Valley une compagnie appelée Autowraps. Les conducteurs consentent à ce que leurs voitures deviennent des panneaux publicitaires ambulants, en arborant des logos publicitaires. Daniel Schifrin verse 400$ par mois aux propriétaires, puis les piste par satellite pour s'assurer qu'ils roulent dans le genre d'endroits où le public cible verra l'annonce. On les oblige à parcourir au moins 1600 km par mois[8].

Le logo spatial

Le nec plus ultra du placement publicitaire, selon Michael Jacobson, «c'est ce projet de panneau publicitaire dans l'espace, qui projetterait des logos grands comme la lune, et visibles de presque n'importe où sur la Terre[9]».

Lorsque la lune remplit le ciel comme une grande pizza, c'est... Domino's! Imaginez une promenade romantique, le soir, à la lueur du logo!

Pour l'instant, l'idée des logos spatiaux est encore une chimère de mercaticiens, mais Michael Jacobson s'interroge : « Quelle est la limite ? Peut-être l'espace, mais ici, sur Terre, nous sommes prêts à accepter à peu près tout. »

Le dot-communisme

Le plus grand déploiement de mercantilisme, à l'ère de la rage de consommer, a lieu sur l'Internet. Sur l'inforoute, les panneaux publicitaires poussent comme des champignons. Le cybereldorado est devenu le paradis des vendeurs, car le commerce électronique attire des milliards en investissements publicitaires.

En 1848, Karl Marx écrivait « un spectre hante l'Europe : le spectre du communisme ». Aujourd'hui, il aurait pu écrire le « Manifeste du dot-communisme ». Des années 1950 aux années 1980, les Américains se sont inquiétés du communisme. Ils doivent maintenant se méfier du dot-communisme. Aucun communiste ne se cache plus sous les lits, mais les dot-communistes ont envahi les ordinateurs. Omniprésent, le dot-communisme s'annonce même sur les chaînes publiques. L'auditeur de l'émission *All Things Considered*, sur la National Public Radio (NPR) devrait compter le nombre de publicités à peine voilées — appelées par euphémisme des « messages d'appui » — qui font à chaque heure la promotion de sociétés pointcom. Une voix grinçante récite sans fin des messages comme « Et sur le Web, à l'adresse smartmoney.com ». Et il faut payer pour ça !

Ceux qui sont assez âgés se rappellent ces illustrations dans les magazines d'information ou les films de propagande gouvernementale : une grosse tache rouge (le communisme) s'étend à partir de la Russie. Elle recouvre l'Europe de l'Est, puis la Chine, puis la Corée et le Vietnam, menaçant d'engloutir le monde entier. Aujourd'hui, le dot-communisme menace d'engloutir le Web ! En 1993, 1 % seulement des sites Web étaient des sociétés point-com commerciales. Aujourd'hui, ce pourcentage frise les 80 %, et il grimpe toujours. Les chars communistes ne se sont jamais approchés du

« système d'autoroutes de la défense nationale » (c'est ainsi qu'on l'appelait), mais les dot-communistes contrôlent l'inforoute.

Le dot-communisme menace notre vie privée par des moyens auxquels même le KGB n'a jamais eu accès, enregistrant nos goûts, notre comportement de consommateurs et nos tendances cachées, recueillant auprès de nos enfants, sans notre permission, de l'information sur nos familles. Rappelez-vous : les communistes étaient censés détruire l'économie des villes américaines. Ce n'est pas arrivé, mais les dot-communistes pourraient le faire (sous les ordres de DotComGuy, la version dot-communiste de Che Guevara). Prenez votre petite librairie locale. Peut-elle parer l'assaut d'un géant come Amazon ? Où sont Joe McCarthy et la John Birch Society, maintenant qu'on a vraiment besoin d'eux ?

L'hypermercantilisme

À notre époque hypermercantile, les images sont partout — et « l'image, c'est tout », comme le dit la vedette du tennis Andre Agassi dans des annonces de lunettes de soleil. Le bombardement publicitaire quotidien nous laisse insatisfaits de notre propre apparence et de celle de nos partenaires dans la vie réelle. « La publicité nous encourage à satisfaire nos besoins immatériels par des moyens matériels, dit Laurie Mazur. Elle nous dit d'acheter pour être aimés et acceptés, en sous-entendant que nous ne méritons ni amour ni acceptation sans les produits qu'elle annonce[10]. » Pour être aimé et accepté, il faut avoir l'image. Tant pis pour l'authenticité.

Nous vivons dans ce que Susan Faludi appelle une « culture ornementale », qui « encourage les gens à ne jouer presque aucun rôle public, mais seulement des rôles décoratifs et liés à la consommation ». « Élaborée autour de l'image et de la célébrité, du prestige et du divertissement, du marketing et de la consommation », écrit Susan Faludi, la culture ornementale « est une porte cérémonielle qui ne mène nulle part. Son essence n'est pas seulement la vente, mais la vente de soi, et dans cette quête chaque être humain est

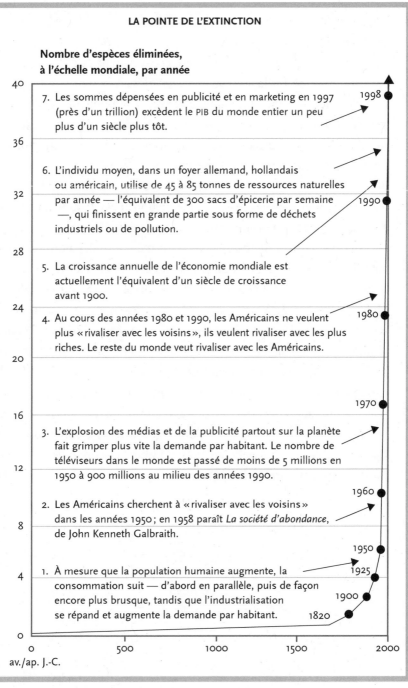

LA POINTE DE L'EXTINCTION

**Nombre d'espèces éliminées,
à l'échelle mondiale, par année**

7. Les sommes dépensées en publicité et en marketing en 1997 (près d'un trillion) excèdent le PIB du monde entier un peu plus d'un siècle plus tôt.

6. L'individu moyen, dans un foyer allemand, hollandais ou américain, utilise de 45 à 85 tonnes de ressources naturelles par année — l'équivalent de 300 sacs d'épicerie par semaine —, qui finissent en grande partie sous forme de déchets industriels ou de pollution.

5. La croissance annuelle de l'économie mondiale est actuellement l'équivalent d'un siècle de croissance avant 1900.

4. Au cours des années 1980 et 1990, les Américains ne veulent plus « rivaliser avec les voisins », ils veulent rivaliser avec les plus riches. Le reste du monde veut rivaliser avec les Américains.

3. L'explosion des médias et de la publicité partout sur la planète fait grimper plus vite la demande par habitant. Le nombre de téléviseurs dans le monde est passé de moins de 5 millions en 1950 à 900 millions au milieu des années 1990.

2. Les Américains cherchent à « rivaliser avec les voisins » dans les années 1950 ; en 1958 paraît *La société d'abondance*, de John Kenneth Galbraith.

1. À mesure que la population humaine augmente, la consommation suit — d'abord en parallèle, puis de façon encore plus brusque, tandis que l'industrialisation se répand et augmente la demande par habitant.

1998
1990
1980
1970
1960
1950
1925
1900
1820

40
36
32
28
24
20
16
12
8
4
0

0   500   1000   1500   2000
av./ap. J.-C.

Source : Ed Ayes, *God's Last Offer.*

seul, tel un unique représentant des ventes faisant le marketing de sa propre image[11] ».

En 1958, un éminent économiste conservateur et ardent défenseur du système de la libre entreprise prévenait que le xxe siècle pourrait bien finir par être appelé « l'ère de la publicité ». Wilhelm Ropke craignait que, si on laisse le mercantilisme « prédominer et influencer la société dans toutes ses sphères », les résultats soient désastreux à maints égards. À mesure que le culte de la vente prend de l'importance, écrivait-il, « chaque geste de courtoisie, de gentillesse et de bon voisinage se dégrade et nous laisse soupçonner des arrière-pensées[12] ». Il s'ensuit une culture de méfiance mutuelle.

« Le malheur du mercantilisme, c'est d'étendre des normes marchandes à des domaines qui devraient échapper à l'offre et à la demande, ajoutait Wilhelm Ropke. Cela corrompt les buts véritables, la dignité et la saveur de la vie, et la rend insupportablement laide, indigne et plate. Prenez la Fête des mères : la relation humaine la plus tendre et la plus sacrée, transformée en promotion par des publicitaires, sert à faire tourner la roue du commerce. »

Ce n'était, selon Wilhelm Ropke, qu'en limitant son envergure que le libre marché pourrait espérer continuer de servir le bien commun. Sans contrôle, le mercantilisme extrême, condition sine qua non de notre époque, « détruirait la libre économie par l'exagération aveugle de son principe ».

CHAPITRE 20

Y a-t-il un (vrai)
médecin dans la salle?

Que se passe-t-il lorsque nous ne prêtons pas attention aux symptômes d'une maladie? Habituellement, elle s'aggrave. Ainsi, la rage de consommer se répand sur toute la planète. Malgré des symptômes évidents — le stress relié aux excès, l'épuisement des ressources et les cicatrices sociales —, nous avons tendance à détourner le regard, car on nous répète sans cesse que le marché va pourvoir aux besoins. Vraiment?

L'écrivain et casseur de pub Kalle Lasn raconte l'histoire d'une noce dans un grand jardin de banlieue. La fête déborde d'opulence: les musiciens sont merveilleux et tout le monde danse avec une belle désinvolture. L'ennui, c'est qu'on danse au-dessus d'un vieux système de fosse septique, ce qui fait éclater la tuyauterie. «Les eaux usées remontent à travers la pelouse et commencent à inonder les chaussures de tout le monde. Si certains le remarquent, personne ne dit rien. Le champagne coule à flot, la musique continue, jusqu'à ce qu'un petit garçon finisse par dire "Ça sent la merde!" Et soudain, chacun s'aperçoit qu'il est dedans jusqu'aux chevilles[1]. »

Combien de millions d'Américains, la voix enrouée par la rage de consommer, s'obstinent à nier leur contamination? «Ceux qui ont pigé se disent peut-être qu'il vaut mieux ignorer la merde et continuer à danser», conclut Kalle Lasn. Pendant ce temps, la compagnie mise en cause avoue que les tuyaux ont cédé, tout en essayant de convaincre les invités qu'il n'y a pas de quoi s'inquiéter.

Selon certains observateurs, au moins 40 millions d'Américains sont prêts à se soumettre à des programmes de traitement contre la rage de consommer. Mais où aller chercher l'aide nécessaire? Il semble y avoir autant de charlatans et de baratineurs que de vrais médecins. En instaurant une politique de confidentialité rigoureuse quant à leurs sources de financement (et à leurs planètes d'origine), les charlatans font de leur mieux pour mettre le monde à l'abri de la démocratie. Première étape: nous encourager à ne rien faire et à ignorer les symptômes. Ils nous disent d'une voix assurée: «Retournez vous coucher, les faits sont encore incertains. Tout va bien. La technologie va pourvoir aux besoins, contentez-vous de relaxer et de vous amuser. »

Le pouvoir de la désinformation

Nous savons tous que la publicité est omniprésente, puisqu'elle s'étale sous notre nez. En fait, c'est nous qui en faisons les frais par nos achats — à raison d'au moins 600$ par année par habitant. Mais, comme le dit John Stauber, coauteur de *Toxic Sludge is Good for You*: «Peu de gens se rendent vraiment compte de l'autre dimension du marketing: l'industrie cachée des relations publiques qui crée et perpétue notre culture commerciale[2]. » (Autrement dit, notre rage de consommer.) Qu'est-ce que les relations publiques, au juste? Selon John Stauber, elles consistent à former la culture et à influencer l'opinion. Non seulement les professionnels des relations publiques modifient-ils nos perceptions, mais ils raffinent aussi l'influence politique et culturelle par laquelle ces perceptions se répandent dans le grand public. Ce que ne rapportent jamais les médias, avec leurs œillères, ce sont les initiatives des cabinets de relations publiques qui, adoptées par des législateurs, deviennent des normes, tandis que l'attention civique du public est détournée vers le scandale, le crime ou la catastrophe de l'heure.

«Les meilleures opérations de relations publiques passent toujours inaperçues»: voilà le mot d'ordre caché d'une industrie dont l'arsenal comprend la politique d'arrière-salle, l'activisme démocratique bidon, la censure organisée et le semblant d'information. L'arme de choix est une sorte de fusil-assommoir qui tire des balles de désinformation invisibles. Vous n'arrivez pas à vous rappeler de quelle façon vous sont venues telle croyance ou telle opinion, mais vous voilà prêt à vous battre pour elles. Par exemple, une stratégie couramment utilisée par les firmes de relations publiques contractuelles consiste à former des comités consultatifs de citoyens. Cette technique donne aux gens susceptibles d'être pollués l'impression d'être pris en considération. On invite des citoyens triés sur le volet à des lunches, autour de la table de conférence de l'entreprise, pour discuter de questions communautaires.

Comme il faut s'y attendre, qui peut se fréquenter peut se contenter. Le comité consultatif communautaire se montre heureux d'approuver le nouvel incinérateur à déchets et à le défendre haut et fort lors de l'audience locale. «Ce genre d'appui n'a pas de prix», remarque Joel Makower, rédacteur en chef de *The Green Business Letter*[3].

De même, sur les conseils d'experts en relations publiques, de nombreuses entreprises financent et commanditent maintenant les groupes écologistes qui les ont tourmentés pendant des années. Cette tactique d'absorption de l'ennemi permet d'atteindre plusieurs buts à la fois. Elle donne à la société une image polie, verdâtre, tout en distrayant le partenaire/ennemi écologiste. Comme le dit un dirigeant d'entreprise: « Nous les gardons tellement occupés qu'ils n'ont pas le temps de nous poursuivre. »

« Il existe une autre tactique de base, que j'appelle l'autodafé, dit John Stauber. Des firmes de relations publiques sont embauchées pour jeter de l'ombre sur certains livres. Elles obtiennent souvent, de sources internes, l'itinéraire des tournées de l'auteur et utilisent diverses tactiques pour saboter ces tournées. » Par exemple, la tournée de Jeremy Rifkin pour le livre *Beyond Beef*, une critique de l'industrie de la viande, fut sabotée par de faux appels téléphoniques, prétendument de l'attaché de presse de l'auteur, annulant chacune de ses apparitions publiques.

Comment obtenir ce qu'on veut avec l'argent

L'une des tactiques de relations publiques les plus efficaces consiste à financer des « groupes de façade » en leur donnant des noms fort sympathiques et d'allure respectable — par exemple, l'American Council on Science and Health (Conseil américain sur la science et la santé), dont les experts défendent les sociétés pétrochimiques, la valeur nutritive du fast-food et les pesticides. La mission des groupes de façade est de diffuser la « bonne » information sur un produit ou une industrie, et de discréditer la « fausse » information. Comme l'écrit Sharon Beder dans *Global Spin* :

> *L'American Council on Science and Health est financé par Burger King, Coca-Cola, NutraSweet, Monsanto, Dow et Exxon, entre autres. Comme pour d'autres groupes de façade, les scientifiques de l'organisation se font passer pour des experts indépendants afin de promouvoir des causes commerciales. Les membres du groupe se décrivent comme des modérés, utilisant souvent des termes comme « raisonnable », « judicieux » et « sensé ». Ils minimisent les dangers des problèmes d'environnement tout en mettant l'accent sur les coûts des solutions préconisées*[4].

Les groupes de façade sont d'ardents défenseurs des droits des Américains: le droit de fumer (The National Smokers Alliance), le droit d'avoir des accidents de travail (Workplace Health and Safety

Council, une organisation d'employeurs qui fait des pressions en faveur de l'affaiblissement des normes de sécurité), le droit de payer davantage pour recevoir moins de soins de santé (Coalition for Health Insurance Choices), le droit de choisir de gros véhicules à mauvais rendement énergétique (Coalition for Vehicle Choice) et le droit de démanteler des écosystèmes pour faire du profit (Wise Use Movement). Les groupes de façade se décrivent comme des champions de la libre entreprise — des châteaux-forts de l'équité et du bon sens économique —, une image qui permet à leurs idées de circuler dans des cercles influents. John Stauber, directeur de l'organisation PR Watch, s'est mis à surveiller l'industrie des relations publiques pour la première fois dans le cadre d'une recherche sur la biotechnologie, au moyen de documents internes et d'entrevues avec des membres de l'industrie. «Nous avons constaté de fortes preuves de collusion entre Monsanto, un fabricant de produits de biotechnologies, et diverses agences gouvernementales et organisations professionnelles, raconte-t-il. Le *Journal of the American Medical Association* avait demandé aux médecins de parler de l'importance de la bio-ingénierie, tout en faisant mousser la nouvelle industrie. Des agences gouvernementales, comme la Food and Drug Administration et le US Departement of Agriculture ont collaboré avec Monsanto pour renverser l'opposition des fermiers et des consommateurs aux nouveaux produits. Les agences gouvernementales sont censées être des chiens de garde, mais elles se conduisent trop souvent comme des chiens de salon[5].»

L'invasion des voleurs d'esprit

Les professionnels des relations publiques font la mise en scène de la vie des Américains. Comme le héros du film *The Truman Show*, le public ne doute jamais que les plateaux de tournage soient la réalité. Les entreprises dépensent, à elles seules, de 15 à 20 millions de dollars par année en campagnes de relations publiques — des opérations qui visent à susciter la confiance chez les consommateurs, à acheter des programmes politiques et à «orienter» l'opinion des scientifiques. Comme le sait tout journaliste moyen et sous-payé, c'est en relations publiques, et non en journalisme, qu'il faut se diriger pour vivre dans l'un de «ces quartiers-là». «Les étudiants en journalisme (même ceux des meilleures universités) sont plus susceptibles de décrocher un diplôme et un poste en relations publiques et en communications commerciales qu'en journalisme, dit John Stauber. Les écoles combinent les cours de relations publiques et de journalisme comme si ce n'était qu'une seule et même chose.» C'est vrai, car les jeunes sont attirés par l'argent.

L'industrie des relations publiques s'est fait les dents, au cours des années 1920, sur les campagnes de promotion du tabac et de l'essence au plomb — des produits dont les effets sur la santé avaient vraiment besoin d'être dissimulés. Mark Dowie décrit le coup classique exécuté par Edward Bernays, pionnier des relations publiques, en 1929: «En apparence, on aurait dit une banale campagne en faveur de l'"émancipation des femmes". Au cours de la parade de Pâques de New York, un contingent de débutantes parcoururent Fifth Avenue, chacune allumant et fumant ouvertement une cigarette, son "flambeau de la liberté". C'était la première fois, de mémoire d'Américain, qu'on voyait des femmes qui n'étaient pas des prostituées fumer en public[6].»

Edward Bernays s'assura que des photos publicitaires paraîtraient dans la presse mondiale et l'industrie du tabac ajouta rapidement le sex-appeal aux attributs de sa glorieuse mais mortelle parade à travers le xxe siècle. Répondant à l'«urgence de 1954», liée aux révélations médicales sur les méfaits de la cigarette, l'industrie du tabac embaucha la firme de relations publiques Hill & Knowlton pour lancer une campagne visant à approcher directement l'ennemi. Entre autres tactiques, la firme éplucha 2500 revues médicales pour débusquer tout résultat non concluant ou contradictoire quant aux effets du tabac sur la santé. Elle exposa ensuite ces glanures dans une brochure qui fut envoyée à 200 000 médecins, membres du

Congrès et professionnels de l'information[7]. Des tactiques semblables devinrent monnaie courante dans l'industrie des relations publiques. «Dans un monde de réalité fabriquée, ce qu'il faut gérer, c'est la façon dont est perçu un produit dangereux ou un accident, et non le danger lui-même[8]», explique Sharo Beder.

Prendre les devants

Une tactique similaire fut utilisée dans les années 1920 pour promouvoir l'essence au plomb (ou éthylée). L'objectif était de faire mousser la performance de l'automobile et les profits de General Motors, DuPont et Standard Oil. Cette coalition apaisa les craintes justifiées du public américain quant à l'essence au plomb en effectuant une recherche interne sur ses effets sur la santé, avec l'approbation sans précédent du gouvernement fédéral. Les laboratoires de ces entreprises déclarèrent qu'il n'y avait «aucun problème», alors même que les ouvriers des usines qui fabriquaient de l'essence éthylée mouraient par dizaines. En 1927, une publicité dans le *National Geographic* insistait: «En roulant avec de l'essence éthylée dans un moteur à haute compression, vous atteindrez l'apothéose de votre vie.» Le message explicite était «Ne vous laissez pas doubler», mais l'accroche cachée était «... même si cela vous tue[9]».

Des crues soudaines d'information

Il n'y a aucun problème de pénurie d'information en Amérique. En entrant n'importe quel mot-clé sur l'Internet, les cyberlimiers rapportent des giga-octets d'occurrences de toutes les formes et de toutes les saveurs. Bien sûr, en cherchant «représentation artistique de la Madone» vous tomberez également sur une citation colorée et corsée de blasphèmes de la chanteuse pop et actrice Madonna, mais n'est-ce pas de l'information, ça aussi? Chaque jour, les Américains escamotent en moyenne 3000 fenêtres publicitaires sur l'Internet, toutes plus criardes et séduisantes les unes que les autres. Des extraits sonores, des faits amusants et des capsules de mauvaises nouvelles se disputent également notre attention, de même que les millions de messages que certains traitent maintenant au travail. Essayer d'obtenir l'information désirée, c'est comme vouloir prendre une gorgée d'eau à même un boyau d'incendie.

La qualité de l'information est encore plus troublante que son débit. Nous tentons de prendre des décisions intelligentes au sujet de notre vie civique, de notre famille et du marché, à partir d'informations provenant d'intérêts établis. Mais il n'est pas étonnant que nous ne puissions pas nous débarrasser de notre rage de consommer : l'économie est programmée pour cette maladie. Ce sont les sociétés pharmaceutiques qui nous montrent comment vaincre la dépression et les producteurs de pesticides qui disent aux fermiers combien de pesticides utiliser. Dans la folie des médias, une bonne nouvelle n'est pas une nouvelle, car elle ne «passe» pas à la télé. La qualité de l'information est pervertie dans tous les secteurs de la société, mais on est de toute façon obligé d'en boire, car c'est la seule information à laquelle on a accès.

« Reverdir la terre par le réchauffement planétaire »

Si les faits authentiques à propos du réchauffement planétaire sont comparables au courant d'une puissante rivière, l'Américain moyen n'en reçoit, en définitive, qu'une tasse. À cause de la complexité du phénomène, seul le tiers de cette information est disponible, même pour les scientifiques, qui disent ne pas en savoir encore suffisamment sur les relations entre les océans, la biomasse et la physique atmosphérique. Ils savent pourtant sans aucun doute que les taux de gaz carbonique ont déjà augmenté de 30 % depuis le début de la révolution industrielle, et que les années 1990 ont été la plus chaude décennie jamais enregistrée. Ils savent aussi, depuis une centaine d'années, qu'une couche de gaz à effet de serre comme le gaz carbonique peut réchauffer la planète comme chauffe une voiture laissée dans un parc de stationnement les fenêtres fermées.

Cependant, les firmes de relationnistes et les bureaux de relations publiques environnementales des pétrolières, des sociétés minières et des fabricants d'automobiles ont leur version à livrer, une version qui envoie une grande portion du flux de l'information dans un tourbillon calculé. Leur mission consiste à fabriquer de l'information sur mesure afin d'engendrer le doute, de confondre le public et de protéger les profits de leur clientèle. On trouve des scientifiques dont les opinions sceptiques appuient l'industrie des carburants fossiles. Ces « experts indépendants » ont une objectivité apparente, qui disparaît parfois lorsqu'ils révèlent sous serment que leur financement provient de compagnies de services publics et de consortiums de carburants fossiles. Même si le réchauffement de la Terre est réel, ils soutiennent que ce pourrait être un événement naturel. Au cours d'une émission récente de Front Line/Nova, *What's Up With the Weather?*, un scientifique spécialisé dans les carburants fossiles a résumé ainsi sa position sur le réchauffement planétaire : « Des millions d'Américains déménagent dans les États ensoleillés du Sud. Cela prouve que nous aimons les climats chauds. » La question, c'est : souhaitons-nous voir se répandre les maladies tropicales, la sécheresse, les ouragans et les perturbations économiques, ainsi que la montée du niveau de la mer ?

De la science fantaisie, c'est ce qu'une vidéo intitulée *Greening the Planet Earth* a présenté au personnel de nombreux représentants du Congrès. Produite par la Greening Earth Society, cette émission financée par l'industrie s'ouvre sur une narration dramatique : « Année 2085. Le taux de dioxyde de carbone dans l'atmosphère a doublé, atteignant 540 parties par million. Quelle sorte de monde avons-nous créé ? »

« Un monde meilleur, répond un scientifique subventionné par l'industrie. Un monde plus productif. Les plantes forment la base de toute la productivité sur la planète [...] Et elles seront beaucoup plus efficaces, beaucoup plus efficientes lorsque la terre sera plus chaude[10]. » (Peu importe que 2000 des scientifiques les plus éminents du monde aient signé une déclaration prédisant une catastrophe et qu'un rapport des Nations Unies publié en l'an 2000 ait projeté une élévation de température allant jusqu'à une douzaine de degrés dès 2100.) Avec une pseudoscience comme celle de la Greening Earth Society, les politiciens qui carburent à l'énergie fossile sont équipés pour bâtir des scénarios optimistes au sujet de l'abondance des champs de coton et des plantations de citronniers. Qui sait, peut-être aura-t-on des fougères hautes de trois étages et, un jour, le retour des dinosaures — ce serait cool, non ?

Bonnes nouvelles, pas de nouvelles

Les journalistes alimentent et détournent à la fois le flux de l'information. Selon les sources et les partis pris du journaliste, il se peut que nous terminions la lecture d'un article moins bien informés qu'au début (mais, grâce aux publicités adjacentes, nous saurons où les soutiens-gorge sont en solde !). Toujours pressés, et avec un mandat d'objectivité autant que de controverse, les journalistes peuvent présenter de la science-à-vendre préfabriquée ou, au contraire, nous avertir que le ciel va nous tomber sur la tête. En fait, ils mettent en scène une lutte médiatique des titans. (Et vous, pour quel expert prendrez-vous parti, le scientifique corrompu ou le prophète de malheur ?)

Les médias d'information reçoivent leurs ordres d'une demi-douzaine de conglomérats médiatiques (comme AOL/Time Warner, Viacom, Disney, GE et TCI), dont les p.d.g. décident de ce qui est digne de faire la nouvelle et ce qui ne l'est pas (lorsque vous vous appelez Rupert Murdoch, vous pouvez acheter les sociétés qui publient les journaux de la même façon que nous achetons ces journaux). Dans les années 1980, 50 entreprises se partageaient la tarte des médias, mais cette élite est maintenant réduite à un clan incestueux de compagnies qui investissent les unes dans les autres, sont engraissées par le même groupe de méga-annonceurs et reçoivent des reportages en direct des mêmes grandes agences de

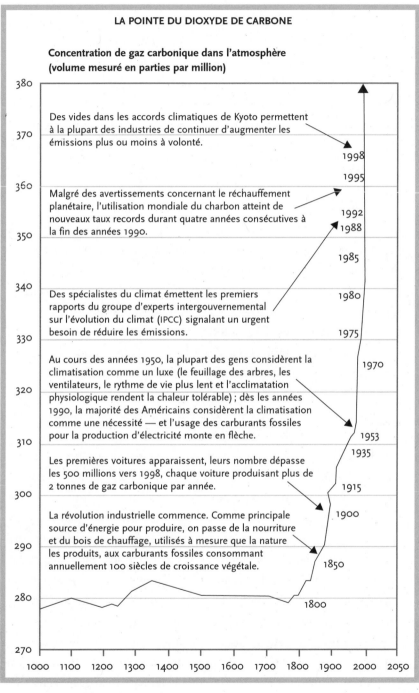

LA POINTE DU DIOXYDE DE CARBONE

**Concentration de gaz carbonique dans l'atmosphère
(volume mesuré en parties par million)**

Des vides dans les accords climatiques de Kyoto permettent à la plupart des industries de continuer d'augmenter les émissions plus ou moins à volonté.

Malgré des avertissements concernant le réchauffement planétaire, l'utilisation mondiale du charbon atteint de nouveaux taux records durant quatre années consécutives à la fin des années 1990.

Des spécialistes du climat émettent les premiers rapports du groupe d'experts intergouvernemental sur l'évolution du climat (IPCC) signalant un urgent besoin de réduire les émissions.

Au cours des années 1950, la plupart des gens considèrent la climatisation comme un luxe (le feuillage des arbres, les ventilateurs, le rythme de vie plus lent et l'acclimatation physiologique rendent la chaleur tolérable) ; dès les années 1990, la majorité des Américains considèrent la climatisation comme une nécessité — et l'usage des carburants fossiles pour la production d'électricité monte en flèche.

Les premières voitures apparaissent, leurs nombre dépasse les 500 millions vers 1998, chaque voiture produisant plus de 2 tonnes de gaz carbonique par année.

La révolution industrielle commence. Comme principale source d'énergie pour produire, on passe de la nourriture et du bois de chauffage, utilisés à mesure que la nature les produits, aux carburants fossiles consommant annuellement 100 siècles de croissance végétale.

Source : Ed Ayes, *God's Last Offer, op. cit.*

presse. De façon alarmante, ces compagnies militent pour la privation des ondes — plutôt que pour la délivrance de permis de diffusion. Lorsque toutes ces longueurs d'ondes invisibles et pourtant fort tangibles seront contrôlées par quelques multimilliardaires, les prophéties de George Orwell dans *1984* seront presque réalisées : « La fonction spéciale de certains mots de Novlangue [...] n'était pas tant d'exprimer des significations que de les détruire[11]. »

Parce que les journalistes manquent généralement de temps, ils sont tentés d'interviewer et de citer des experts commodément fournis par des firmes de relations publiques, par l'intermédiaire de services comme ProfNet. Des journalistes de l'ombre, fournis par les agences, produisent des communiqués, des nouvelles sur vidéo et des textes radiophoniques par milliers. Une seule société, PR Newswire, diffuse 100 000 communiqués par année auprès de 15 000 clients privés. RadioUSA fournit des textes de qualité radiophonique à 5000 stations, et MediaLink distribue à des chaînes de télévision plus de 5000 communiqués d'information vidéo par année, prêts à être diffusés, sans aucun frais[12].

Selon les anciens rédacteurs en chef du *Washington Post*, du *New York Times* et du *Wall Street Journal*, au moins 40 % des nouvelles publiées dans ces journaux sont générées par des journalistes de relations publiques ou des doreurs d'images[13]. Parce que les rédacteurs de journaux, de magazines et de sites Internet doivent insérer leurs articles dans un espace restreint, ils leur reste peu d'espace pour la mise en contexte et la complexité. Il en va de même pour les nouvelles télévisées, prises en sandwich entre les publicités et les affaires criminelles qui composent maintenant le tiers de l'information des réseaux. En 1968, l'extrait sonore moyen d'une entrevue était de 42 secondes ; en 2000, la norme était passée à huit secondes. Au lieu d'un processus politique, on nous présente des événements isolés ; au lieu du contexte, on nous propose des vignettes centrées sur la nouveauté et le conflit. Comme le changement et les réformes sont trop longs à expliquer, on nous gave de chasses à l'homme spectaculaires et d'animaux nés dans des zoos. Le but est de nous retenir devant l'écran, et non de nous tenir informés.

Les restes du flux d'information édulcorés par les journalistes sont ensuite partiellement détournés par de riches annonceurs qui exercent souvent assez de pressions sur les rédacteurs en chef pour balayer complètement certains topos. Ils émettent des énoncés de politique destinés aux rédacteurs en chef et aux chefs de nouvelles, exigeant d'être prévenus de toute nouvelle susceptible de jeter une lumière défavorable sur leurs produits. L'appel d'un client publicitaire a le même pouvoir que la touche d'effacement de l'ordinateur d'un rédacteur en chef: exit, l'article à la une du journal de demain, exit, le topo du bulletin de 18h.

Lorsque la vérité sur le réchauffement planétaire atteint le citoyen américain, elle a été siphonnée et filtrée au point de n'être plus qu'un filet de science populaire discutable.

Un feed-back retardé, écarté et dilué

Des scientifiques comme Donella Meadows prétendent que nous devons être sensibles aux signaux scientifiques (au feed-back) si nous ne voulons pas que notre civilisation s'écrase dans un mur de briques. Elle compare notre monde à une voiture lancée à pleine vitesse sur une route glissante. « Le conducteur roule trop vite pour pouvoir freiner à temps[14]. »

À l'échelle d'une société entière emportée par sa vitesse, elle observe que les « décideurs du système ne reçoivent pas, ne croient pas ou n'appliquent pas l'information qui indique que des limites ont été dépassées ». Une partie de notre problème vient d'un manque de feed-back: nous ne voyons même pas qu'il faut user de prudence. L'autre, de notre vitesse de déplacement: notre économie lancée en trombe s'appuie sur l'idée que les ressources sont illimitées et que la Terre pourra toujours se rétablir de ces mauvais traitements. Ces mythes sont en partie forgés par des experts en relations publiques et en publicité, qui se contentent de faire leur travail. Personne n'en meurt, n'est-ce pas ? — Pas vraiment. Nourris d'information incomplète et de mauvaise qualité, nous négligeons peut-être un évidence inquiétante : la voiture roulera toujours trop vite, même si le réservoir est presque vide.

TROISIÈME PARTIE

Le traitement

CHAPITRE 21

La voie de la guérison

Imaginée par Vivia Boe, coproductrice de l'émission Affluenza, cette situation est fictive — pour l'instant.

Vous regardez la télé. Au beau milieu d'une émission, l'écran devient noir pendant un moment. La scène est interrompue par un bulletin spécial. Une grande foule est rassemblée devant une luxueuse maison flanquée de voitures haut de gamme. Une famille de quatre est debout sur les marches, bien habillée mais l'air maussade. L'un des enfants brandit un drapeau blanc. Le reporter murmure dans son micro : «Nous vous parlons en direct de chez les Jones — Jerry et Janet Jones —, les voisins de tout le monde, la famille avec laquelle tous les Américains ont tenté de rivaliser pendant des années. Eh bien, vous pouvez arrêter tout de suite, car ils se sont rendus. Écoutons-les propos quelques instants.» L'image change, pour révéler une Janet Jones l'air fatigué, la main de son mari posée sur son épaule. D'une voix brisée, elle dit : «Ça ne vaut pas la peine. On ne se voit plus. On travaille comme des chiens. On s'inquiète toujours pour nos enfants et on a tellement de dettes qu'on ne pourra pas les rembourser avant des années. On abandonne. Alors, s'il vous plaît, arrêtez d'essayer de rivaliser avec nous.» De la foule, notre reporter hurle: «Alors, qu'est-ce que vous allez faire, maintenant?» «Nous allons juste essayer de mieux vivre avec moins», répond Janet. «Voilà, c'est fait, dit le reporter. Les voisins abdiquent. Et maintenant, une pause publicitaire.»

Les Jones n'ont pas vraiment abdiqué. Pas encore. Mais des millions d'Américains cherchent des façons de simplifier leur vie. Et dans cette section, vous découvrirez certaines de leurs expériences, et les gestes collectifs qu'ils posent en vue de créer une société plus durable, libérée de la rage de consommer. Nous vous suggérons d'abord de vous soumettre à notre test de la rage de consommer, une façon pas vraiment scientifique, mais utile, croyons-nous, de déterminer si vous avez ou non la rage de consommer et, le cas échéant, à quel degré.

C'est le moment de vérité. Dans le secret de votre foyer, sans que personne ne regarde par-dessus votre épaule, remplissez ce questionnaire, pour voir si vous avez la rage de consommer ou si vous êtes à risque. Si vous l'avez, cher lecteur, vous n'êtes pas le seul! Cette partie du livre vous présentera des ressources — continuez tout de même à lire pour rester en santé.

TEST DIAGNOSTIQUE DE LA RAGE DE CONSOMMER

Oui Non

❏ ❏   1. Vous ennuyez-vous à moins d'avoir quelque chose à consommer (marchandises, aliments, médias) ?

❏ ❏   2. Essayez-vous d'impressionner vos amis par vos biens ou votre destination vacances ?

❏ ❏   3. Avez-vous déjà fait du shopping une « thérapie » ?

❏ ❏   4. Allez-vous parfois au centre commercial juste pour regarder, sans chercher rien de précis ?

❏ ❏   5. Achetez-vous les matériaux de rénovation dans une grande surface plutôt qu'à la quincaillerie du quartier ?

❏ ❏   6. Êtes-vous déjà allé en vacances surtout pour magasiner ?

❏ ❏   7. En général, pensez-vous davantage aux objets qu'aux personnes ?

❏ ❏   8. Quand vous réglez vos factures de services publics, ignorez-vous la quantité de ressources qui ont été consommées ?

❏ ❏   9. Si vous aviez le choix entre une légère augmentation de salaire et une semaine de travail plus courte, choisiriez-vous l'argent ?

❏ ❏ 10. Remplissez-vous, à vous tout seul, plus d'un grand sac à ordures par semaine ?

❏ ❏ 11. Avez-vous déjà menti à un membre de votre famille sur la somme que vous aviez dépensée pour acheter quelque chose ?

❏ ❏ 12. Avez-vous souvent des disputes avec des membres de votre famille à propos de l'argent ?

❏ ❏ 13. Faites-vous moins de cinq heures de bénévolat par semaine pour aider les gens ?

❏ ❏ 14. Vous arrive-t-il régulièrement de comparer votre pelouse et/ou votre maison à celles de votre quartier ?

❏ ❏ 15. Est-ce que chaque personne dans votre maison ou appartement occupe plus de 50 m² d'espace personnel ?

❏ ❏ 16. Vous arrive-t-il régulièrement de jouer ou d'acheter des billets de loterie ?

❏ ❏ 17. Vérifiez-vous vos investissements au moins une fois par jour ?

❏ ❏ 18. Avez-vous au moins une carte de crédit dont le solde plafonne ?

❏ ❏ 19. Les soucis que vous vous faites pour vos dettes vous donnent-ils des symptômes physiques, comme des maux de tête ou de l'indigestion ?

Oui Non

❑ ❑ 20. Passez-vous plus de temps chaque semaine dans les magasins qu'avec votre famille ?

❑ ❑ 21. Songez-vous souvent à changer d'emploi ?

❑ ❑ 22. Avez-vous déjà subi une opération de chirurgie esthétique afin d'améliorer votre apparence ?

❑ ❑ 23. Vos conversations tournent-elles autour d'objets que vous voulez acheter ?

❑ ❑ 24. Avez-vous parfois honte des sommes que vous dépensez en fast-food ?

❑ ❑ 25. Vous arrive-t-il parfois de zigzaguer dans la circulation pour aller plus vite ?

❑ ❑ 26. Avez-vous déjà ressenti de la rage au volant ?

❑ ❑ 27. Avez-vous l'impression d'être toujours pressé ?

❑ ❑ 28. Jetez-vous souvent des matières recyclables au lieu de prendre le temps de les recycler ?

❑ ❑ 29. Passez-vous moins d'une heure par jour à l'extérieur ?

❑ ❑ 30. Êtes-vous incapable d'identifier plus de trois fleurs sauvages indigènes à votre région ?

❑ ❑ 31. Remplacez-vous de l'équipement sportif avant qu'il soit usé, pour avoir les derniers modèles ?

❑ ❑ 32. Chaque membre de votre famille a-t-il son propre téléviseur ?

❑ ❑ 33. Le prix d'un produit a-t-il plus d'importance pour vous que son mode de fabrication ?

❑ ❑ 34. L'une de vos cartes de crédit a-t-elle jamais été refusée par un vendeur parce que vous aviez dépassé la limite ?

❑ ❑ 35. Recevez-vous plus de cinq catalogues par semaine ?

❑ ❑ 36. Faites-vous partie de ces consommateurs qui n'apportent presque jamais de sacs réutilisables à l'épicerie ?

❑ ❑ 37. Ignorez-vous la consommation d'essence de votre auto ?

❑ ❑ 38. Avez-vous choisi votre dernière voiture parce qu'elle améliorait votre image personnelle ?

❑ ❑ 39. Avez-vous plus de cinq cartes de crédit actives ?

❑ ❑ 40. Lorsque vous obtenez une augmentation de salaire, songez-vous immédiatement à une façon de la dépenser ?

❑ ❑ 41. Consommez-vous plus de boissons gazeuses que d'eau du robinet ?

Oui Non

❑ ❑ 42. Avez-vous travaillé davantage cette année que l'an dernier?

❑ ❑ 43. Vous arrive-t-il de douter d'atteindre vos objectifs financiers?

❑ ❑ 44. Vous sentez-vous épuisé à la fin de votre journée de travail?

❑ ❑ 45. Vous contentez-vous habituellement de rembourser le minimum sur votre carte de crédit?

❑ ❑ 46. Au magasin, ressentez-vous souvent une bouffée d'euphorie suivie par de l'anxiété?

❑ ❑ 47. Avez-vous parfois l'impression que vos dépenses personnelles sont si exigeantes que vous ne pouvez vous permettre de dépenses publiques, comme les écoles, les parcs et le transport en commun?

❑ ❑ 48. Avez-vous plus d'objets que vous ne pouvez en ranger à la maison?

❑ ❑ 49. Regardez-vous la télévision plus de deux heures par jour?

❑ ❑ 50. Mangez-vous de la viande presque chaque jour?

Et maintenant, le score (ouille!)...

Chaque réponse positive équivaut à deux points. Si vous êtes hésitez ou si vous penchez des deux côtés, accordez-vous un point.

De 0 à 25 points :   Vous ne présentez aucun signe grave de rage de consommer, mais continuez de lire pour rester en santé.

De 26 à 50 points :   Vous êtes déjà infecté — continuez de lire pour renforcer votre système immunitaire.

De 51 à 75 points :   Votre température s'élève rapidement. Prenez deux aspirines et lisez très attentivement les prochains chapitres.

De 76 à 100 points :   Vous êtes un enragé de la consommation! Voyez le médecin, relisez tout ce livre, et prenez immédiatement les mesures appropriées. Vous êtes peut-être contagieux. Vous n'avez pas de temps à perdre!

CHAPITRE 22

Repos au lit

Bon. Au cours du test, vous avez reconnu avoir quelques symptômes, peut-être davantage. Vous vous renversez dans votre fauteuil en vous épongeant le front, toussez une ou deux fois, éternuez fortement, puis fouillez la maison à la recherche d'un thermomètre. Vous vous demandez : « Qu'est-ce que je fais, maintenant ? »

Que vous dit le médecin quand vous avez une mauvaise grippe ? « Retournez chez vous et mettez-vous au lit, prenez de l'aspirine et rappelez-moi demain matin. » (En cette époque d'assurance maladie, il ne veut plus que vous le rappeliez, mais c'est une autre question.) Eh bien, un cas de rage de consommer exige aussi du repos au lit. Nous lui donnons une définition un peu différente, c'est tout. Mais l'idée est la même : interrompez ce que vous êtes en train de faire ; arrêtez-vous tout de suite ; faites le point. Ça vaut la peine.

Obligé de réévaluer

Pour réévaluer une situation, il faut parfois toucher le fond. Fred Brown était jadis en pleine ascension sociale. Directeur du personnel d'une grande compagnie, il gagnait 100 000 $ par année. De l'extérieur, on aurait dit qu'il avait tout — un bel emploi, une grande maison et une famille magnifique. Mais, de l'intérieur, Fred se sentait prisonnier de menottes dorées. Il accumulait de longues heures de travail et trouvait peu de temps à consacrer à sa femme et à ses deux filles. Son mariage se désagrégea. Son emploi était stressant : il avait la responsabilité de dire aux autres employés qu'ils avaient été congédiés. Puis, il reçut un appel affreux. Son propre poste avait été éliminé. «Il y a toute une différence entre recevoir cette nouvelle et l'annoncer», se rappelle-t-il[1].

Bien que contraint à la simplicité volontaire, ce ne fut pas la perte de son revenu qui heurta Fred le plus durement, mais la perte de sa sécurité : «Le fait d'abandonner ce que je m'étais donné comme but.» Tout d'abord, il chercha d'autres ouvertures dans son domaine, mais pour cela, il devait déménager à l'autre bout du pays. Il dut soudainement s'arrêter pour faire le point sur sa vie. Plus il y pensait, plus il s'apercevait que son travail ne le rendait pas heureux. «Puis, à un moment donné, dit-il, je me suis rendu compte que je devais tout simplement plonger dans l'inconnu.»

Bouleversant radicalement l'organisation de sa vie, Fred retourna aux études pour devenir massothérapeute. Il gagne maintenant environ 20 000 $ par année et habite dans un petit appartement au lieu de la grande maison qu'il possédait jadis. Mais il se dit beaucoup plus satisfait. Malgré une baisse de 80 % de son revenu, il arrive à épargner un peu et à rembourser des dettes accumulées alors qu'il gagnait cinq fois plus ! Et surtout, comme il a maintenant plus de temps libre, il a changé sa relation avec ses filles. Il est content de son nouveau travail. «Finalement, la simplicité m'a mené vers plus de bonheur. Quelle découverte ! dit-il avec un sourire. Tant mieux si j'ai été congédié, car je fais maintenant quelque chose que j'aime. C'est ce que les bouddhistes appelle l'"existence juste". J'ai l'impression d'avoir trouvé mon existence juste.»

Une vie à vivre

Parfois, le choc qui nous oblige à repenser nos vies est encore plus dévastateur que la perte d'un emploi, comme l'a découvert Evy McDonald. Dès son jeune âge, cette femme énergique et joviale était déterminée à faire sa marque. «Mon but, se rappelle-t-elle, était de devenir la plus jeune gestionnaire d'hôpital du pays.» Dès 1980, elle se rapprocha du succès. Elle obtenait souvent des promotions et des augmentations, et son style de vie était luxueux. À chaque promotion, elle achetait une nouvelle maison et une plus grosse voiture. «Je parlais de vouloir aider les gens moins fortunés que moi, mais j'avais 70 paires de chaussures et 100 chemisiers. Cela dépassait tellement mes besoins[2].»

Puis, le malheur s'abattit. Au cours d'un accès de maladie inhabituel, Evy alla voir le médecin. Après les tests, le médecin prononça un sombre verdict: Evy avait contracté une maladie fatale, à laquelle personne n'avait encore survécu. Elle n'avait peut-être que quelques mois à vivre. Sonnée, elle retourna chez elle, pour découvrir que le même jour, on avait cambriolé sa maison et volé presque tous ses biens. Et elle n'avait aucune assurance. À la fois malade et dépossédée, Evy fut soudainement confrontée à la question du sens de sa vie.

«Qui est-ce que je voulais être à la fin de ma vie? me suis-je demandée. J'ai découvert que mon but n'était pas de posséder le plus grand nombre d'objets. Je voulais que ma vie soit marquée par la compréhension de l'amour et du service, et le sentiment d'être entière et complète.» Comme par miracle, Evy connut une rémission et retrouva sa force et son énergie, bien que des médecins l'aient avertie que la maladie pourrait toujours revenir.

«Et sur le chemin de la santé, dit-elle à présent, j'ai vu que je devais rendre ma vie plus cohérente. Il me fallait devenir une personne entière, notamment en alignant mes choix financiers, mes dépenses et mon usage de l'argent, sur mes valeurs et mon nouveau rôle.» C'est alors qu'elle rencontra un couple dont les idées l'émurent tellement qu'elle passa la plus grande partie des deux décennies suivantes à travailler avec eux.

La bourse ou la vie

Joe Dominguez était un ancien courtier en valeurs mobilières, Vicki Robin une ex-actrice. Adeptes de la frugalité et de la vie simple, ils enseignaient aux autres comment se sortir de l'endettement, épargner et travailler à sauver le monde. John Graaf fit connaissance avec Joe Dominguez et eut la chance de l'interviewer moins d'un an avant sa mort, en 1997. Joe était alors un homme fragile, affaibli par une longue lutte contre le cancer. Mais il n'avait rien perdu de la passion, du courage moral et de l'humour mordant qui lui avaient permis d'influencer la vie de milliers de gens.

Au cours d'une entrevue, Joe décrivit le bouleversement qui était survenu dans sa conception du monde alors qu'il était encore analyste boursier. «À Wall Street, dit-il, j'ai vu que les plus riches n'étaient pas nécessairement les plus heureux et qu'ils avaient tout autant de problèmes que les gens du ghetto [Harlem] où j'ai grandi. Alors, j'ai commencé à me dire que l'argent ne fait pas le bonheur; c'était une découverte très simple[3].» Simple, en effet, mais très rare à l'ère de la rage de consommer.

Joe Dominguez fit l'essai de la frugalité. Il découvrit qu'il goûtait davantage la vie et trouva moyen d'épargner de façon à pouvoir prendre sa retraite à 31 ans, en vivant— très simplement — des intérêts de ses placements: vers la fin, il dépensait 8000 $ par année. «Beaucoup de gens me demandaient: "Comment y es-tu arrivé?" se rappelait Joe. "Comment as-tu géré tes finances de façon à ne pas être un esclave sous contrat, comme nous tous?"»

Alors, fort de son nouveau temps libre, Joe entreprit d'enseigner aux autres à réduire radicalement leurs dépenses. Il rencontra bientôt Vicki Robin, qui devint sa partenaire pour le reste de sa vie. «J'ai découvert que j'avais besoin d'apprendre à faire des réparations, raconte-t-elle. Je me suis passionnée pour la vraie vie et j'ai développé mes talents, mes capacités et mon ingéniosité, au lieu de simplement gagner davantage et d'évacuer mes problèmes à coups d'argent[4].»

Ensemble, Joe Dominguez et Vicki Robin se réinstallèrent à Seattle et commencèrent à animer des ateliers dans des résidences. Puis ils produisirent un cours sur cassettes audio que des milliers de gens commandèrent. «Après, l'industrie de l'édition nous demanda d'écrire un livre, se rappela Joe, et tout le monde connaît la suite.» Publié en 1992, ce livre, *Your Money or Your Life*, devint bientôt un best-seller et, jusqu'à maintenant, il s'en est vendu près d'un million d'exemplaires. S'il faut croire les lettres que Joe et Vicki ont reçues de leurs lecteurs, cet ouvrage a transformé d'innombrables vies.

Joe Dominguez opposait *Your Money or Your Life* à la pléthore d'ouvrages pratiques sur les questions financières. «Ce livre ne vous dira pas comment faire un malheur à la bourse. Il ne vous dira pas comment acheter une maison sans argent comptant, ni rien de la sorte. C'est tout le contraire. Il vous dira comment gérer votre chèque de paie d'une façon beaucoup plus intelligente, afin d'épargner au lieu d'accroître vos dettes. Ce sont des trucs que nos grands-parents connaissaient, mais que nous avons oubliés ou qu'on nous a appris à oublier.»

Les neuf étapes de l'intégrité financière

Le livre offre un programme de «nouvelle frugalité» en neuf étapes, qui peut permettre aux lecteurs de reprendre pied sur le plan financier. En suivant toutes ces étapes, beaucoup peuvent atteindre l'indépendance financière en une décennie environ, et consacrer leur temps à un travail qu'ils trouvent plus important que leur emploi antérieur. Mais même des lecteurs à faibles revenus y découvrent comment réduire radicalement leurs dépenses. «En fait, ces étapes seront les plus utiles pour les gens à faibles revenus, a dit Joe Dominguez à John de Graaf, parce qu'ils ont vraiment besoin de savoir étirer un dollar.» Certaines des étapes initiales produisent un grand changement chez beaucoup de lecteurs, qui, en moyenne, réduisent leurs dépenses d'environ 25 %.

Les étapes initiales comprennent ces quatre exercices :

1. *Réconciliez-vous avec votre passé.* Calculez combien d'argent vous avez gagné dans votre vie et ce que cela vous a apporté — votre bilan net actuel. Vous aurez peut-être un choc en calculant les sommes que vous avez gaspillées — appelons cela les ravages de la rage de consommer.

2. *Localisez votre énergie vitale.* Calculez votre revenu horaire réel en ajoutant à votre semaine de travail le trajet et autres activités reliées à l'emploi, et en soustrayant l'argent dépensé pour des choses dont vous avez besoin pour travailler (par exemple, les frais de déplacement, les vêtements de travail). Puis, faites l'inventaire de chaque sou qui circule dans votre vie. Votre temps de travail constitue une dépense de votre énergie vitale essentielle. Qu'en retirez-vous et à quoi le consacrez-vous ?

3. *Dressez un tableau de vos revenus et dépenses d'un mois.*

4. *Demandez-vous si vous avez connu une satisfaction véritable pour l'énergie vitale que vous avez dépensée.* Joe et Vicki recommandent de tracer une «courbe de satisfaction», qui s'élève quand on dépense pour des besoins essentiels et descend quand on dépense pour des objets de luxe que l'on juge sans importance. Le sommet de la courbe est le point appelé «assez» — c'est quand on atteint ce point que l'on doit cesser de dépenser et commencer à épargner[5].

Ces techniques vous permettront d'interrompre vos activités habituelles pour faire le point. Quand on a la grippe, il faut aller se coucher. Quand on pose le pied au bord d'un précipice, il faut reculer. Quand on a la rage de consommer, il faut s'arrêter pour réfléchir.

Le couple radin

Depuis sa publication en 1992, *Your Money or Your Life* a été traduit en plusieurs langues. La version néerlandaise est l'œuvre de Rob van Eeden et Hanneke van Veen, affectueusement surnommés, en Hollande, le «couple radin». «Nous avons dépensé beaucoup et acheté tout ce que nous voulions, se rappelle Hanneke, et, après quelques années, j'ai commencé à sentir un vide en moi. Je ne voulais plus vivre ainsi. Alors, j'ai essayé de convaincre Rob qu'un autre style de vie, plus simple, serait meilleur[6].»

Rob fut d'accord : c'est un ingénieur écologue dont les scénarios informatiques démontraient les effets pervers de la surconsommation sur l'écologie de la Hollande. Ils décidèrent de voir à quel point ils pouvaient réduire leur consommation. Mais, comme Joe et Vicki, ils découvrirent que de petits changements amenaient de grandes épargnes sans exiger d'énormes sacrifices de confort et de commodité. Avec le temps, ils réduisirent leurs dépenses des deux tiers et découvrirent qu'en fait la qualité de leurs vies en était améliorée. À présent, ils racontent leur transformation à des auditoires admiratifs à travers tous les Pays-Bas. «Nous discutons de leurs placards encombrés, dit Rob, de tout le fatras de leur vie, de la façon dont ils peuvent le réduire et de tout ce qui peut s'y rapporter.»

La fondation de la nouvelle carte routière

Ayant écrit un best-seller, Joe Dominguez et Vicki Robin auraient pu suspendre leur frugalité et profiter financièrement de leur succès. Mais ils avaient tous deux compris que notre style de vie à forte consommation menace la planète autant que nous-mêmes. Déterminés à suivre l'exemple qu'ils avaient donné, ils mirent leur nouvelle et soudaine richesse au service du bien commun. Ils firent don de tous les profits du livre à une œuvre caritative, la New Road Map Foundation, qui soutient des projets de sensibilisation à la frugalité et à l'environnement. Leur générosité est légendaire parmi les adeptes de la vie simple.

Bien que Vicki vive encore avec moins de 10 000 $ par année, aucun de ses amis ne dirait qu'elle est pauvre. Oui, pour elle l'argent peut être une bénédiction plutôt qu'une malédiction. Mais surtout lorsqu'on s'en sert pour changer le monde.

Rétrograder

Bien sûr, *Your Money or Your Life* n'est pas le seul modèle. Des milliers d'Américains ont trouvé d'autres façons utiles de ralentir, de réduire leur consommation et de réévaluer leur vie. Ils ont pris des mesures personnelles pour mieux vivre avec moins de revenus. Amy Saltzman, correspondante du magazine *U.S. News & World Report*, les appelle des «rétrogradeurs». En 1995, un sondage a révélé que 86 % d'entre eux se disaient plus heureux. Seulement 9 % avouaient se sentir moins bien[7]. Les gens qui choisissent de rétrograder peuvent trouver des trucs pour mieux vivre avec moins de stress dans des dizaines de livres et de revues, dont plusieurs sont inclus dans notre bibliographie. On peut en trouver d'autres à la bibliothèque ou dans une librairie locale. Des sites web offrent également beaucoup de ressources. Parmi les meilleurs, citons www.newdream.org (The Center for a New American Dream), www.simpleliving.net (The Simple Living Network) et, en français, www.simplicitevolontaire.org (Réseau québécois pour la simplicité volontaire).

CHAPITRE 23

Aspirine et bouillon de poulet

Songez un instant à votre enfance. Lorsque vous étiez alité avec la grippe, maman arrivait avec ses soins affectueux. Des paroles d'apaisement, peut-être quelques médicaments — de l'aspirine pour la fièvre, des pastilles pour la gorge. Et un bol de bouillon de poulet bien chaud et réconfortant. Mais le plus important, c'était sa présence attentionnée, pour que vous n'ayez pas à souffrir seul.

Il en va de même pour la rage de consommer. Pour la vaincre, on a souvent besoin de savoir qu'on n'est pas seul à mener le combat. Le soutien des autres est essentiel. De nos jours, pour chaque forme de dépendance, il semble exister des groupes de soutien aux victimes. Pour vaincre la rage de consommer, un virus qui créé la dépendance, on en a d'autant plus besoin qu'aucune pression sociale ne nous enjoint à cesser de consommer, bien au contraire. Pour la rage de consommer, l'équivalent des Alcooliques anonymes s'appelle le Mouvement de la simplicité volontaire.

La simplicité volontaire

«Au cours des 17 ans que nous avons passés à détecter des tendances, disait, en 1996, Gerald Celente du Trends Research Institute, aucun sujet n'a attiré un tel consensus que la simplicité volontaire.» Il estimait à 5 % la proportion des baby-boomers américains pratiquant «une forme affirmée de simplicité volontaire» et s'attendait à ce que ce nombre atteigne 15 % dès l'an 2000. «Ils trouvent un remède à la rage de consommer, déclara Celente. Ils se débarrassent de leur stress et disent: "Vous savez, j'aime beaucoup mieux vivre ainsi. Comment ai-je pu vivre de la façon dont je vivais avant[1]?"»

Au tournant de l'an 2000, la simplicité volontaire a reculé devant la nouvelle prospérité. Cela n'a pas empêché des millions d'Américains d'être encore attirés par l'idée d'une vie plus simple et plus écologique. Le mouvement de la simplicité volontaire, si on veut l'appeler ainsi, est vivant, se porte bien et grandit, même s'il ne le fait pas aussi rapidement que Gerald Celente l'a prédit. Ce mouvement est centré sur des groupes de discussion de toutes sortes, à commencer par celui que Cecile Andrews a démarré il y a une dizaine d'années.

Des cercles d'étude peuvent sauver le monde

Enseignante dans la cinquantaine vivant à Seattle, Cecile Andrews possède la capacité d'émerveillement d'une enfant et un sens du comique que n'importe quel humoriste lui envierait. En 1989, elle administrait un centre universitaire et s'occupait de la promotion de cours d'éducation aux adultes lorsqu'elle lut le livre *Voluntary Simplicity* de Duane Elgin. «Le sujet me passionnait, dit-elle, mais personne d'autre n'en parlait.» Elle décida d'offrir un cours sur ce sujet. «Mais, comme seulement quatre personnes s'étaient inscrites, nous avons dû annuler, raconte-t-elle en riant. Puis, trois ans plus tard, pour diverses raisons, nous avons réessayé et, cette fois, nous avons obtenu 175 inscriptions[2].»

Par la suite, les participants déclarèrent à Cecile Andrews que son atelier de simplicité volontaire avait changé leurs vies. Ce n'était pas le genre de chose qu'un administrateur de centre universitaire entend tous les jours, dit-elle. J'ai fini par démissionner de mon poste à temps plein pour me consacrer à ces ateliers.»

Elle se rappela également une idée qu'elle avait recueillie en Suède. Là, des voisins et amis organisent des groupes de discussion appelés cercles d'étude, qui se réunissent chez les gens. Cecile commença à former des groupes avec ses futurs étudiants en simplicité volontaire. Les participants commençaient par une courte liste de lectures, mais la plupart des discussions se concentraient sur leurs expériences personnelles. Les gens se mettaient à raconter leur propre histoire, «les raisons de leur venue, leur manque de temps, leur surmenage, leur soif de plaisir et de rire».

Certains des groupes que Cecile lança en 1992 sont encore actifs. Les participants se donnent des conseils et organisent des réseaux de partage d'outils et autres activités qui accroissent leur sentiment communautaire. Ils trouvent des moyens de s'aider mutuellement pour réduire leur besoin de revenus. Ils se rencontrent souvent chez l'un d'entre eux pour partager des trucs, des histoires et des idées d'action. Chacun a le droit de parler et un sablier circule dans la pièce, pour limiter le temps de parole et empêcher quiconque de monopoliser la conversation.

La discussion passe souvent du personnel au politique. «Les gens commencent à parler des changements institutionnels nécessaires pour qu'ils puissent se trouver une communauté et cesser de gaspiller de l'argent et des ressources», dit Cecile Andrews. Ils souhaitraient avoir des espaces libres, des parcs pour leurs enfants, des transports en commun plus performants, de plus longues heures d'ouverture pour les bibliothèques, un gouvernement local plus efficace. «La simplicité volontaire, ce n'est pas seulement une question de changement personnel. Les cercles d'étude peuvent sauver le monde», ajoute Cecile Andrews avec un clin d'œil.

La simplicité subversive

Depuis 1992, Cecile Andrews a aidé à démarrer des centaines de cercles d'étude sur la simplicité volontaire. Seeds of Simplicity, un organisme national dont elle est codirectrice, en a lancé bien d'autres. Son livre, *Circle of Simplicity*, explique comment faire. Avant tout, dit-elle, les participants ne doivent pas considérer la simplicité volontaire comme un sacrifice.

« Quelqu'un nous a surnommés le "mouvement de la privation", mais ce n'est pas cela, affirme-t-elle. On ne remplit pas le vide en se refusant quelque chose. On le remplit en mettant des choses positives à la place des choses négatives, en comblant nos besoins de communauté, de créativité, de passion, de lien avec la nature. Les gens s'aident mutuellement à comprendre cela. Ils apprennent à satisfaire leurs besoins véritables au lieu des faux besoins créés par les publicitaires. Ils apprennent des façons de se satisfaire profondément, sans que cela ait un impact grave sur l'environnement. »

Cecile Andrews se trouve subversive, dans le bon sens du terme — imaginez l'anarchiste Emma Goldman sous les traits d'une grand-mère ! « L'ennui avec le mouvement de la simplicité volontaire, c'est qu'il semble tellement inoffensif, dit-elle. Genre : "C'est charmant, non ? Ils essaient de réduire leur consommation, de vivre plus simplement." Les gens ne comprennent pas à quel point c'est radical. C'est le cheval de Troie du changement social. Il vous amène à vivre d'une façon totalement différente. »

Des groupes d'étude dans les églises

Lancés par Cecile Andrews, les groupes de discussion sur la simplicité volontaire se retrouvent maintenant sous diverses formes à travers les États-Unis. Ils sont particulièrement populaires au sein des Églises, car de nombreux responsables religieux reconnaissent que, s'il est vrai que chacun est le gardien de ses frères, les Américains doivent « vivre simplement, pour que d'autres puissent simplement vivre ».

L'Église méthodiste unie a produit une série de vidéos appelées *Curing Affluenza*, mettant en vedette le théologien évangélique progressiste Tony Campolo, ex-conseiller spirituel du président Clinton (il aurait probablement voulu que ses recommandations spirituelles soient plus efficaces, mais c'est une autre histoire). Les Églises utilisent ces vidéos pour encourager une discussion approfondie sur les questions de consommation.

Sont également populaires les groupes de discussion basés sur le livre *Simpler Living, Compassionate Life*, un recueil d'excellents essais compilés et édités par Michael Schut de l'organisation Earth Ministry, à Seattle. Des Églises utilisent ce livre pour donner des cours de simplicité volontaire de 12 semaines. Parmi les sujets hebdomadaires, on retrouve « Le temps sacré », « La bourse ou la vie », « Combien suffit ? », « Des choix quotidiens », « La politique de la simplicité », « La théologie, l'histoire et l'élargissement de la communauté ».

Dick et Jeanne Roy rétrogradent

L'église semble être l'endroit tout désigné pour remettre en question les idéologies basées sur l'avidité, mais Dick et Jeanne Roy ont lancé des groupes d'étude qui portent la lutte à la rage de consommer dans des endroits inattendus. Jusqu'à l'âge de 53 ans, Dick Roy était un leader au sens le plus traditionnel : président de sa classe à l'université d'État de l'Oregon ; officier de marine ; et, finalement, avocat d'entreprise aux honoraires élevés dans l'une des firmes juridiques les plus prestigieuses d'Amérique, avec un bureau au 32ᵉ étage surplombant tout Portland. Mais il était également marié à Jeanne, ardente militante écologiste et adepte de la frugalité.

À l'époque, malgré leur salaire dans les six chiffres, les Roy vivaient simplement et devaient souvent essuyer les taquineries de leurs amis à propos de leurs vieux vêtements et de leurs vélos usés. Pour les vacances, ils partaient en randonnée. Une fois, ils emmenèrent leurs enfants à Disneyland… en autobus, parcourant sac au dos les rues d'Anaheim, en Californie, du terminus à leur motel.

Jeanne, en particulier, trouvait maintes façons de réduire leur consommation : en utilisant une corde au lieu d'un sèche-linge ; en retournant le courrier-déchet jusqu'à ce qu'on cesse d'en envoyer ; en économisant soigneusement le papier ; en achetant la nourriture en vrac et en utilisant ses propres emballages. À l'étonnement de tous ses voisins, elle avait fini par réduire la quantité d'ordures familiales destinées au site d'enfouissement à une seule poubelle ordinaire par année ! Ce n'était pas un sacrifice, dit-elle. « Quand on demande aux gens quel genre d'activités leur apporte du plaisir, ils répondent habituellement : le contact avec la nature, la créativité et les relations avec les autres. Or les gestes que nous posons pour vivre simplement nous apportent toutes ces satisfactions[3]. »

Jeanne a fini par assumer un rôle de leadership dans le programme de recyclage de Portland, animant des ateliers chez les gens pour leur enseigner comment économiser l'énergie et l'eau, et utiliser les ressources avec le maximum d'efficacité.

Entre-temps, Dick semait l'étonnement au bureau en consacrant à la firme le moins grand nombre d'heures facturables possible, afin de pouvoir passer plus de temps avec sa famille. Ce comportement fait habituellement de vous un hérétique dans la profession juridique, mais comme Dick était un sacré bon avocat, il s'entendait bien avec ses collègues, qui passaient outre ses transgressions. Pourtant il finit par se lasser du droit des entreprises. Ses enfants ayant grandi, il voulait passer à une action qui exprimait plus directement ses valeurs, surtout son souci de l'environnement. En 1993, Dick Roy quitta son travail pour vivre de ses économies et consacrer son temps à sauver la planète.

Élargir les cercles

Dick fonda à Portland le Northwest Earth Institute, une organisation qui s'occupe de promouvoir la vie simple et la conscience écologique en organisant des groupes de discussion dans des institutions existantes. Les liens de Dick Roy dans l'entreprise l'aidèrent

à faire accepter ses ateliers («Simplicité volontaire», «Écologie profonde», «Choix de vie durable», «Découvrir un sentiment d'espace») dans une foule de grandes entreprises de Portland. On
encourageait les employés intéressés à se rencontrer à l'heure du
lunch, par groupes d'une douzaine, pour participer à des échanges
structurés qui allaient mener, selon ce qu'espérait Dick, à l'action
personnelle, sociale et politique.

À peine sept ans plus tard, le Northwest Earth Institute présentait des résultats remarquables:

- Plus de 600 groupes de discussion menés dans des entreprises
  privées (y compris des géants comme Nike et Hewlett-Packard),
  des agences gouvernementales, des écoles et des entreprises sans
  but lucratif de tout le nord-ouest de la côte du Pacifique.
- Plus de 70 groupes de discussion dans des églises du Nord-
  Ouest.
- L'établissement de cours d'assistance et d'instituts semblables
  dans 37 autres États.
- Une participation de plus de 25 000 personnes aux cours.

Bien que les instituts emploient maintenant un personnel de plus
en plus nombreux, Dick et Jeanne travaillent encore (à temps plein)
en tant que bénévoles. Les instituts proposent à leurs responsables
des programmes annuels de formation, toujours dotés d'une forte
dose d'humour, de musique et de plaisir.

Se trouver mutuellement

Tous les programmes mentionnés dans ce chapitre commencent par
de l'aspirine et du bouillon de poulet: l'idée est qu'il est plus facile
de simplifier sa vie (ou de guérir de la rage de consommer) avec
l'appui et l'encouragement des autres.

À la fin des années 1970, Duane Elgin mena une étude auprès de
gens ayant choisi de vivre plus simplement, en consommant moins,
pour l'Institut de recherche de Stanford. Il découvrit que ces gens

«mangeaient plus bas dans la chaîne alimentaire»: ils avaient tendance à préférer les mets végétariens, à porter des vêtements simples et utilitaires, à acheter des voitures plus petites et économiques, et à cultiver leur vie intérieure — à vivre «d'une façon consciente, délibérée, intentionnelle», attentifs aux conséquences de leurs actes[4].

Duane Elgin publia ses découvertes dans son livre *Voluntary Simplicity*. Ce n'était pas tout à fait dans l'air du temps. L'ouvrage sortit en 1981, au moment même où Ronald Reagan encourageait un retour à l'excès et où les spécialistes des tendances découvraient les yuppies. Aujourd'hui, Duane Elgin, un homme affable à la barbe grise et aux yeux pétillants, est un leader reconnu du nouveau mouvement de la simplicité volontaire. Il croit que la profusion qui a marqué les dernières années de l'histoire américaine et le «pouvoir des médias commerciaux de nous distraire des vraies crises écologiques pour focaliser notre attention sur le shampoing» sont en train de «créer un état d'esprit propice à la catastrophe imminente».

Mais Duane Elgin décèle à notre époque des signes d'espoir qui manquaient à la simplicité des années 1970. Il souligne l'expansion rapide du mouvement des cercles d'étude et les innombrables façons de se mettre en contact avec d'autres quand on cherche un remède à la rage de consommer: une pléthore de nouveaux magazines, certains sincères, d'autres tout simplement opportunistes; le *Simple Living Network*, une ressource valable sur l'Internet; les sites Web de dizaines d'organisations consacrées à la vie simple; des listes de diffusion et des groupes de clavardage sur le Net; des émissions de radio; de nouveaux livres de réflexion et de trucs pratiques. Dix pour cent de la population, dit Duane Elgin, est en train d'effectuer des changements. «Ils se sont longtemps sentis seuls, mais ils commencent à se trouver.»

Le changement prendra une génération, croit Duane Elgin, et il craint que ce ne soit tout le temps qu'il reste avant qu'on ne heurte un mur écologique. «Cette minorité de gens qui ont choisi une vie simple, dit Elgin, a été relativement à l'aise. Ayant connu l'aisance, ils ont trouvé qu'il leur manquait quelque chose et maintenant, ils cherchent un mode de vie différent.» En ce sens, certains pourraient trouver ce mouvement élitiste. Cependant, dit Duane Elgin, «seule une modération de la consommation permettra d'en laisser suffisamment aux défavorisés».

Duane Elgin aime parler de la «loi de la simplification progressive» d'Arnold Toynbee. Il souligne que le grand historien britannique a étudié l'ascension et la chute de 22 civilisations différentes et «a tout résumé en une seule loi: La croissance d'une civilisation se mesure à sa capacité de faire passer l'énergie et l'attention de l'aspect matériel à l'aspect spirituel, esthétique, culturel et artistique.»

À travers tous les États-Unis, des milliers d'Américains se rassemblent en petits groupes pour susciter ce passage.

CHAPITRE 24

De l'air frais

À l'ère de la rage de consommer, la culture américaine est entrée dans la maison, en quête d'un confort encore plus grand. Imaginez Janet Jones parlant à sa voisine (avant sa reddition, bien sûr). « Nous n'avons même plus à subir la canicule », confie-t-elle alors que l'installateur de climatiseurs arrive dans l'entrée de garage. Juste derrière lui est garée une fourgonnette remplie de genièvres, de *vincas* et d'une vasque pour les oiseaux, qui remplaceront le jardin potager. Avançant à pas feutrés sur un tapis de pâturin du Kentucky, Janet jette un coup d'œil par-dessus son épaule et ajoute : « Comme on ne fait plus beaucoup la cuisine, pourquoi garder un potager ? »

Au cours des années 1990, l'expression « arrêtez-vous pour sentir les roses » a fait place à celle, plus cynique, de « réveillez-vous pour sentir le café ». Nous n'avions plus de temps à consacrer à la nature. Nous avons tout simplement appris à les ignorer, ces roses — en laissant le paysagiste s'en occuper.

Ce chapitre conteste une croyance répandue, mais inconsciente, selon laquelle la richesse matérielle dispense de connaître la nature et d'avoir un contact avec elle. Au contraire, nous croyons que plus le lien est fort avec la nature, moins on a besoin d'argent ou on veut en gagner. Si vous voulez vaincre la rage de consommer, essayez ces remèdes naturels éprouvés.

Que savez-vous de la nature?

Trente-quatre pour cent des Américains interrogés en 2000 ont répondu le shopping à la question de leur activité préférée, tandis que seulement 17 % préféraient la nature. Le Strip de Las Vegas est devenu la «route panoramique» numéro un des États-Unis. Un écolier de quatrième année à qui l'on demandait s'il préférait jouer à l'intérieur ou à l'extérieur, a répondu: «À l'intérieur, parce que c'est là qu'on trouve les prises électriques.» Un autre enfant a retourné une coccinelle morte en expliquant à son ami que les piles de l'insecte devaient être épuisées. Au cours d'une excursion visant à localiser la source de leur eau potable, des écoliers d'une douzaine d'années d'un quartier déshérité de New York ont été effrayés par l'obscurité fraîche et étoilée et par le crescendo de silence des monts Catskills.

«Je pensais que les pommes de terre poussaient dans les arbres», a avoué une étudiante d'université alors que David Wann l'aidait à planter un jardin derrière sa maison. «J'imagine que j'ai besoin d'en savoir davantage sur la provenance de mes aliments.» Les naturalistes nous pressent de revenir à la nature en nous familiarisant avec nos jardins et les espaces non cultivés à la campagne. Cela nous aidera à répondre à une question éternelle: Où sommes-nous, exactement?

Pouvez-vous identifier des espèces clés de votre région et les événements naturels qui s'y déroulent?

QUESTIONNAIRE SUR LA BIORÉGION

1. Remontez le parcours de l'eau que vous buvez, de la précipitation au robinet.
2. Décrivez le terrain qui entoure votre maison.
3. Quelles sont les principales techniques de subsistance des cultures qui habitaient auparavant dans votre région?
4. Nommez cinq plantes comestibles indigènes de votre biorégion, ainsi que leurs saisons.
5. Où vont vos ordures?
6. Nommez cinq oiseaux résidants et quelques oiseaux migrateurs de votre région.
7. Quelle espèce animale a disparu de votre région?
8. Quelle fleur sauvage printanière est toujours parmi les premières à fleurir là où vous habitez?
9. Quels genres de pierres et de minéraux se trouvent dans votre biorégion?
10. Quelle est la plus grande étendue sauvage de votre biorégion?

Adapté de *Deep Ecology* par Bill Devall et George Sessions.

Une civilisation branchée à un respirateur?

L'un après l'autre, les services jadis fournis gratuitement par la nature ont été conditionnés et mis en marché. Prenez l'eau en bouteille, livrée à domicile en fûts de 20 l, ou les salons de bronzage, où des créatures des grands espaces intérieurs se prélassent dans un succédané de lumière solaire. Pour l'homme, le contact avec la nature est devenu un *contrat* avec la nature. Même l'oxygène est à vendre. De nombreux éducateurs et penseurs parlent d'une «extinction de l'expérience» qui accompagne notre retrait de la nature. Comme une branche de persil flétrie sur le rebord d'une assiette, les parcs sont souvent biologiquement insipides — et parfois exposés au crime. Pour certains, la seule façon de connaître la nature est d'en avaler mentalement des images télévisées, comme du maïs soufflé.

Mais la télévision ne peut communiquer une réalité multidimensionnelle, sensuelle et interactive. Elle n'en présente que l'aspect visuel — par la fenêtre d'un objectif. Nous ne sommes pas vraiment là pour sentir la nature, la toucher et humer la brise. Et puis la nature à la télévision est souvent scénarisée — aussi fausse qu'un fucus en papier. Montée à partir de centaines d'heures de tournage non séquentielles, une émission sur la nature filmée en Afrique zoome habituellement sur un lion majestueux, dans sa quête implacable de gnous, de chacals et de gazelles. En réalité, le lion, aussi paresseux qu'un chat domestique, dort parfois 20 heures par jour. Les images de deux lions en train de s'accoupler seront inévitablement suivies de «lionceaux jaillissant en désordre, enjoués, après une gestation de deux ou trois minutes. L'éternel cycle de prédation se répète[1]...»

Dans *The Age of Missing Information*, cité plus haut, Bill McKibben compare et oppose l'information que lui a procurée une randonnée d'une journée dans le nord de l'État de New York à celle qui était diffusée le même jour sur une centaine de chaînes par câble. Au cours des mois qu'il a consacrés à regarder chacune des émissions enregistrées, il a observé un vaste désert virtuel colportant une mentalité commerciale. «Nous croyons vivre à l'"ère de l'information", après la "révolution" de l'information... Mais la connaissance essentielle que les humains ont toujours possédée sur leur identité et leur milieu de vie semble nous échapper.» Sur 100 heures de programmation, Bill McKibben a trouvé très peu de matière propre à enrichir sa vie.

Par contre, au cours de sa journée de randonnée, il s'est passé toutes sortes de choses. Sept vautours ont lentement plané en cercle au-dessus de lui — si près qu'il pouvait presque compter leurs plumes. «C'était presque insupportable — quasi érotique —, ce sentiment d'être observé, écrit-il. Par moments, je me sentais aussi petit et vulnérable qu'une proie.» Et pourtant, il savait que ses rencontres de la journée avec les vautours, les araignées d'eau et les grives ne seraient jamais filmées par Spielberg. «Je n'ai été ni découpé en pièces, ni poursuivi et je n'ai même pas entendu un rugissement. Je n'ai tranquillisé aucun animal avec une fléchette; aucune créature n'a gonflé ses incroyables sacs d'air dans un curieux et ancien rituel d'accouplement[2].» Mais son expérience de la réalité lui donna le sentiment d'être en vie d'une façon active, plutôt que passive.

Dans les dernières lignes de *The Age of Missing Information*, Bill McKibben rappelle le fossé virtuel que nous avons créé entre le monde naturel et nous:

> *À l'émission* Now You're Cooking, *une dame fait griller des saucisses panées.* « *Nous avons un arrangement à la maison: le premier debout allume le gril.* »

> *Et sur l'étang, le canard se contente de nager aller-retour, sa poitrine poussant un biseau de vaguelettes qui attrapent les premiers rayons du soleil.*

Surmonter l'écophobie

Comme le soulignent Bill McKibben et bien d'autres, en perdant contact avec les origines, habitudes et besoins de nos compagnons terrestres, nous perdons notre sentiment d'équilibre biologique. La psychologue Chellis Glendinning résume cela ainsi: «Loin de notre seul foyer possible, nous devenons des sans-abri[3].»

Dans la perspective de l'évolution, nous risquons de perdre l'échafaudage vivant qui soutient notre sac à malice biologique. (Par exemple, sans organismes décomposeurs, nous pataugerions tous jusqu'aux genoux dans les restes de dinosaures.) Nous ne savons plus ce qui est bien. L'écologiste Aldo Leopold croyait qu'«une chose est bien si elle tend à préserver l'intégrité, la stabilité et la beauté de la communauté biotique. Elle est mauvaise si elle tend à l'inverse[4].» Mais avouons-le: la plupart de nos activités quotidiennes et de nos fonctionnements normaux enfreignent la loi de Leopold. Nous n'avons pas la moindre idée de ce que sont la communauté biotique et ses besoins.

Pour l'enseignant David Sobel, notre séparation de la nature s'appelle l'«écophobie» — un symptôme caractérisé par l'incapacité de sentir, de planter et même de reconnaître les roses. «L'écophobie, c'est la crainte des déversements pétroliers, de la destruction de la forêt tropicale, de la chasse à la baleine et de la maladie de Lyme. En fait, c'est tout simplement la peur de l'extérieur», explique David Sobel. La peur des microbes, de la foudre, des araignées et de la poussière. Les premiers soins que prescrit Sobel pour cette affection mettent l'accent sur le contact direct avec la nature. «Pour comprendre le cycle de l'eau, il faut absolument des espadrilles humides et des vêtements boueux», dit-il[5]. Dans le livre *Beyond Ecophobia*, il décrit la magie de vaincre la «maladie du temps» et de retrouver un rythme plus naturel.

Je suis parti en canot avec Eli, mon fils de six ans, et son ami Julian. Le plan consistait à parcourir trois kilomètres sur la rivière Ahuetlot, soit une heure à pagayer pour un adulte. Au lieu de cela, nous avons traînassé pendant quatre ou cinq heures. Nous avons repêché à l'épuisette des balles de golf au fond de la rivière, à partir du terrain situé en amont. Nous avons observé des poissons et des bestioles dans les hauts-fonds et les bas-fonds de la rivière. Nous avons pique-niqué à l'embouchure d'un ruisseau et nous nous sommes longuement aventurés à travers un labyrinthe de ruisseaux marécageux. En suivant des traces de castors, nous avons marché en équilibre sur des troncs effondrés pour traverser des endroits marécageux sans nous mouiller les pieds. Nous avons regardé des fleurs printanières, essayé d'attraper une couleuvre, nous nous sommes perdus et retrouvés. Comme c'était bien de se déplacer au rythme sinueux d'un enfant[6]!

La nature est-elle un nom ou un verbe?

Un soir d'été, il y a 15 ans, la famille de David Wann fut brusquement tirée du sommeil par un son étrange et perçant qui fendit la nuit comme un couteau de chasse. Les quatre membres de la famille se redressèrent brusquement dans leurs lits, pendant que des lumières s'allumaient dans toute la petite vallée rurale. À quatre heures du matin, les enfants de David se tenaient debout sur le sofa, les jambes tremblantes, fixant l'obscurité. Ils espéraient apercevoir les pumas qui venaient de s'affronter sur la pelouse. Cette expérience primaire leur faisait sentir la peur et la fascination éprouvées par les humains à travers l'évolution. Ils s'estimaient chanceux de vivre cette expérience — même si aucun d'eux ne put s'endormir du reste de la nuit. Douze ans plus tard, sur une saillie rocheuse surplombant la chaîne de montagnes Sangre de Cristo, au Colorado, Colin, le fils de David porta son attention sur les restes d'une proie. En étudiant le squelette, Colin imaginait à haute voix: «Un puma l'a traînée jusqu'ici pour la dévorer.» Passionné par ce travail de détective, il caressait l'idée d'un musée du monde réel.

Mais David, qui n'en était pas au même point dans ses réflexions, se pencha sur le squelette pour en détacher le crâne afin de rapporter un trophée de l'expédition. Le craquement de la vertèbre cervicale fut l'un des sons les plus violents et les plus terribles qu'il ait jamais entendus... depuis l'affrontement des pumas sur la pelouse, des années auparavant. David fut si effrayé qu'il replaça le crâne. Colin lui pardonna bientôt son geste impulsif, mais ils passèrent des heures, cet après-midi-là, à débattre du trait acquis de posséder la nature, contre le fait plus inconditionnel d'être dans la nature.

Habitués au rythme et à la diversité de la nature télévisée, nous cherchons généralement le grand événement, le spectacle. Mais, plus que les adultes, les enfants s'absorbent dans les petits détails. «Où étais-tu?» demande le parent. «Dehors.» «Qu'est-ce que tu as fait?» «Oh, rien», répond l'enfant, mais il a dans la tête une image vive: peut-être une coquille d'œuf de rouge-gorge quasi intacte, à peine cachée sous une feuille d'érable d'un rouge vif.

La magie de la nature

Robert Greenway, chef de file de l'exploration du monde sauvage, a passé des années sur les sentiers, permettant à son enfant intérieur de demeurer vivant. Il tente de susciter cela chez d'autres, avec des résultats tangibles. Les réactions de plus d'un millier de participants (adultes et enfants) à ses expéditions dans le monde sauvage indiquent que la nature possède un véritable effet magique :

- 90 % décrivent un sentiment accru de vitalité, de bien-être et d'énergie ;
- 77 % décrivent un changement majeur dans leur vie au retour (dans les domaines des relations personnelles, de l'emploi, du logement ou du style de vie) ;
- 60 % des hommes et 20 % des femmes affirment qu'ils étaient partis en expédition pour vaincre leur peur, se mettre au défi et repousser leurs limites ;
- 90 % mettent fin à une dépendance comme la nicotine, le chocolat et les boissons gazeuses ;
- 57 % des femmes et 27 % des hommes disent que l'expédition avait entre autres pour but de « revenir » à la nature ;
- 76 % des répondants font état de changements radicaux dans leurs rêves, du point de vue de la quantité, de la vivacité et du contexte, après 72 heures passées dans la nature sauvage[7].

Nous savons par intuition que la nature est bénéfique, même si nous en sommes séparés. Les malades guérissent plus rapidement devant de beaux paysages. À la Way Station, un centre de réhabilitation du Maryland, le taux de suicide des résidants atteints de difficultés émotionnelles et mentales a chuté radicalement lorsqu'ils ont emménagé dans un nouvel édifice de briques et de bois. Les plantes, la lumière naturelle provenant des fenêtres et des puits de lumière semblent les calmer et les rassurer.

Des gens comme Robert Greenway nous pressent de « retrouver nos sens »… au sens littéral. En sentant, en touchant et en goûtant la nature, nous commençons à libérer nos têtes d'une partie de leur fatras. Robert Greenway dit ceci : « En expédition dans la nature sauvage, au bout de quatre jours, les gens semblent rêver à la nature plutôt qu'à des environnements urbains ou affairés. Ce schéma récurrent m'apprend que notre culture n'a en nous qu'une durée de vie de quatre jours[8]. » Par opposition, John McPhee appelle l'histoire de la vie terrestre la « longue durée ». Par exemple, sans les fougères, les algues et les protozoaires d'il y a 65 millions d'années (c'était hier, à l'échelle de la longue durée), le pétrole nous ne intéresserait pas à ce point.

Reprendre nos sens

Sentir la nature, par le nez, la peau, les poumons et le cerveau reptilien, rend ridicule notre stress à propos des projets et des horaires qui nous obsèdent. La suffisance fait place à quelque chose de plus grand. Nous voilà adhérents au club de la biosphère, et quelle bonne sensation ! Par-delà le topo « humain-salaire-maison-voiture », nous comprenons enfin qui et où nous sommes. Nous voyons qu'en réalité nous sommes des « humains-sol-céréales-fruits-microbes-arbres-oxygène-herbivores-poissons-marais salins », et ainsi de suite à l'infini ! Nous commençons à questionner la logique et l'éthique qui nous font mettre en pièces la nature comme si c'était un vieux tacot.

Lana Porter a repris ses sens il y a déjà quelques années. Le jardin qu'elle entretient est bien plus qu'un terrain vague aménagé et luxuriant — c'est une extension biologique d'elle-même et un mode de vie. « Ce jardin me nourrit très bien, presque à longueur d'année, dit-elle, et les légumes bio me donnent l'énergie nécessaire pour cultiver plus de légumes et en tirer plus d'énergie. Ce cycle de santé a réduit mes dépenses de moitié. Mes factures d'épicerie sont moins élevées, mes factures médicales aussi, je n'ai pas à payer pour faire de l'exercice, et mes coûts de transport sont moins élevés parce que je n'ai pas à voyager autant pour m'amuser[9]. »

Lorsqu'on lui demande ce qu'elle aime le plus à propos de son jardin d'eden personnel, elle répond : « J'aime l'effet qu'il fait sur mon esprit. Parfois, en arrosant une culture saine, en semant des graines ou en travaillant le sol, je ne pense à rien du tout — c'est un changement radical par rapport à ma vie antérieure de programmeuse informatique surmenée. Les gens me disent qu'en m'occupant plus efficacement de mes cultures — avec des systèmes d'irrigation à minuterie, des engrais et des pesticides dernier cri — j'y consacrerais moins de temps. Mais cette façon de cultiver dissocie le jardinier de son jardin. L'essentiel consiste à passer plus de temps à prendre soin de mes plantes, et non à vouloir m'adapter aux caprices changeants du monde.»

Comme Lana, bien des Américains perçoivent la différence entre la complexité naturelle et le simplisme de la science — entre une pêche juteuse, savoureuse et vivifiante, et une pêche charnue mais sans valeur nutritive, cultivée dans un sol appauvri. Soudainement accordés à la fréquence de la loi naturelle, ces gens découvrent qu'un grand nombre des pratiques de nos civilisations sont contre-productives, faute d'être enracinées dans la réalité biologique. Tout comme l'Ancien Testament demande de laisser la terre en jachère, l'un des principes de l'ère de l'écologie devrait être d'optimiser l'utilisation de l'énergie solaire pour empêcher le réchauffement planétaire. Mais nous ne protégerons pas notre jardin, notre biorégion ou notre planète sans nous y sentir reliés.

La nature n'est pas «là-bas», elle est partout. Dans le fait d'apprendre comment a été cultivé le bois d'œuvre qui a servi à fabriquer la clôture du jardin. Dans le fait de savoir si les ingrédients d'un mélange à gâteau sont biologiquement compatibles avec la nutrition humaine. Dans le fait de s'arrêter sur le chemin du magasin pour demander au voisin quel genre de fleurs vivaces il est en train de planter.

Heureux comme un merle à ailes rouges

Pour Carl De Witt, un biologiste aquatique qui enseigne à l'université du Wisconsin, le jardin d'eden est un marais d'eau douce qui se trouve juste derrière chez lui. Il connaît si bien ce marécage qu'il peut identifier ses oiseaux par leurs chants. Debout dans l'eau jusqu'aux genoux, en bottes-pantalon, Carl De Witt rappelle les nombreux cycles et événements de l'endroit. «Lorsque cette touffe de quenouilles tombe dans le marais, elle est reconvertie en sol, et dans la structure de ce sol se développent toutes sortes d'organismes dont se nourrissent ces oies sauvages, de même que les grands hérons qui habitent ici. Ce genre de choses me passionne, car j'en tire un incroyable sentiment d'émerveillement. Et les occasions de nous émerveiller nous manquent tellement de nos jours.» Carl De Witt observe une libellule en train de se pomponner sur une tige de quenouille, puis réfléchit: «Cet écosystème aquatique a 11 000 ans. Il fait tout cela depuis 11 millénaires, sans aucune intervention humaine[10].»

«Si l'on reste ici un certain temps, si l'on est assez calme pour observer et écouter, il commence à se passer des choses. Après une journée entière, on n'est pas encore saturé — juste ici, il y a tellement à apprendre. On n'est pas fatigué non plus, on a plutôt tendance à être euphorique.» Carl De Witt remonte sur la rive du marais, l'eau ruisselle de ses bottes-pantalon. «Le plus curieux, dans notre société de consommation, c'est de revenir chez soi le portefeuille aussi plein que quand on est parti et d'avoir eu tout ce plaisir, cet enseignement, cette compréhension, cette paix — sans dépenser un sou.»

CHAPITRE 25

Le bon remède

Et si 50 péchés pouvaient sauver la Terre ? Ne serait-ce pas merveilleux ? Si, par exemple, les Américains pouvaient changer leur péché préféré, l'avidité, en vaccin contre lui-même, en accroissant intentionnellement leur folie des achats pendant au moins quelques décennies de plus ? Même les écologistes pourraient déposer leurs pancartes et se joindre à la partie de plaisir. Au lieu de « faire de leur mieux pour sauver la Terre », ils pourraient « consommer le plus possible pour sauver la Terre ».

Et si les cigarettes augmentaient la capacité pulmonaire tout en prévenant le cancer ? Et si les VUS filtraient la pollution urbaine ? Et si les vacances sur les plages luxueuses amélioraient la santé des habitats marins que sont les barrières de coraux ? Hélas, ce n'est pas le cas.

Bon, d'accord... Et si 50 gestes simples pouvaient sauver la Terre ? Nous parlons de choix et de gestes individuels posés par des millions d'Américains, sans changements substantiels à leur style de vie. En gardant dans l'auto un sac d'épicerie réutilisable, en plantant un arbre et en utilisant des ampoules fluorescentes compactes, nous pourrions collectivement renverser le déclin de la santé planétaire. Ce serait fantastique! Mais rien, sur Terre, n'est aussi simple. Notre économie et la majorité de ses produits ne sont pas conçus pour sauver la planète, mais pour faire de l'argent.

Nous pouvons réduire volontairement notre consommation et poser une foule de gestes simples, mais ce serait pagayer contre un torrent, dans une économie sans conscience ni bon sens. Par exemple, nous voulons bien recycler quelques sacs de canettes d'aluminium, mais il nous faudra peut-être rouler 30 km pour les porter. Nous payons un peu plus pour des peintures et agents de nettoyage non toxiques, mais nous les utilisons dans des maisons garnies de matériaux toxiques. Nous choisissons d'acheter des fibres naturelles comme le coton, sans nous rendre compte que le coton de culture conventionnelle est saturé de pesticides (environ le tiers de tous les pesticides utilisés aux États-Unis sont appliqués à des cultures de coton).

Comme le souligne Paul Hawken, 90 % des rebuts que nous générons ne se rendent jamais jusqu'à la production de biens et services. Ils restent au point d'extraction ou de fabrication, sous forme de déchets d'abattage, de mâchefer et de dépôts laissés sur place. De tous les matériaux qui deviennent des produits, 80 % sont rejetés après un seul usage. La situation est inextricable: pour sauver le monde, il faut une forte action individuelle, mais pour que cette action soit efficace, il faut transformer le monde. (Une tâche qui, bien que gigantesque, est à notre portée — n'avons-nous pas complètement transformé le monde au cours des 100 dernières années?) Selon Paul Hawken, il faut une vue plus large: «Nous avons passé le dernier siècle à travailler comme des fous pour rendre un moins grand nombre de gens plus productifs, tout en utilisant plus de ressources. Et ce, à un moment où l'on avait plus de gens et moins de ressources[1].» Paul Hawken envisage une économie dans laquelle les ressources seront beaucoup plus productives par molécule, par électron et par photon; où le capital naturel (lacs, arbres, prairies) sera apprécié en tant que système de soutien indispensable à la vie; et où les gens iront au travail avec leur esprit, leur cœur et leurs mains.

Pas seulement suffisant, mais efficace

Même dans la structure économique et politique actuelle, il est possible d'apporter à l'environnement des correctifs simples qui deviendront aussi naturels que la respiration. En adoptant des produits efficaces, comme les pommes de douche à débit réduit, des ampoules fluorescentes compactes, des fenêtres et réfrigérateurs écoénergétiques, nous avons déjà évité, au cours de la dernière décennie, des millions de tonnes de pollution et leurs impacts environnementaux — et épargné des milliards. Parce qu'ils sont «plus intelligents» et conçus en fonction du rendement énergétique, de nouveaux produits comme les machines à laver à chargement frontal fournissent une meilleure performance tout en utilisant moins de ressources. Pour faire sa lessive, une famille typique dépense actuellement environ 200$ par année en énergie, en eau et en détergent. Un lave-linge récent réduira la dépense d'environ 75$ par année.

Par l'achat d'appareils ayant une bonne cote Energy Star (un système d'évaluation parmi d'autres), on réduit non seulement la facture de carburant, mais aussi la menace de réchauffement planétaire, la dépendance à l'égard des sources d'énergie instables (comme le pétrole du Moyen-Orient), ainsi que le sentiment de culpabilité.

Howard Geller, de l'American Council for an Energy-Efficient Economy, ne croit pas que les gestes individuels suffiront à sauver la planète, car un grand nombre des défis que nous affrontons sont extrêmement complexes. Il nous faut multiplier les mesures économiques qui incitent à l'écologie, développer la certification et l'évaluation du rendement des produits verts, et refondre les codes et les normes — précisément pour faciliter le sauvetage de la Terre.

Howard Geller cite l'exemple de réglementations qui rendent obligatoire un haut rendement énergétique. «Le bon côté, c'est que ces réglementations n'exigent ni information ni analyse de la part du consommateur.» Les réfrigérateurs sont soumis à ce genre de normes. «Quand votre vieux frigo s'éteint, vous devez le remplacer le plus vite possible. En général, vous n'avez pas le temps de lire de revue de consommation, vous allez tout droit au magasin pour acheter quelque chose d'assez grand pour contenir de quoi maintenir vos adolescents en vie[2].»

Une grande part du travail nécessaire pour produire de meilleurs réfrigérateurs a déjà été accomplie en coulisses, par des lobbyistes, des législateurs, des ingénieurs et des gestionnaires. Comme l'explique Howard Geller, les États américains ont d'abord adopté une série de lois progressistes, mais chacune avait des exigences différentes. Pour réduire la confusion et ne plus avoir à fabriquer plusieurs modèles du même produit, l'industrie a appuyé l'homologation du rendement énergétique par le gouvernement fédéral. Grâce à cette loi, les Américains disposent de modèles qui utilisent le tiers de l'énergie dépensée par ceux de 1970, tout en offrant plus d'espace, plus de fonctions et une meilleure performance. Faire plus avec moins, grâce au design. D'une manière générale, les normes sur les appareils électroménagers qui sont entrées en vigueur en 1990 ont déjà permis d'économiser autant d'énergie qu'en génèrent 31 centrales régionales. Pour garder au frais la bière et les restes de la semaine, on n'a pas à économiser ni à penser à quoi que ce soi, pas même à devenir militants de Greenpeace; on n'a qu'à récolter les fruits de lois favorables à l'environnement. C'est cela, la simplicité.

«Si la rage de consommer nous pousse à acheter quelque chose, dit Howard Geller, pourquoi ne pas choisir un réfrigérateur dernier cri ou une machine à laver à chargement frontal — quelque chose qui améliore notre qualité de vie tout en présentant des avantages écologiques?»

Parfois, les économies effectuées au cours d'une vie au moyen d'appareils à haut rendement énergétique, de thermostats programmables ou de fenêtres à verre énergétique, constituent du point de vue de la rentabilité un investissement comparable à des actions ou des obligations, sans les inquiétudes à propos du marché. Les économies sont l'un des multiples avantages cachés du soin que nous avons de la Terre.

Le changement de mentalité est peut-être le plus important des gestes individuels. Ce qui compte, ce n'est pas seulement de moins consommer, mais c'est aussi de porter attention au mode de production des marchandises qu'on consomme. Ce n'est pas seulement la quantité — bien qu'elle soit importante —, mais aussi la qualité de nos choix.

En privilégiant une économie hyperefficace, nous épargnerons tous, car nous n'aurons pas à payer des frais supplémentaires pour nettoyer les dégâts, retrouver la santé, extraire de nouveaux matériaux, garder des emplois que nous détestons — et qui nécessitent, en compensation, des vacances coûteuses —, et ainsi de suite. L'efficacité bénéficie surtout aux consommateurs à faibles revenus, qui consacrent une plus grande proportion de leur budget aux factures de services publics. Lorsque nous apprenons à «aller dans la même sens que la Terre», en étudiant le fonctionnement de la nature et en adoptant un design approprié, tout le monde y gagne.

Prendre son VUS pour aller manger un steak

Mais revenons à notre présent en marche, avec son train-train quotidien et ses manchettes parfois déconcertantes sur les problèmes écologiques à l'échelle planétaire. Ces derniers semblent trop grands pour être résolus par des choix de consommation avisés, encore moins par des choix ignorants. Pourtant Michael Brower et Warren Leon, auteurs de *The Consumer's Guide to Effective Environ-*

mental Choices: Practical Advice from the Union of Concerned Scientists, peuvent nous aider[3]. Leur mission consiste à exorciser la confusion mentale et la culpabilité en établissant des priorités dans nos choix de consommation. Plutôt que d'insister sur 40 actions à entreprendre, ces chercheurs suggèrent de commencer par les pires problèmes, pour tirer le maximum d'efficacité de nos actions collectives. Selon leurs calculs, il faut d'abord éviter de prendre son VUS pour aller manger un steak, car les voitures et la viande sont deux vecteurs primordiaux de la rage de consommer.

Michael Brower et Warren Leon ont passé au peigne fin une décennie d'analyses de risques effectuées par des agences et des experts pour déterminer que la pollution atmosphérique, le réchauffement planétaire, la modification de l'habitat et la pollution de l'eau constituent les principales conséquences de la consommation. Ce sont de graves défauts de conception et de production qui provoquent souvent les pires effets: par exemple, la structure de nos villes et de nos banlieues, le traitement de nos eaux usées, la pratique actuelle de l'agriculture, la production d'énergie, le design et la fabrication industrielle de produits chimiques, d'ordinateurs et de voitures. Même si nos choix de consommation n'affectent pas directement ces systèmes de production, des choix informés entraînent des avantages cachés substantiels qui peuvent accélérer la guérison de la Terre. En achetant des fruits et des légumes biologiques, par exemple, nous favorisons des techniques agricoles, comme la rotation des cultures, qui empêchent l'érosion, les ravages des insectes et d'autres retombées négatives. En achetant un véhicule économique, nous faisons partout où nous allons la promotion de la lutte contre le réchauffement climatique et pour la pureté de l'air.

En réduisant notre consommation de viande, nous allégeons également de façon radicale notre impact sur le sol, l'eau, l'air et l'atmosphère. Par rapport à son équivalent nutritif en céréales entières, «la viande rouge multiplie par 20 l'usure du sol (à cause du pâturage du bétail), par 17 la pollution ordinaire de l'eau (à cause des déchets animaux), par 5 la toxicité et l'usage de l'eau (à cause des engrais pour les céréales et de l'eau pour l'irrigation et le bétail), et par 3 les émissions de gaz à effet de serre (à cause d'une plus grande consommation d'énergie)», affirment Michael Brower et Warren Leon.

La consommation de viande américaine est-elle un vestige de l'époque des pionniers, ou davantage une habitude visuelle? On répartit peut-être les portions selon des critères esthétiques. La présentation de l'assiette — et la consommation de viande — ont changé

DES PRIORITÉS POUR LES CONSOMMATEURS AMÉRICAINS

Transport

1. Choisir un lieu d'habitation qui réduira la nécessité de conduire.
2. Réfléchir avant d'acheter une deuxième ou une troisième voiture.
3. Choisir un véhicule économique, à faible taux de pollution.
4. Établir des objectifs concrets de réduction des déplacements.
5. Dans la mesure du possible, marcher ou utiliser la bicyclette ou les transports en commun.

Alimentation

1. Manger moins de viande.
2. Acheter des fruits et des légumes certifiés bio.

Maison

1. Choisir soigneusement sa maison.
2. Réduire les coûts environnementaux de chauffage et d'eau chaude.
3. Installer un éclairage et des appareils ménagers à rendement énergétique élevé.
4. Choisir un fournisseur d'électricité offrant de l'énergie renouvelable.

Adapté du *Consumer's Guide to Effective Environmental Choices.*

depuis 1970, mais à bien y penser, les assiettes ne paraîtraient-elles pas tout aussi appétissantes et beaucoup plus colorées avec de plus grandes portions de fruits frais, de céréales et de légumes ? Cela réduirait la consommation de viande individuelle de 2 kg à 500 g par semaine, de même que le risque de maladie cardiaque et d'accident vasculaire cérébral.

Michael Brower et Warren Leon louent les efforts des consommateurs afin de réduire le gaspillage et de favoriser l'efficacité, tout en incitant à une certaine modération. « La diabolisation des gobelets jetables, par exemple, a incité certains groupes et certains individus à y consacrer trop de temps et d'attention. Un prêtre nous a dit que ses paroissiens tenaient à acheter des tasses de céramique et à installer un lave-vaisselle dans leur salle paroissiale, pour éviter d'utiliser des gobelets de plastique lors des réunions. Lorsque nous avons découvert qu'ils n'utilisaient que 40 tasses par semaine, nous leur avons fortement suggéré de consacrer leur budget de 450 $ à d'autres mesures, comme le calfeutrage de leur vieil édifice plein de courants d'air[4]. »

Certaines activités, comme la navigation en bateau à moteur et les balades en véhicules hors-route, en véhicules tout-terrain et en motoneiges, ont un impact important, même si relativement peu de gens s'y adonnent. Une heure de motomarine, par exemple, peut créer autant de smog qu'un voyage en voiture de Washington à Orlando, en Floride, car les moteurs de ces véhicules n'ont aucun système antipollution. (La conception de ces petits moteurs être complètement repensée.) Les moteurs de tondeuses à essence, en plus de perturber bien des après-midi de sieste, produisent une pollution considérable dans les quartiers résidentiels. De plus, les propriétaires de pavillons avec jardin appliquent dix fois plus de pesticides à l'hectare que les fermiers. Il est si difficile de lire une étiquette… et puis ne vaut-il pas mieux en mettre un peu plus ?

Pourtant certains ont choisi de reprendre leur pelouse en main. Le « xéropaysagisme », qui utilise des fleurs et des arbustes pour la conservation de l'eau, est populaire dans l'ouest aride des États-Unis, et le remplacement des pelouses par des paysages comestibles peut également devenir à la mode, à mesure que se répand l'intérêt pour les cultures biologiques. Au lieu de passer des heures chaque semaine à produire un sac de déchets de tonte, on ira cueillir un bol de tomates cerises.

L'une des causes cachée de maints problèmes écologiques est la «mentalité à impact élevé», par exemple le besoin compulsif d'un cadre immaculé et rangé. On dirait que plus les pelouses sont impeccablement vertes, plus les ruisseaux brunissent, à cause de tous les nutriments et pesticides qui s'y déversent. Plus les maisons sont propres, plus l'environnement est toxique, à cause des produits chimiques utilisés pour surpolir, surstériliser et surdésodoriser les maisons.

Des gestes simples pour sauver la Terre? Bien sûr, il faut en faire autant que possible, car ils réduisent les impacts, encouragent un design plus intelligent et permettent d'épargner. En un sens, il faut changer pour l'information et la conscience de la surconsommation, une voie sans peine, car elle n'exige pas de grands bouleversements. Mais puisque que nous y sommes, n'oublions pas quelques autres détails dont il faudra s'occuper la semaine prochaine: transformer l'économie et un grand nombre de ses produits, et recycler la mentalité américaine.

Le design pour sauver la Terre

Un grille-pain bien conçu embellit la journée: le pain qui en sort est d'un brun doré et l'appareil lui-même est tellement élégant! Si le grille-pain est conçu pour être réparable et recyclable, c'est encore mieux. Grâce au design, nous aurons un produit bien pensé, qui aura un impact minimal. Bien des pays d'Europe occidentale rendent maintenant obligatoire la «responsabilité étendue du producteur» incluant la reprise des produits à la fin de leur vie utile. À l'avenir, votre grille-pain pourrait «nager à contre-courant» pour finir recyclé à l'usine même où il a été fabriqué.

Quelles caractéristiques de design écologique souhaite-t-on intégrer aux produits de consommation? L'«hypervoiture» combine l'efficacité, un niveau de pollution peu élevé et peu d'entretien. Imaginés il y a des années par Amory Lovins, un maître à penser de l'économie d'énergie, les véhicules de la prochaine génération sont maintenant au stade de prototypes industriels chez Ford, GM, Honda, Toyota et les autres. Un collègue d'Amory Lovins au Rocky Mountain Institute a récemment assisté à l'exposition annuelle de l'industrie automobile à Detroit, où des dinosaures comme la Ford Excursion (4 km/l) voisinaient la Prodigy (28 km/l) et la GM Precept (32 km/l).

En réduisant leur poids, leur résistance au vent, la friction mécanique et la résistance des pneus, les concepteurs de ces voitures «surdouées» préparent la voie à une nouvelle sorte de moteur: une pile à combustible sans flamme ni pollution, qui consommera de l'hydrogène comme carburant et émettra de la vapeur d'eau en guise de gaz d'échappement[5]. Grâce au design, la pollution atmosphérique mondiale pourrait bientôt se régler radicalement —

CONSIGNES DE DESIGN CONTRE LA RAGE DE CONSOMMER

Ni toxique ni polluant
Énergie et matériaux renouvelables
Socialement équitable et à prix abordable
Flexible et réversible
Durable et réparable
Diversifié et unique
Efficace et précis
Facile à comprendre
«Empreinte d'extraction» légère
Faible entretien
Sensible à la vie et biocompatible
Sensible à la culture et convivial

même si, bien sûr, les hypervoitures ne peuvent décongestionner les autoroutes d'une hypersociété.

L'éolienne du nouveau millénaire, issue de l'aérospatiale et de l'informatique, constitue un magnifique exemple d'élégance de conception par rapport à sa contrepartie du millénaire précédent. D'une construction beaucoup plus propre et rapide que celle des centrales à charbon ou nucléaires, les fermes d'éoliennes dernier cri fournissent déjà suffisamment d'électricité pour alimenter des millions de foyers. De 1994 à 1998, l'industrie éolienne a connu une croissance de 40 %. Selon l'American Wind Energy Association, si le vent fournissait 10 % de l'énergie mondiale, cela créerait près de deux millions d'emplois. Le quart des clients des compagnies d'électricité américaines ont maintenant l'option d'acheter de l'énergie verte provenant de sources renouvelables comme le vent. (Un exemple magnifique : le programme Wind Source, au Colorado, dans lequel David Wann a investi.)

Howard Geller, de l'American Council for an Energy-Efficient Economy, insiste sur le fait que «l'efficacité est d'une importance cruciale, car plus nous gaspillons, plus nous aurons de difficulté à passer à une économie alimentée par le vent, la biomasse et le soleil. Des produits et des processus efficaces peuvent faciliter cette transition. Au cours de l'histoire, le passage du bois au charbon et du charbon au pétrole n'a pris que quelques décennies[6].»

Les «petites choses» présentent des avantages potentiellement infinis qui se conjuguent avec un impact moindre. Jusqu'à maintenant, l'industrie poursuivait d'autres objectifs de design, comme la réduction du coût unitaire et la facilité de fabrication. «En cette ère de haute technologie, nous n'avons aucune raison de ne pas fabriquer des chaussures aussi durables que les pieds», juge Alan Durning, de Northwest Environment Watch. «Nous pouvons passer d'une économie à base d'hydrocarbures, fondée sur une ressource pétrochimique non renouvelable, à une économie à base d'hydrates de carbone, fondée sur la matière végétale», observe David Morris de l'Institute for Local Self-Reliance[7].

Les produits les plus utilisés, comme l'encre de journal ou le dentifrice, ont été repensés afin de répondre précisément aux besoins, sans effets secondaires indésirables. Tom Chappell, de la compagnie Tom's of Maine, s'interroge: «Pourquoi les dentifrices sont-ils remplis d'abrasifs complexes, de colorants, de parfums artificiels, d'agents de conservation, de liants, de fluorure et surtout de saccharine, longtemps soupçonnée d'être cancérigène?... Pourquoi les Américains dépensent-ils plus d'un milliard de dollars par année pour se remplir la bouche de produits chimiques[8]?» Le dentifrice au bicarbonate de soude, une innovation de Chappell, a attiré des millions de consommateurs et poussé des compagnies comme Colgate et Procter and Gamble à mettre en marché des produits similaires.

Changer pour le mieux

Pourquoi les gens adoptent-ils un comportement plus écologique? D'après les comportementalistes, les plus efficaces promoteurs de changement insistent sur les avantages et minimisent les obstacles. Le public a besoin d'information de base sur le réchauffement planétaire, la pollution de l'eau et ainsi de suite, pour comprendre comment son action peut changer les choses — sans que cela exige des efforts dignes de *Mission impossible*.

Selon l'écopsychologue Terrance O'Connor, la responsabilité à l'égard de l'environnement est vraiment une question d'intérêt personnel et d'information. Il demande: «Si ceci n'est pas ma planète, à qui appartient-elle? Je suis à la fois la cause et le remède de ces problèmes. À partir de cette prise de conscience, je n'agis pas par culpabilité, mais par amour pour moi. En dépassant mon déni, je constate que l'humanité est en train d'affronter une crise absolument sans précédent. Je n'agis pas par obligation ni par idéalisme, mais parce que j'habite dans une paillote et que je sens la fumée[9].»

CHAPITRE 26

Retour au travail

Comme c'est bon de revenir au monde après une longue maladie! Adieu les journées perdues devant la télé, bonjour l'énergie! Le défi consiste à canaliser cette énergie d'une façon productive.

Gandhi disait: «Il n'y a pas que la vitesse dans la vie.» On pourrait ajouter: il n'y a pas, non plus, que l'avidité. Et, malgré les millions dépensés en publicité pour prouver le contraire, il n'y a pas que «moi» dans la vie. Achetez cette voiture de luxe, suggèrent (sans cesse!) les annonces, et les plus beaux chemins de campagne se dérouleront docilement devant vous, comme des bandes infinies de tapis persan. Une femme d'allure exotique orne le siège du passager, arborant une courte robe noire et un sourire blanc et ravi. Sur cette autoroute mythique la vitesse est obligatoire, au diable les surfaces glissantes! Les publicités parlent uniquement au moi en quête d'une illusion de puissance personnelle.

Mais le politologue Benjamin Barber est sceptique quand on lui demande si ces routes peuvent mener à destination. Dans *A Place for Us*, il explique ce qui le fait râler dans cette économie basée uniquement sur le profit. «Les marchés sont aussi susceptibles de miner que de soutenir le plein emploi, la sécurité de l'environnement, la santé publique, les filets de sécurité sociaux, l'éducation, la diversité culturelle et la vraie concurrence[1]», écrit-il. Selon lui, c'est au peuple — cette troisième force endormie, mais historiquement puissante dans la société américaine — qu'il revient de protéger ces valeurs.

Il exhorte chacun à se lever de son divan pour raviver collectivement cette troisième place, entre le grand gouvernement et la grande entreprise, où «les citoyens respirent librement et se comportent de façon démocratique, sans se considérer comme des plaignards passifs, des consommateurs avides ou des victimes isolées[2]». À cette troisième place, valorisée tout au long de l'histoire de l'Amérique, c'est là que s'épanouit la vie civique. Les corvées d'édification des granges et les levées de fonds d'Habitat pour l'humanité; les projets philanthropiques des Églises; les festivals et les fêtes de quartiers; les manifestations et campagnes de protestation; les activités de bénévolat comme les associations de parents d'élèves et la Croix-Rouge; la surveillance des quartiers, les jardins communautaires et les groupes de discussion — toutes ces activités nous rappellent que nous appartenons à une famille étendue qui a besoin de notre participation et qui l'apprécie.

Si Benjamin Barber râle contre le grand gouvernement, c'est à cause de son incapacité ou de son refus d'éveiller et de valoriser la vie civique. En ce début des années 2000, on a entendu d'un bout à l'autre des États-Unis, un grand chœur de ronflements, que le cinéaste Michael Moore a salué facétieusement sur Internet dans une lettre ouverte à ceux qui ne votent pas. «C'est bien fait! En 1996, vous avez permis d'établir le record américain de tous les temps du plus faible taux de participation à une élection présidentielle. Et lors des primaires de 2000, près de 80 % des électeurs ont organisé un sit-in sur le sofa de leur living-room[3].» (Le taux de participation fut meilleur en novembre 2000, mais bien des Floridiens silencieux souhaiteraient sans doute avoir pris le temps de voter.)

Dans la Grèce antique, le mot «idiot» désignait celui qui n'était pas engagé dans la vie publique, mais soyons francs, depuis que, dans les années 1960, la politique est devenue un spectacle médiatique financé par l'entreprise, les Américains peuvent souvent se demander s'ils ne sont pas tous des idiots.

Sur le plan local, où des voix pourraient se faire entendre pour tenir des politiciens responsables, on ne fait pas beaucoup mieux. Les sit-in dans le living-room se poursuivent, même quand ont lieu les assemblées du conseil municipal, les concerts gratuits au parc et les audiences publiques — surtout lorsque leurs créneaux horaires coïncident avec une sitcom populaire. (Sommes-nous «idiots» ou «vidiots»?)

Benjamin Barber prétend que la citoyenneté dépasse largement le vote et la fonction de juré. Les occasions sont illimitées d'investir son énergie civique sur les lieux de travail, dans l'industrie des soins de santé ou dans l'évaluation publique des nouvelles technologies — des domaines qui souffrent tous d'un manque sérieux de direction nouvelle. Il propose même qu'on rende obligatoires des espaces de rassemblement public dans les centres commerciaux. À quoi resembleraient des centres commerciaux qui feraient place à des cliniques de santé de quartiers, à des tribunes publiques, à des centres d'accueil pour enfants d'âge préscolaire et à des galeries d'art publiques?

Émerger des cocons du luxe

Que demandons-nous à la volonté populaire? Selon Jean Elsthain, théoricien social, «la tâche essentielle de la société civile, des familles, de la vie du quartier, de la communauté et du réseau des associations religieuses et civiques... est de développer la compétence et le caractère des individus, d'instaurer les fondements de la confiance sociale et de transformer des enfants en citoyens[4]». Mais la rage de consom-mer fait souvent obstacle à ces nobles buts, car le manque de temps et l'égocentrisme chronique limitent notre participation. Nous vou-drions parfois regarder en dehors de nous-mêmes, mais nous sommes trop occupés, trop peu certains de savoir par où commencer, ou trop fatigués. De plus, nous nous sentons coupables d'avoir investi autant de temps, d'argent et d'énergie pour aggraver la situation! Mais ce pénible réveil peut constituer une première étape sur la voie de la guérison.

Bien sûr, l'espèce humaine a toujours été sociable, guidée par la sagesse partagée de la tribu ou du clan. Les rassemblements autour du feu ne s'appelaient pas «citoyenneté», mais au fond cela en était. Ils ont joué un rôle important dans la formulation et l'expression de valeurs et de buts partagés.

Et ils le font encore, même si ce sont maintenant des cheminées artificielles dans les salons. Jeanne et Dick Roy, les deux résidants de Portland qui ont fondé le Northwest Earth Institute (voir le chapitre 23) organisent des cercles de discussion, souvent chez les gens, dans le but «de détacher les participants des messages com-merciaux et de les encourager à avoir des opinions personnelles».

Cette mission — découverte de soi et motivation personnelle — est noble, mais l'approche du Northwest Earth Institute est infor-melle. «Nous ne nous prenons pas pour des enseignants ni pour des prêcheurs, dit Roy, nous ne sommes que des personnes-ressources qui permettent aux gens d'exprimer leurs valeurs les plus élevées, puis d'aligner leurs gestes sur celles-ci[5]. »

Pourquoi les participants à chaque cours prennent-ils donc le temps de venir à neuf séances différentes? Peut-être parce que ces cours offrent un accès aisé à la citoyenneté et à l'expression sociale, qu'ils ne trouvent ni dans leurs communautés ni sur leurs lieux de travail. Dick Roy a découvert que des groupes d'une dizaine de per-sonnes favorisent un partage d'opinions, de récits et de convictions qui stimule le changement personnel. «Nous voyons des participants passer de la conscience d'un problème — par exemple, les impacts de l'automobile — à l'action, par l'entremise de la motivation, de l'inspiration et de la volonté de changer. »

« Rosemarie Cordello était une prospère avocate du travail, explique Dick Roy. Après avoir suivi nos cours, elle a effectué des changements fondamentaux dans sa vie. Elle s'est débarrassée de sa voiture et de sa garde-robe professionnelle et a fondé à Portland une organisation sans but lucratif, Sustainable Communities Northwest, visant à construire des logements verts pour des citoyens à faibles revenus. Elle dit n'avoir jamais été aussi heureuse. »

Dick Roy note également un changement au coin de sa rue. « Nous avons formé dans le quartier un groupe de discussion qui se réunit régulièrement. Le point de mire de notre travail est un ravin qui longe l'arrière de 25 maisons du quartier. Après avoir établi une liste, nous avons déterminé un point de chute où un fermier local livre des produits agricoles commandés à l'avance. Nous nous rencontrons également tous les vendredis soirs pour jouer au poker. Notre groupe a entrepris le nettoyage et la restauration du ravin, et nous nous donnons un coup de main lorsque l'un de nous a un projet de travaux chez lui. »

Voilà une idée séduisante : avoir de l'aide au besoin. « Nous nous rassemblons avec le sentiment d'être utiles, dit Dick Roy. Je suis certain que si nous pouvions rassembler tous les Américains dans ce genre de groupes de discussion, l'état d'esprit changerait du jour au lendemain. »

Les affirmations de Dick Roy arrivent à point nommé dans notre recherche sur les facteurs et les raisons d'un changement de comportement. L'engagement, la confiance et la volonté sont tous des facteurs clés. Dans une étude classique menée sur une plage il y a 30 ans, un chercheur étendait sa serviette auprès d'un autre vacancier en faisant croire qu'il était venu se faire bronzer. Après quelques minutes, il demandait : « Excusez-moi, je suis seul ici et je n'ai pas d'allumettes — avez-vous du feu ? » Puis il se levait alors et marchait sur la plage, laissant sa serviette et sa radio. Lorsqu'un complice arrivait en courant et «volait» la radio, le voleur était poursuivi quatre fois sur 20. Cependant, si le chercheur demandait à son voisin de plage de surveiller ses affaires, le voleur était poursuivi 19 fois sur 20[6]. Nous passons à l'action lorsque nous avons pris un engagement envers autrui.

Une recherche similaire montre que les engagements écrits nous lient encore plus que les engagements verbaux. Trois méthodes différentes furent utilisées, d'une façon expérimentale, pour inciter les gens à recycler les journaux. Un groupe de foyers reçut un dépliant insistant sur l'importance du recyclage. Un deuxième groupe s'engagea verbalement et un troisième, par écrit. Bien que les engagements verbaux aient entraîné un taux de recyclage plus élevé que les dépliants, un an plus tard un suivi révéla que seuls les gens qui avaient signé des engagements écrits recyclaient encore[7].

Changer le monde un quartier à la fois

Il y a environ six ans, David Wann s'est engagé par écrit, en versant une cotisation, dans un groupe souhaitant concevoir un quartier de A à Z. Le groupe adopta une formule d'habitation communautaire importée du Danemark et l'appliqua à un terrain situé à l'ouest de Denver. Avec l'aide d'un architecte et d'un promoteur, ils conçurent et vendirent 27 maisons privées, un atelier, un verger-potager et une maison commune (cette dernière devait servir à quelques repas de groupe par semaine, à des réunions, à des fêtes et à des sessions de *soul* nocturnes).

La formule de l'habitation communautaire met le design au service de la communauté, en densifiant les habitations et en multipliant autant que possible les espaces communs. Ce lent processus fut égayé par de nombreuses séances de conception. Lors d'une séance de brainstorming, l'architecte Matt Worswick (devenu par la suite l'un des résidants) amena le groupe à imaginer les activités qui seraient proposées, de même que leur emplacement. Le groupe imagina les promenades pour piétons, le jardin communautaire, les terrains de jeu des enfants et diverses pièces de la maison commune. L'ensemble étant orienté vers le sud-ouest, ils eurent l'idée de jucher une cloche de mission dans un clocher. Cinq ans plus tard, la cloche sonne pour de vrai, et les enfants adorent qu'on leur demande d'en tirer la corde. Rescapée d'une vieille ferme où l'un des membres avait grandi, la cloche massive convoque toute la communauté (appelée Harmony Village) aux repas, aux réunions et aux fêtes.

En regroupant les maisons par modules de deux ou de quatre, les résidants d'Harmony ont voulu économiser à la fois le sol et l'énergie, puisque les maisons se chauffent en partie en «empruntant» de l'énergie aux murs des unités voisines. En rendant obligatoire le stationnement des voitures dans des garages et des espaces de stationnement situés à l'orée du quartier, le groupe a souhaité préserver l'équilibre mental de ses membres. Le centre du quartier est un endroit tranquille, comme la cour d'un campus. Sa conception favorise également la sécurité, car la zone commune est souvent active et l'on peut garder l'œil ouvert tout en préparant le dîner ou en faisant la vaisselle.

Quand David a commencé à investir dans ce futur quartier, il misait également sur ses voisins. Ici l'on ne se demande pas qui habite six maisons plus loin, les voisins se connaissaient tous très bien avant même d'emménager, car ils s'étaient rencontrés régulièrement pendant les deux ans et demi qui avaient précédé la première excavation. Tout en construisant matériellement la communauté, ils en ont posé les fondations sociales. Ils sont devenus citoyens par nécessité, car une fois le quartier construit, il fallait le gouverner. Chaque résidant fait partie d'une équipe et, une fois par mois, un grand rassemblement a lieu pour administrer les affaires de la communauté, travailler collectivement à l'entretien ou aux projets de construction, ou tout simplement organiser des fêtes ou des danses.

Ce voisinage est composé d'une bande bigarrée d'individus de un à 83 ans. Le bulletin du quartier a publié un portrait de chacun, au milieu d'un forum ouvert d'idées, de textes de création et de témoignages sincères.

Ginny Mackey, ministre du culte à la retraite, se passionne pour la «justice réparatrice». Cette approche favorise une réhabilitation authentique en créant un dialogue personnel entre le criminel et la victime. Rich Grange est un entrepreneur dont la compagnie de télécommunications fournit des emplois à un grand nombre de ses voisins. Cette société socialement responsable offre des congés payés aux employés qui désirent faire du bénévolat. Edee Gail, une musicienne engagée dans sa communauté, a aidé à sauver la *mesa*, un point de repère qu'on voit de chez David. Récemment, lorsqu'elle a chanté dans une résidence, une femme âgée a quitté le groupe et, selon une infirmière qui se trouvait là, est morte en chantant la chanson qu'Edee était en train d'interpréter.

Virginia Moran est spécialiste en investissement écologiquement et socialement responsable. Elle a développé son expertise alors qu'elle faisait une recherche sur le rôle des entreprises durant la guerre du Vietnam. «Elles avaient intérêt à faire durer la guerre, rappelle-t-elle en parlant de sa recherche. J'ai décidé d'apprendre à aider les gens à aligner leurs investissements sur leurs valeurs. Puis, je me suis retrouvée à San Francisco et j'ai participé à certains des premiers meetings du Forum d'investissement social. Lorsque Desmond Tutu est venu aux États-Unis pour demander aux investisseurs de retirer leur soutien financier à l'apartheid sud-africain, nous avons entrepris des démarches dans des secteurs précis, en demandant aux gens de s'engager envers cette cause. Les Églises furent particulièrement utiles pour faire passer le message. Cinq ans plus tard, l'économie [sud-africaine] a commencé à flancher, en partie à la suite de nos efforts[8].»

Virginia détient des investissements personnels dans des plantations diversifiées de bois dur au Costa Rica et dans de petits prêts à des micro-entreprises qu'elle appelle les «banques d'amorçage». Euphorique, elle explique l'excellente performance des fonds avec lesquels elle travaille. «Quatre fonds communs de placement socialement responsables ont dépassé le rendement total de 95 % des 500 premières compagnies évaluées par Standard & Poor's de 1996 à 1999. Et ce, notamment parce qu'ils filtrent beaucoup de gaspillage, d'imputabilité et de pollution. On n'y voit pas des compagnies qui ont été citées par l'Agence de protection de l'environnement ou qui ont eu des problèmes syndicaux. Et la plupart de ces sociétés ne vous obligent pas à soutenir des produits frivoles ou éphémères, comme les Pet Rocks. Les rendements actuels — surtout dans la haute technologie — vont inciter davantage les gens à investir en fonction de leurs convictions politiques et éthiques.»

Ces personnes ne sont que quelques-uns des résidants d'Harmony Village, et la plupart des autres sont eux aussi engagés dans des activités qui élargissent la signification conventionnelle du mot «valeur». Leur emploi du temps diminue l'importance de l'argent. Épargner suffisamment pour la retraite? Bien sûr. Mais a-t-on besoin d'une auto neuve pour rivaliser avec les voisins? Pas vraiment, car les voisins conduisent une voiture bien entretenue, mais assez vieille pour que certains la qualifient d'«antique».

Le but d'Harmony Village est de «créer un quartier coopératif composé d'individus variés partageant des ressources humaines dans un cadre communautaire écologiquement responsable». Pour réaliser ce vaste programme, le groupe recycle, composte, cultive un jardin communautaire et s'occupe d'affaires locales, comme d'empêcher la construction du dernier segment d'une autoroute de contournement (ça a marché!). Comme le reste des Américains, les résidants d'Harmony sont victimes d'une économie qui ne «pige» pas toujours. Récemment, ils ont pris en flagrant délit des employés de la compagnie de recyclage qui mélangeaient des matériaux soigneusement triés avec des déchets destinés au site d'enfouissement.

Le groupe se livre également à des expériences novatrices, comme l'agriculture soutenue par la communauté. Puisque leur propre jardin est encore en développement, un grand nombre de voisins ont réservé leurs fruits et légumes auprès d'un fermier local dont l'épouse vient leur porter, chaque mardi, de huit à dix paniers d'une quarantaine de litres de produits agricoles. Cela permet à J.P., le fermier, de savoir au début de la saison de culture les quantités qu'il doit planter.

On discute activement d'une coopérative de véhicules efficace et sérieuse. Comme le dit Gary Gardner dans le bulletin de l'institut World Watch, «les voitures passent la plus grande partie de leur vie (95 % en moyenne) stationnées, occupant de l'espace sans transporter personne — sans rien accomplir de leur raison d'être[9]». À une époque à ce point marquée par le travail à la maison et les mises à la retraite, et avec le retour désespéré du transport public, certains résidants d'Harmony se demandent pourquoi on ne pourrait pas circuler avec moins d'autos, ce qui diminuerait la superficie des stationnement et des routes, et accaparerait une moins grande part des revenus personnels en assurance-auto.

Le quartier possède déjà un réseau informel de prêt de voitures et une approche très encourageante du transport. «Si tu as besoin d'aller chercher ta voiture au garage, tu n'as qu'à parcourir le quartier pour voir qui est là», dit Laura Herrera, une locataire de la communauté. Un dimanche matin à 4 h 20, Dave a reçu un appel désespéré d'un voisin qui voulait prendre un avion pour partir en vacances, mais dont la carte d'identité était expirée. «Crois-tu pouvoir entrer chez moi, prendre ma carte et arriver à l'aéroport d'ici 47 minutes, avant le départ de l'avion?» demanda-t-il. Puisqu'il n'y avait pas de circulation, Dave y arriva en 36 minutes.

Même si les résidants n'appellent pas leur quartier Utopia, ils apprennent la citoyenneté par l'expérience — une aventure passionnante, bien que parfois frustrante. L'habitation communautaire n'est que l'une des nombreuses façons de créer des quartiers vivants et conviviaux, et elle n'a pas besoin de s'installer dans des constructions neuves. (Par exemple, la communauté Nomad, à Boulder, au Colorado, partage un espace public avec un théâtre existant, tandis que l'On-Going Community de Portland, en Oregon, a réhabilité de vieilles maisons du quartier que des membres ont pu acheter à bon marché.) Chaque fois que des promoteurs, des dirigeants municipaux et des citoyens actifs arrivent à créer un endroit qui optimise les relations sociales et réduit au minimum le gaspillage (y compris celui des ressources, du temps et de l'argent), ils s'attaquent à la rage de consommer.

La richesse responsable

Comme nous l'avons vu dans cette section du livre, il est possible que les valeurs économiques américaines soient en train de changer — peut-être juste à temps. Un autre signe de changement se manifeste là où l'on ne l'attendait pas : dans les rangs des gens riches et célèbres. L'expression «club de millionnaires» évoque généralement des marchés impitoyables, conclus derrière des portes closes, mais lorsqu'il s'agit d'une rencontre de l'organisation Responsible Wealth, ces millionnaires complotent peut-être un don d'argent.

Plus de 400 des membres de Responsible Wealth ont déjà redistribué des millions de dollars de profits que leur accordait une récente loi réduisant les impôts sur les gains de capital. Ils se sont également opposés à des efforts en vue d'abolir l'impôt sur l'héritage, qui n'affecte que des gens comme eux. Selon Mike Lapham, l'un des fondateurs du groupe, «la société n'a pas intérêt, à long terme, à entretenir une élite qui habite dans des lotissements privés, tandis qu'en bas de l'échelle des gens vivent derrière des barreaux ou dans la pauvreté». Parmi les membres de Responsible Wealth, on compte la chanteuse Cher et l'actrice Christine Lahti.

Un autre membre, Michele McGeoy, millionnaire du logiciel, dit ceci: «Si je gagne de l'argent à regarder monter le prix de mes actions et que quelqu'un d'autre doit travailler dur en tant qu'enseignant, pourquoi devrais-je être imposée à un taux inférieur? C'est peut-être bon pour moi du point de vue économique, mais ça n'aide pas à construire une société saine[10].»

Que se passe-t-il dans la tête de ces gens? Pourquoi ne se contentent-ils pas de fermer les yeux, de récolter l'argent et de retourner à leurs fusions et acquisitions? Apparemment parce qu'ils ont atteint un point de satiété. À présent, ils retirent une plus grande satisfaction en contribuant au bien commun. En un sens, ils réinvestissent — non pas seulement pour le profit, mais pour les personnes.

CHAPITRE 27

Vaccins et vitamines

Une once de prévention vaut une livre de remèdes, dit le vieil adage. Nous sommes nombreux à prendre cette prescription au sérieux chaque automne et à aller consciencieusement nous faire vacciner. Lorsque nous sentons venir un virus, nous avalons quelques comprimés de vitamine C en espérant que Linus Pauling savait de quoi il parlait. Bien entendu, aucune piqûre ni pilule véritable ne peut prévenir ou adoucir les effets de la rage de consommer (à une exception près : pour le petit pourcentage de personnes vraiment accros du shopping auxquelles les psychiatres prescrivent parfois des médicaments contre la compulsion et des antidépresseurs, avec des résultats prometteurs). Mais il existe de puissants antivirus, au sens figuré, qui peuvent nous vacciner contre la rage de consommer, et certaines vitamines tout aussi efficaces peuvent nous mettre à l'abri de la maladie.

Les antipubs

On pourrait qualifier la ville de Vancouver, en Colombie-Britannique, de quartier général de la recherche sur le vaccin contre la rage de consommer. C'est là que vit Kalle Lasn, l'auteur de *Culture Jam*, qui pourrait être un jour à la surconsommation ce que Jonas Salk est à la polio. Kalle Lasn est le directeur de la Media Foundation qui publie *Adbusters*, une populaire revue trimestrielle. Cette publication est un amalgame de critiques érudites de la consommation et d'habiles antipubs qui parodient souvent de vraies annonces. Par exemple, une parodie des publicités pour *Obsession* de Calvin Klein montre des hommes regardant fixement dans leurs sous-vêtements, tandis qu'une autre, qui se moque de la vodka Absolut, montre une bouteille de vodka en plastique partiellement fondue, avec le texte «Impuissance Absolue» et, en petits caractères, l'avertissement suivant : «Boire augmente le désir mais diminue la performance.»

Une autre annonce, qui ne parodie aucun produit existant, montre un jeune et séduisant homme d'affaires qui se tourne vers Mammon : «Je veux une religion qui ne me complique pas la vie avec des exigences éthiques déraisonnables.» C'est une référence évidente à la déclaration du Christ : «Vous ne pouvez servir à la fois Dieu et Mammon.» «Nous ne sommes pas les plus grands dans le domaine spirituel, mais notre croissance est la plus rapide», déclare l'antipub de Mammon. C'est un rappel subtil, mais efficace, du déclin de la vraie spiritualité à l'ère de la rage de consommer.

Les parodies les plus réussies d'*Adbusters* sont peut-être les antipubs de cigarettes. Dans l'une d'elle, deux cow-boys genre Marlboro chevauchent côte à côte dans le crépuscule. «Je m'ennuie de mon poumon, Bob», dit le texte. Une autre série d'antipubs parodie Joe Camel, un personnage de bande dessinée conçu, selon des critiques du tabac, pour vendre des cigarettes aux enfants. Joe Camel devient «Joe Chemo» [«chimio», NDT], un chameau qui meurt du cancer, étendu dans un lit d'hôpital et branché à une panoplie d'équipements de survie, ou déjà mort du cancer et reposant dans son cercueil.

Retourner la publicité contre elle-même

Les antipubs sont des vaccins, car elles utilisent le virus lui-même pour développer la résistance. «Nous avons découvert, quand nous avons commencé à publier *Adbusters*, que si nous produisions une annonce qui ressemble à une pub pour l'essence Chevron ou pour Calvin Klein et qui trompe les gens quelques secondes avant qu'ils ne se rendent compte qu'elle dit le contraire d'une vraie pub, nous créons une sorte de moment de vérité qui les oblige à réfléchir à ce qu'ils ont vu[1]», explique Kalle Lasn.

Né en Estonie durant la Deuxième Guerre mondiale, Kalle Lasn a passé les premières années de sa vie dans un camp de réfugiés. Il se rappelle les difficultés matérielles d'alors, «mais c'était une époque où notre famille était très proche, où notre communauté était très proche, et je m'en souviens avec affection». Il a beaucoup voyagé, de l'Allemagne à l'Australie, puis au Japon, où il a travaillé dix ans en marketing, jusqu'à ce que soudain, il en ait assez. Il a émigré à Vancouver et s'est mis à tourner des documentaires. En 1989, il a produit sa première antipub pour la télévision, une parodie des annonces de la Commission de tourisme de la Colombie-Britannique, montrant la frappante beauté naturelle de la province. La publicité de Kalle Lasn montrait ce que devient cette beauté lorsque des compagnies forestières procèdent à des coupes à blanc dans les forêts anciennes de la Colombie-Britannique. Comme il fallait s'y attendre, les stations de télévision refusèrent de diffuser cette antipub, même si Kalle Lasn était prêt à payer le temps d'antenne.

Kalle Lasn lança le magazine *Adbusters* comme alternative pour faire passer son message anticommercial. Mais son but véritable est, aujourd'hui encore, de diffuser des antipubs à la télévision commerciale, qu'il qualifie de «centre de commandement de notre culture de consommation». Lui et ses collègues, dont la plupart n'ont pas la moitié de son âge, ont produit des dizaines d'antipubs pour la télé. L'une d'elles proclame «la fin de l'ère de l'automobile» pendant qu'un dinosaure de métal, construit à partir de voitures modèles réduits, s'écroule sur le sol. D'autres font la promotion de la «semaine de dégoût de la télé», critiquent le fait que l'industrie de la beauté favorise l'anorexie et la boulimie, ou montrent un taureau fonçant dans une boutique de porcelaine, en critiquant le fait d'utiliser le produit national brut comme mesure de la santé économique.

Une grande part des antipubs sont produites par des gens qui travaillent vraiment dans l'industrie publicitaire. «Comme ils ont des scrupules par rapport à l'éthique de leur secteur, dit Kalle Lasn, ils viennent clandestinement nous aider à véhiculer nos messages, qui tentent d'utiliser la télévision pour améliorer le monde.»

Pas de place sur le petit écran

Mais Kalle Lasn avoue n'avoir pas encore réussi à diffuser ces messages à la télévision: «Tous les grands réseaux de l'Amérique du Nord ont rejeté à peu près toutes nos antipubs.» Il rapporte une discussion avec un cadre de CNN. À l'époque, Kalle Lasn voulait acheter, pour l'une de ses annonces contre l'industrie de la beauté, du temps d'antenne durant un défilé de mode présenté à CNN.

«Écoutez, personnellement, j'aime votre campagne, a dit le cadre à Kalle Lasn. Je crois qu'elle contient un message social très important. Nous devrions diffuser des publicités comme celle-ci sur un plan officiel, mais je vous dis tout de suite que nous ne la diffuserons jamais, parce que Revlon, Maybelline et Calvin Klein s'en prendraient à nous dès le lendemain, et que c'est avec eux qu'on fait notre argent.»

Kalle Lasn continue de contester les rejets devant les tribunaux, mais ceux-ci décident presque toujours que ses annonces sont politiques et que les seules publicités politiques que les réseaux sont tenus de diffuser sont celles des candidats pendant les campagnes électorales. Tant pis pour la liberté de parole et le respect du premier amendement. «Nous avons besoin d'un libre marché des idées, au lieu d'une boutique fermée où seuls les messages de consommation sont permis», dit Kalle Lasn avec une pointe de colère. «C'est vraiment une lutte pour le droit de communiquer. Je crois que c'est l'un des droits humains les plus importants dans cette ère de l'information.»

La journée sans achat

Seul parmi tous les réseaux, CNN accepta de diffuser l'une des antipublicités de Kalle Lasn dans laquelle un porc surgit d'une carte de l'Amérique du Nord. «Le Nord-Américain moyen consomme cinq fois plus qu'un Mexicain, dix fois plus qu'un Chinois et trente fois plus qu'un Indien. Nous sommes les consommateurs les plus voraces du monde», dit le porc en rotant bruyamment. «Ça suffit comme ça!», poursuit le narrateur. Ce message fait la promotion d'un événement annuel appelé Buy Nothing Day, la journée sans achat, qui a lieu le vendredi qui suit l'Action de grâce, point de départ de la saison des achats de Noël aux États-Unis.

Lancée à Vancouver en 1992, la journée sans achat est maintenant célébrée dans au moins 20 autres pays. Les participants acceptent de ne rien acheter ce jour-là, de détruire leurs cartes de crédit et de manifester pour encourager personnes à les imiter. À Vancouver, juste avant la journée sans achat, des équipes de jeunes casseurs de pub courent dans les rues, la police aux trousses, en collant des affiches difficiles à enlever sur les vitrines des magasins.

«La journée sans achat a littéralement explosé, dit Kalle Lasn. Elle est devenue une célébration internationale de la frugalité, du respect pour la planète et de la simplicité volontaire.» Il estime que l'esprit de la journée sans achat doit se répandre et être présenté comme un vaccin efficace contre la rage de consommer, car le style de vie nord-américain est tout à fait impossible à soutenir. «La surconsommation est la mère de tous nos problèmes d'environnement», dit-il avant de retourner travailler à une autre antipub.

Des condoms pour cartes de crédit

En incluant plusieurs antipubs de Kalle Lasn dans le documentaire *Affluenza*, on a permis aux téléspectateurs de les voir sur la chaîne publique PBS. Beaucoup ont trouvé qu'elles constituaient l'un des moments forts de l'émission. Mais lorsque John Graff et ses coproducteurs ont voulu créer eux-même une antipub — une fausse annonce d'intérêt public — pour l'inclure dans la suite du documentaire, *Escape from Affluenza*, on les a obligés à la supprimer. Sans quoi PBS n'aurait pas présenté l'émission aux heures de grande écoute.

Cette fausse pub — «un message d'intérêt public de la part de vos héritiers» — faisait la promotion d'un instrument contre la rage de consommer, appelé prophylactique à cartes de crédit. Il s'agissait d'une petite enveloppe servant à ranger sa carte de crédit qui porte l'avertissement suivant : «Avant d'acheter, demandez-vous : En ai-je vraiment besoin ? Puis-je l'emprunter à quelqu'un d'autre ? Les matériaux sont-ils réutilisables ou recyclables ? Combien de temps devrai-je travailler pour me l'offrir ?» Une femme conseille à une amie plus jeune qu'elle de pratiquer le «magasinage sans risque» [*safe shopping*] au moyen de ce prophylactique. «Et rappelle-toi», dit-elle en parodiant American Express avec un sourire, «ne pars pas sans lui».

PBS refusa de laisser ce message dans *Escape from Affluenza* parce que les programmateurs auraient dû prévenir les stations locales de la référence à un prophylactique pour cartes de crédit. Les programmateurs étaient convaincus qu'au moins 50 réseaux locaux affiliés à PBS en régions rurales ne diffuseraient pas l'émission parce que, dans leurs marchés, les condoms sont tabous. PBS connaît son public. Mais, quel que soit le nom qu'on lui donne, nous croyons que le condom pour cartes de crédit est une idée magnifique qui peut aider les gens à réfléchir avant de dépenser.

Les maîtres de l'argent

Pour être vraiment efficace contre la rage de consommer, les campagnes de vaccination et de vitamines devront commencer en bas âge, auprès des enfants. Des modèles de programmes préventifs existent déjà — mais aucun ne semble aussi efficace que celui de San Diego, en Californie. Dans les écoles de la région de San Diego, le programme Money Masters est appliqué de la maternelle au secondaire.

Des membres du personnel du Consumer Credit Counseling Service (CCCS) se rendent dans les écoles pour montrer aux élèves comment épargner et dépenser intelligemment. L'un d'eux leur demande de deviner combien il a payé son séduisant costume. Les estimations vont jusqu'à cinq fois le prix réel. Son secret : acheter des vêtements d'occasion dans des friperies et des boutiques de consignation. Comme prévu, les jeunes sont impressionnés. «Cela vous montre seulement que vous n'avez pas à dépenser beaucoup pour avoir l'air professionnel», leur dit Gerardo Favela, employé permanent au CCCS[2].

Irene Wells, directrice du CCCS de San Diego, explique que son conseil d'administrateurs bénévoles a pris des proportions alarmantes au cours de l'augmentation spectaculaire des faillites à San Diego. «Ils se sont demandés : quand est-ce que ça va s'arrêter ?» Gabriella Lopez, qui a conçu le programme Money Masters pour les écoles, dit avoir été surprise de voir augmenter à chaque semestre le nombre d'étudiants du secondaire qui utilisent des cartes de crédit, et dont beaucoup sont lourdement endettés.

À présent, les étudiants de San Diego ne reçoivent pas leur diplôme avant d'avoir appris à gérer sagement leur argent. Tanya Orozco, une mère célibataire de San Diego, est contente que sa fille Anita ait suivi le programme. Cela a permis à l'adolescente de mieux comprendre les efforts de sa mère pour économiser dans les limites serrées de son budget. Quelques années plus tôt, Tanya avait eu recours au CCCS pour gérer ses propres dettes. Maintenant, Anita et elle gardent un œil attentif sur toutes leurs dépenses.

Les employés du CCCS vont même présenter le programme dans des maternelles. Ils offrent des présentations bilingues dans lesquelles ils suggèrent aux enfants de quatre ou cinq ans d'épargner dans une tirelire et de réfléchir sérieusement avant de dépenser leur argent. Des parents rapportent aux employés du CCCS que leurs enfants leur disent maintenant d'épargner. «Chaque fois que les parents achètent quelque chose, les enfants leur demandent "Est-ce qu'on en a vraiment besoin?"» raconte Gerardo Favela en riant. Ces enfants ont dans les veines une bonne dose de vaccin contre la rage de consommer.

Pour comprendre les médias

Dans bien d'autres écoles du pays, les enseignants aident leurs étudiants à se protéger des publicités porteuses de la rage de consommer en leur montrant comment analyser la façon dont les médias les manipulent. Le concept s'appelle «se familiariser avec les médias» et, à l'ère de la rage de consommer, cela peut être aussi important que d'apprendre à lire. Les étudiants dissèquent les publicités de la télévision pour découvrir les techniques psychologiques utilisées pour convaincre d'acheter. Ils analysent les besoins que chaque annonce prétend combler, puis se demandent s'il existe de meilleures façons, moins coûteuses, de répondre à ces besoins. De plus en plus, les commissions scolaires éclairées exigent ces cours de familiarisation avec les médias.

Souvent, les plus réussis combinent l'analyse des publicités à des ateliers de production vidéo, pour que les étudiants apprennent directement les techniques d'efficacité de la télévision. Malory Graham, qui enseigne la production vidéo et la connaissance des médias à Seattle, a reçu l'appui de la division du traitement des déchets solides du comté pour enseigner des techniques de vidéo à des étudiants du secondaire. Elle a ensuite demandé à ses élèves de produire leurs propres messages d'intérêt public faisant la promotion du recyclage et de la consommation durable. Bien que Seattle ait l'un des meilleurs taux de recyclage du pays, une augmentation de la consommation signifie une croissance des sites d'enfouissement — et le recyclage ne peut soutenir l'accélération de la production des déchets.

Les ateliers de production et de connaissance des médias donnés par Malory Graham joignent la possibilité d'une pratique de la production, qui passionne les jeunes, à une plus grande connaissance de l'impact de leur consommation. «Je crois qu'il est plus difficile pour les annonceurs de manipuler des élèves qui ont suivi un programme comme celui-ci[3]», conclut-elle.

Partout aux États-Unis, de nombreux étudiants initiés à la connaissance des médias se familiarisent également avec les salaires et les conditions de travail déplorables des usines où se fabriquent certains des produits de marque qu'on veut leur faire désirer. Ils manifestent contre les *sweatshops* et le travail des enfants, et refusent de devenir des panneaux réclame ambulants.

«Les adolescents et préadolescents d'aujourd'hui constituent les révolutionnaires de demain, dit Gerald Celente. Ils seront très antimatérialistes[4].» Mais seulement s'ils se font vacciner.

CHAPITRE 28

Prescriptions politiques

Au cours des chapitres précédents, nous avons exploré des stratégies volontaires, sur le plan personnel, communautaire et professionnel, en vue de contenir la rage de consommer. Toutes sont nécessaires et aideront des millions de gens à tenir la maladie en échec. Mais une épidémie atteint parfois de telles proportions qu'il faut passer à l'action politique, habituellement sous forme de quarantaine. Dans le cas de la rage de consommer, ce stade a selon nous été atteint.

Malgré 20 ans de médisances qui ont laissé le public américain dans un profond cynisme quant aux capacités du gouvernement, nous croyons que ce dernier peut jouer un rôle important dans la création d'une société résistante à la rage de consommer ou, pour parler en termes plus positifs, favorable à la simplicité. Comme bien des gens, nous croyons que l'action personnelle ne suffira pas à guérir nos maux sociaux.

Tout comme les symptômes de la rage de consommer, les efforts du public en vue de juguler l'épidémie doivent être nombreux et interreliés. Aucune recette magique ne peut tout résoudre à elle seule. Il faudra une stratégie globale à tous les paliers de gouvernement, du local au fédéral, élaborée autour de plusieurs domaines clés d'action:

- la réduction des heures de travail;
- la restructuration des systèmes fiscaux et salariaux;
- la réforme des entreprises, y compris la responsabilité de cycles entiers de production;
- l'investissement dans une infrastructure durable;
- le réacheminement des subsides gouvernementaux;
- une nouvelle conception de la protection de l'enfance;
- une réforme du financement des campagnes;
- de nouvelles idées sur la croissance économique.

Retour au chemin le moins fréquenté

Tout d'abord, pour enrayer l'étendue de la maladie, il faut revenir à un projet social qui fut une priorité du mouvement syndical pendant un siècle, avant de tomber soudainement en disgrâce. Au chapitre 16, nous avons expliqué comment, après la Deuxième Guerre mondiale, on avait présenté aux Américains ce que l'économiste Juliet Schor appelle «un choix remarquable». Comme la productivité a plus que doublé, les Américains auraient pu choisir de travailler moitié moins (ou encore moins) tout en maintenant le niveau de vie matériel qui leur semblait opulent dans les années 1950. Ils auraient pu partager la différence en laissant leurs aspirations matérielles s'élever un peu, mais aussi en transformant une portion importante de leurs gains de productivité en augmentation du temps libre. Les Américains ont plutôt choisi de mettre tous leurs œufs dans l'augmentation de la production et de la consommation.

Validée par la loi en 1938, la semaine de travail de 40 heures est encore la norme. La loi permet d'établir une nouvelle norme et il faut le faire. Peut-être pas une norme uniforme — une semaine de

30 heures ou une journée de six heures, comme on l'a proposé dans les années 1930 (et plus récemment, en 1993, dans un projet de loi du Congrès rédigé par Lucien Blackwell, représentant démocrate de la Pennsylvanie), ou encore une semaine de 32 heures, composée de quatre journées de huit heures, bien que, pour de nombreux travailleurs américains, l'un ou l'autre de ces choix serait idéal.

Mais il s'agirait surtout de réduire le nombre d'heures de travail annuelles, qui est maintenant de 2000 en moyenne, dépassant même celui du Japonais surmené. Deux mille heures, cela donne 250 journées de huit heures. Ajoutons 104 journées de week-end et neuf congés nationaux, et nous obtenons 363 jours — ce qui ne laisse que deux jours pour les vacances. Telle est la situation actuelle en Amérique.

Si la journée de travail moyenne était de six heures, nous n'y consacrerions qu'environ 1500 heures par année, la norme en Europe occidentale. C'est 500 heures de plus — 12 semaines et demie ! — de temps libre. Voici donc une suggestion : une norme de 1500 heures par année pour le travail à temps plein, à raison de 40 heures maximum par semaine. Ensuite, il faudrait permettre aux travailleurs de trouver des façons flexibles d'occuper ces 1500 heures.

Une réduction de travail flexible

On trouvera d'excellentes idées de réduction des heures de travail, inspirées par différents pays, dans le livre peu connu mais important d'Anders Hayden, *Sharing the Work, Sparing the Planet*.

L'un ou l'autre de ces scénarios pourrait faire l'objet d'une entente volontaire entre travailleurs et employeurs, mais une législation sur la réduction des heures de travail infligerait de fortes pénalités à l'employeur qui obligerait ses employés à travailler au-delà du maximum de 1500 heures par semaine.

D'après des sondages, la moitié de la main-d'œuvre américaine accepterait, en échange d'une réduction des heures de travail, une réduction de salaire proportionnelle[1]. Mais cette réduction ne devrait pas être calculée selon un ratio d'un contre un. La productivité horaire des travailleurs est supérieure lorsque leurs heures de travail sont moins nombreuses. L'absentéisme est réduit et la santé s'améliore. Par conséquent, comme l'avait reconnu W.K. Kellogg dans les années 1930, une semaine de 30 heures vaut un salaire de 35 heures, peut-être plus. En fait, Ron Healy, consultant auprès d'entreprises d'Indianapolis, a convaincu plusieurs industries locales d'adopter ce qu'il appelle le plan « 30-40 ». Elles offrent à des employés potentiels un salaire normal de 40 heures pour une semaine de 30 heures. Grâce à l'augmentation de la productivité des employés, l'expérience a réussi dans la plupart des cas.

Moins de temps supplémentaire, plus de vacances

Mais, pour lutter contre la rage de consommer, il ne faut pas craindre d'échanger des revenus contre du temps libre. En plus de la réduction à 1500 heures par année, la législation pourrait garantir aux travailleurs le droit de choisir de nouvelles réductions d'heures — plutôt qu'une augmentation de salaire —, lorsque la productivité s'élève, ou de nouvelles réductions d'heures à salaire réduit, lorsque la production stagne.

À court terme, il faut une législation immédiate qui rendra illégale la pratique du temps supplémentaire obligatoire, par laquelle les employeurs imposent fréquemment à leurs travailleurs des semaines de 50 heures ou plus, souvent sur de longues périodes. Plusieurs grèves industrielles récentes ont été centrées sur l'élimination de cette prérogative des employeurs, qui empêche presque des centaines de milliers de travailleurs de voir leur famille.

Et si l'année de 1500 heures paraît trop ambitieuse comme but immédiat, l'augmentation de la période des vacances (trois semaines après un an d'emploi, quatre semaines après trois ans), récemment proposée par le magazine de voyage *Escape*, ne semble poser aucune difficulté majeure. Joe Robinson, le rédacteur en chef, mène actuellement une campagne appelée Work to Live, afin d'amener le

Congrès à adopter une législation fédérale exigeant une période de vacances comparable à la norme européenne[2]. Interrogé sur l'idée d'allonger les vacances, un membre du personnel de George W. Bush, alors candidat, a répondu : « Ça paraît formidable. Notre pays a besoin de ça. » Mais parmi les candidats eux-mêmes, seul Ralph Nader a vraiment endossé l'idée. Dans la situation actuelle, même les Japonais sont assurés, par la loi, de 25 jours de congé annuels. Et les Américains ? Zéro.

Le partage du travail en temps de récession

Autre raison d'étaler le travail en raccourcissant les heures : le boom économique actuel ne sera pas éternel (il a même bien failli finir avant la parution de ce livre !). Au moment où l'on écrivait ceci (novembre 2000), le Nasdaq était en train de s'effondrer et des sociétés point-com disparaissaient quotidiennement (la chute du dot-communisme ?), ce qui entraînait une remontée des mises à pied. Lorsqu'une véritable récession arrivera, dira-t-on tout simplement « sayonara, tant pis pour toi » à ceux qui auront perdu leurs emplois ? On peut mieux faire. Supposons qu'une compagnie, pour réduire la production de 20 %, s'imagine qu'il faille congédier le cinquième de sa main-d'œuvre. Pourquoi ne réduirait-elle pas plutôt d'une journée la semaine de travail de chaque employé ?

Bien sûr, il faudrait alors que tous les travailleurs apprennent à vivre avec moins — ce qui n'est pas une mauvaise idée, de toute façon —, mais personne ne serait jeté aux loups. Et nous prédisons que chacun apprécierait bientôt ses nouveaux congés. Par ailleurs, si l'on n'adopte pas de plans semblables et que des millions de gens se retrouvent soudainement au chômage, on peut s'attendre à une nouvelle montée en flèche de tous les autres indicateurs sociaux négatifs — criminalité, éclatement des familles, suicide, dépression et ainsi de suite. On vous aura prévenus.

La retraite graduelle

Il y a d'autres façons d'échanger de l'argent contre du temps. Bien des universitaires ont droit à des congés sabbatiques, qui vont de trois mois à un an, à un intervalle de quelques années, habituellement contre une réduction de salaire durant cette période. Pourquoi pas un système de congés sabbatiques tous les sept ou dix ans pour tous les travailleurs qui se portent volontaires et qui accepteraient un diminution de salaire modérée ? Nous avons tous besoin de recharger nos batteries de temps à autre.

Et que dire d'un système de retraite graduelle ? Pour beaucoup, le passage brutal de 40 à zéro heures de travail par semaine porte un dur coup à l'estime de soi en prend et laisse une large place à l'ennui. Il faudrait plutôt concevoir un système de pension et de sécurité sociale qui permettrait une retraite graduelle. Supposons qu'à 50 ans, on réduise de 300 heures son année de travail — presque huit semaines. Puis, à 55 ans, de 300 autres. À 60 ans, encore de 300. Et à 65 ans, de 300 de plus. Nous voilà descendus à 800 heures de travail (si le schéma annuel actuel ne change pas). Chacun pourrait alors avoir le choix de cesser complètement le travail rémunéré, ou de continuer à travailler aussi longtemps que possible 800 heures par année.

Cela permettrait d'apprécier les loisirs, de faire plus de bénévolat et de développer son esprit bien avant la retraite définitive. Un plus grand nombre de jeunes travailleurs pourraient se trouver des positions et des travailleurs plus âgés pourraient rester en poste plus longtemps pour leur servir de mentors. Des travailleurs plus âgés pourraient poursuivre leurs carrières tout en ayant le temps d'équilibrer leurs vies.

Une variante tout aussi valable de cette idée consiste à permettre aux travailleurs de prendre une partie de leur retraite anticipée à différentes étapes de leur carrière, par exemple lorsqu'ils ont besoin de temps supplémentaire pour s'occuper de leur famille. L'idée ultime, développée dans certains pays européens, est qu'une vie de travail rémunérée serait constituée d'un certain nombre d'heures, avec une flexibilité considérable quant à leur exécution.

L'impôt

En un sens, l'élection de 2000 aux États-Unis s'est jouée sur l'impôt. Al Gore voulait réduire l'imposition des Américains, et Bush encore plus. Ce qui a manqué, c'était une discussion sur les catégories d'impôt et leur usage potentiel. Seule exception : Bush, partisan encore plus ardent que Gore de la rage de consommer, a proposé de mettre fin à l'impôt sur l'héritage, que ne payent que les plus riches, soit 2 % des Américains.

Pourtant un changement du régime fiscal semblable à celui qui est déjà en cours dans certaines parties de l'Europe pourrait largement contribuer à freiner la rage de consommer. La première étape de ce changement pourrait venir d'une idée appelée la taxe sur la consommation progressive. Proposée par l'économiste Robert Frank dans son livre *Luxury Fever*, cette taxe remplacerait l'impôt sur le revenu personnel. On imposerait plutôt la consommation individuelle, à un taux allant de 20 % (sur des dépenses annuelles inférieures à 40 000 $) à 70 % (sur des dépenses annuelles de plus de 500 000 $). En gros, l'idée consiste à imposer aux taux les plus élevés les cas les plus graves de fièvre du luxe (ou rage de consommer) afin d'encourager l'épargne au lieu des dépenses.

En même temps, il faut permettre aux Américains à faibles revenus de répondre à leurs besoins de base sans avoir besoin de cumuler plusieurs emplois. La vieille idée catholique de revenu familial ou naturel pourrait être appliquée au moyen d'un impôt sur le revenu négatif, ou de crédits d'impôt qui garantiraient à tous les citoyens un niveau de vie simple mais suffisant, au-dessus du seuil de pauvreté.

Idée tout aussi prometteuse : l'écotaxe. Ses partisans voudraient remplacer la taxe sur les *bonnes* choses, comme le revenu — et l'impôt sur les salaires, qui décourage l'emploi — par une taxe sur les *mauvaises* choses, comme la pollution ou le gaspillage des ressources non renouvelables. En somme, le marché refléterait les coûts véritables de nos achats. Il en coûterait bien plus cher pour conduire une voiture énergivore, par exemple, légèrement plus pour ce livre (afin de couvrir les coûts réels du papier), mais pas davantage pour une leçon de musique ou un billet de théâtre.

De plus, une taxe sur le carbone découragerait la consommation de carburants fossiles. Une taxe sur la pollution découragerait la contamination de l'eau et de l'air. Les frais de dépollution seraient ajoutés sous forme de taxe sur ce dont la production est polluante. Une telle taxe ramènerait le prix des aliments bio au niveau de celui des produits agricoles aspergés de pesticides. La taxe sur la diminution des ressources augmenterait le prix des ressources non renouvelables et réduirait le prix relatif des marchandises faites pour durer.

En dépit de sa complexité, ce système d'écotaxe pourrait largement contribuer à décourager la consommation nocive pour l'environnement ou la société, tout en encourageant des alternatives appropriées. Dans l'état actuel des choses, nous subventionnons plus souvent ce que nous devrions taxer — les industries d'extraction comme les mines (2,6 milliards de dollars de subsides par année) et les voyages en avion et en auto, par exemple. Nous pouvons, et devons, renverser la situation en subventionnant des technologies et des activités propres (voir le chapitre 25), comme l'énergie éolienne et solaire ou les fermes biologiques familiales, au lieu du pétrole et de l'industrie agricole.

La responsabilité des entreprises

Une autre façon de réduire l'impact de la consommation consiste à exiger que les entreprises soient entièrement responsables du cycle de vie de leurs produits, une idée de mieux en mieux acceptée en Europe. Le principe est simple et fort bien expliqué dans le livre *Natural Capitalism* de Paul Hawken et Amory et Hunter Lovins. Au lieu de vendre un produit, les compagnies le loueraient à long terme. Puis, à la fin de sa vie utile, elles le récupéreraient pour le réutiliser ou le recycler, épargnant de précieuses ressources.

L'idée du cycle de vie complet bénéficie déjà d'un appui considérable de la part des entreprises, sous le leadership de Ray Anderson, p.d.g. d'Interface Corporation, un fabricant de tapis industriels, et d'entreprises qui se sont jointes au mouvement Natural Step, acceptant d'être responsables de tout le cycle de vie de leurs produits. Si les compagnies acceptent cette responsabilité, elle devront en inclure les frais afférents dans le prix de leurs marchandises.

Les Pays-Bas à la rescousse

Une telle responsabilité sera obligatoire dès 2006 dans l'Union européenne, du moins pour les fabricants d'automobiles. Mais, vu le grand nombre de compagnies et de produits qui voyagent dans le monde entier, une loi hollandaise pourrait constituer une solution plus efficace. Aux Pays-Bas, les acheteurs de voitures versent une taxe de démontage à l'achat de leur véhicule. Lorsque la voiture atteint la fin de sa vie utile, ils l'emmènent à une usine de démontage, où elle est soigneusement dépouillée de tout ce qui est encore utilisable. On n'écrase ensuite que la coquille métallique, qui sera recyclée (aux États-Unis, comme on écrase tout — fils, plastique, etc. —, presque tout est jeté aux rebuts). Les usines des Pays-Bas, qui sont bon marché et de type traditionnel, emploient beaucoup d'ouvriers et traitent un grand nombre de voitures. La taxe de démontage, qui fait partie du plan national de politique écologique (ou plan vert), sera bientôt étendue à un grand nombre d'autres biens de consommation[3].

Faire cesser les abus commis à l'égard des enfants

Ralph Nader, l'avocat des consommateurs, dit que la récente montée du marketing destiné aux enfants équivaut à un «abus commis par des entreprises à l'égard des enfants». On dirait que les spécialistes du marketing ont sciemment entrepris d'inoculer aux enfants la rage de consommer, répandant le virus dans tous les lieux qu'ils fréquentent. Il est temps de protéger les jeunes. On peut au moins sortir le mercantilisme des écoles, en commençant par le réseau télévisé Channel One. Aux États-Unis, la lutte contre Channel One unit la gauche et la droite — Nader et Phyllis Schlafly ont tous deux témoigné contre lui devant le Congrès — et présente une occasion de bâtir des ponts dans un pays de plus en plus déchiré idéologiquement.

Deuxièmement, il faut commencer à restreindre la publicité télévisée destinée aux enfants. Déjà, des endroits comme la Suède et le Québec l'encadrent sévèrement. Tous les parents aimeraient probablement que la publicité à la télé cesse de manipuler leurs enfants. De plus, une forte taxe sur la publicité en général dirait sans équivoque à l'industrie américaine qu'il faut absolument enrayer l'épidémie de rage de consommer.

La réforme du financement des campagnes

Bien sûr, il existe des dizaines d'autres idées de réglementations anti-rage de consommer et nous manquons d'espace pour les mentionner ici, mais aucune ne se réalisera tant que ceux qui profitent le plus de cette maladie tireront les ficelles du système politique américain. Le simple coût des élections — en 2000, 100 millions de dollars ont été dépensés pour une seule course au Sénat dans le New Jersey — laisse les candidats redevables aux bailleurs de fonds, des nantis bien décidés à maintenir leur position.

Ainsi, la première législation contre la rage de consommer doit être une réforme du financement des campagnes. Il faut retirer les comités de soutien du domaine politique et offrir aux candidats un temps d'antenne égal pour présenter leurs idées, sans toutefois leur permettre de diffuser des publicités de 30 secondes, soignées mais insignifiantes. Jim Hightower, l'ancien commissaire à l'agriculture du Texas, a raison de dire que «l'eau ne va pas s'éclaircir si on ne sort pas les cochons du ruisseau[4]».

L'économie américaine va-t-elle s'effondrer ?

Et si les Américains se mettaient à acheter des voitures plus petites et plus économiques, à les conduire moins et à les garder plus longtemps ? Et si l'on prenait moins de vacances loin de chez soi ? Et si l'on décidait de simplifier sa vie, de moins dépenser, d'acheter moins, de travailler moins et de s'accorder plus de temps de loisir ? Et si le gouvernement se mettait à récompenser l'épargne et à punir le gaspillage, légiférait sur la diminution des heures de travail et taxait les publicitaires ? Et si l'on faisait payer aux consommateurs et aux entreprises les coûts réels des produits ? Qu'arriverait-il à l'économie américaine ? S'effondrerait-elle, comme l'affirment certains économistes ?

En vérité, on ne le sait pas exactement, car aucun grand pays industrialisé ne s'est vraiment engagé dans cette voie. Mais on a de nombreuses raisons de croire que le chemin serait faisable, accidenté au départ, puis plus lisse par la suite. En revanche, si l'on continue à rouler sur l'autoroute actuelle, on découvrira qu'elle finit comme la 880 à Oakland durant le tremblement de terre de 1989 — impraticable et en ruines.

On ne peut certainement pas nier que, si chaque Américain adoptait demain la simplicité volontaire, il en résulterait une rupture économique d'envergure. Mais cela n'arrivera pas. La fin de la rage de consommer, si nous avons la chance de la connaître, surviendra graduellement, peut-être sur une génération. La croissance économique, telle que mesurée par le produit national brut, ralentira et pourrait même devenir négative. L'économiste Juliet Schor souligne que, dans plusieurs pays européens (dont la Hollande, le Danemark, la Suède et la Norvège), l'économie a connu une croissance beaucoup plus lente que la nôtre, mais que la qualité de vie — que beaucoup mesurent selon les indicateurs dont nous nous réclamons, comme le temps libre, la participation des citoyens, la diminution de la criminalité, une plus grande sécurité au travail, l'égalité des revenus, la santé et la satisfaction générale — est plus élevée que la nôtre. Ces économies ne montrent aucun signe d'effondrement. Et la façon dont elles équilibrent la croissance par la durabilité est largement acceptée par des gens de toutes les tendances politiques. Comme le dit l'ex-premier ministre hollandais Ruud Lubbers :

> *Il est vrai que les Hollandais ne tendent pas à maximiser le produit national brut par habitant. Nous visons plutôt une qualité de vie élevée, une société juste, participative et durable. L'économie hollandaise est très efficace par heure de travail, mais le nombre d'heures de travail par citoyen est plutôt limité. C'est ce que nous aimons. Évidemment, cela accorde une place beaucoup plus grande à tous les aspects importants de nos vies qui ne relèvent pas de nos emplois, pour lesquels nous ne sommes pas payés et n'avons jamais assez de temps[5].*

Du temps pour ajuster les attitudes

Si une législation contre la rage de consommer amène un ralentissement de la croissance ou une stabilité économique sans croissance, nous y serons favorables — de toute façon, comme nous le verrons au prochain chapitre, la croissance du PNB est une mesure médiocre de la santé sociale. L'élimination du virus de la rage de consommer aura également pour effet de diminuer le stress, d'augmenter le temps de loisir et d'allonger l'espérance de vie. Elle accroîtra le temps consacré à la famille, aux amis et à la communauté. Elle réduira la circulation, la rage au volant, le bruit, la pollution, et introduira un mode de vie plus harmonieux et plus riche.

Dans une publicité télévisée des années 1960, un acteur prétend que la cigarette Kool est «pure et fraîche comme une bouffée d'air frais». On ne peut s'empêcher de réagir, aujourd'hui, en regardant cette publicité, mais lors de sa première diffusion personne ne riait. Depuis, on a compris que la cigarette tue silencieusement et qu'elle est malsaine. On a banni la publicité du tabac à la télévision. On taxe sévèrement les cigarettes, on restreint les sections fumeurs et on cherche à faire payer aux compagnies de tabac le coût intégral des dommages que provoque la cigarette. Celle-ci paraissait sexy autrefois, mais aujourd'hui la plupart des gens la trouvent grossière.

Si, en ce qui concerne la cigarette, nos attitudes ont à l'évidence changé, maintenant que les dangers de la rage de consommer sont de plus en plus démontrés, il est sûrement temps de procéder à un nouveau changement d'attitude.

CHAPITRE 29

Bilans de santé annuels

Un patient en rémission du cancer exige des bilans de santé réguliers qui permettront d'évaluer son état. Il en va de même dans le cas de la rage de consommer. Une fois la guérison commencée, des bilans annuels aident à prévenir des rechutes coûteuses et épuisantes. Des germes persistants, comme la dette, la vulnérabilité à la publicité et l'obsession des biens à acheter peuvent provoquer une rechute non seulement au niveau des individus, mais aussi des communautés et des économies nationales. Des bilans de santé permettent de traquer ces germes et de les éliminer!

Les indicateurs quantitatifs, tels que le rendement des investissements, les revenus d'impôt et le produit national brut, ne nous disent pas tout sur notre santé. D'autres indicateurs fournissent une vue plus globale : vérification de la consommation personnelle, indicateurs communautaires et indicateur de progrès véritable (IPV).

Trop souvent, la complexité de la vie se ramène à une seule question lancinante : «Avons-nous assez d'argent?» Pour Vicki Robin, coauteure de *Your Money or Your Life*, cette question est beaucoup trop étroite. Soulignant que nous échangeons notre énergie vitale contre de l'argent, elle demande :

- Recevons-nous un épanouissement, une satisfaction et une valeur proportionnels à l'énergie vitale dépensée ?
- Cette dépense d'énergie vitale est-elle alignée sur nos valeurs et notre objectif de vie ?

On ne s'attendrait pas à ce que le poids soit le seul indice de santé d'une personne. Ni la pression sanguine. Ainsi, le grand total des dépenses (comme le PNB) est une simple mesure quantitative, mais non qualitative. Aveugle, elle ne peut distinguer la prospérité de la survie.

Évaluer son histoire personnelle

Il est fort simple de mesurer son bien-être ou sa joie de vivre : il suffit de se demander si l'on a hâte de sortir du lit le matin. Mais la froide et dure vérité, c'est qu'on peut sauter énergiquement du lit un matin pour s'apercevoir, l'après-midi, qu'on a été congédié (bravo pour la joie de vivre !). Ou pis, on peut soudainement découvrir qu'on a une maladie encore plus grave que la rage de consommer et qu'il ne nous reste qu'une année à vivre. Vous consacrez-vous à ce qui compte le plus pour vous — par exemple, les relations avec les gens, les idées ou la nature ? Qu'avez-vous toujours voulu faire que vous n'avez pas encore fait parce que vous étiez trop occupé à gagner et à dépenser de l'argent ? Comment développer ce dont vous êtes le plus fier ?

Ce genre de questions permet de faire le point et de prendre le contrôle de sa vie. Des réponses honnêtes évacuent les illusions et les vieilles habitudes. Elles amènent au vif du sujet. Comme le faisait observer Irvin Yalom, « ne pas prendre possession de son plan de vie, c'est faire de son existence un accident[1] ».

Une bonne façon de commencer à reprendre possession de sa vie consiste à identifier ce qu'on chérit le plus. Dans un cahier, décrivez les événements les plus importants de votre vie, y compris les relations personnelles, les naissances et les morts, les accomplissements, aventures, illuminations et déceptions. Rappelez-vous la première maison de votre vie adulte, votre premier amour. Notez l'importance relative de vos biens matériels. Vous ont-ils satisfait autant que les liens, les émotions et les gestes?

À présent, énuméréz vos principes majeurs — par exemple, la justice, la confiance, l'amour inconditionnel, le soin de la nature, la sécurité financière, le courage, l'entretien de la santé. Ce sont les principes sur lesquels fonder les décisions de votre vie, car ce sont vos valeurs les plus grandes, les plus élevées. Appliquez-les à vos relations, à votre carrière et à vos plans d'avenir, et demandez-vous si la poursuite constante de la richesse et des biens n'exige pas plus d'efforts qu'elle n'en mérite.

Pour votre bilan de santé annuel, sortez votre cahier et révisez le mémoire en cours. Certains événements de l'année écoulée méritent-ils d'être inclus dans les plus grands succès de votre vie? Quels gens admirez-vous le plus dans cette dernière année? Avez-vous suivi votre code d'éthique personnel, avec peut-être quelques exceptions pardonnables?

Ce qui compte vraiment

Et maintenant, dites adieu à la rage de consommer! En reliant votre histoire personnelle et vos valeurs à vos dépenses annuelles, vous pouvez déterminer si vous vivez selon vos critères. Chaque année, en préparant votre déclaration d'impôt, préparez aussi votre évaluation personnelle — sans toutefois vous donner de date de tombée. (Après tout, il s'agit de trouver une date pour remonter!) Vos dépenses liées à la consommation sont-elles en accord avec ce qui importe vraiment à vos yeux? Avez-vous trop dépensé pour le logement, le divertissement ou les gadgets électroniques? Vos dépenses vous ont-elles demandé du temps de travail supplémentaire, ce qui, à son tour, a réduit le temps que vous avez passé avec votre famille?

Êtes-vous satisfait de vos contributions charitables ? Recevez-vous quelque chose en retour de l'argent dépensé ?

Bilan communautaire : des indicateurs de durabilité

Dans un numéro récent du quotidien *Denver Post*, on rapportait que, selon divers sondages, la ville de Denver, bâtie en altitude, dominait le palmarès national de l'habitabilité. Mais, dans le même numéro, on disait que le problème croissant de circulation à Denver se situait, lui aussi, parmi les plus alarmants. Bien sûr, les meilleures choses ont toujours un côté négatif, mais où est la limite du supportable ?

C'est essentiellement la question que des activistes communautaires se sont posée il y a dix ans, à Seattle, lorsqu'ils ont rassemblé un échantillon de chefs d'entreprise, de représentants élus, de médecins, d'écologistes et autres, pour créer une liste d'indicateurs de durabilité pour la région métropolitaine. (Par durabilité, ils désignent «la santé et la vitalité à long terme — du point de vue culturel, économique, écologique et social».) Il n'est pas facile de tenir compte de 40 indicateurs, mais Lee Hatcher, le coordinateur du projet, est convaincu que ces indicateurs fournissent un portrait plus complet de la santé des gens, des lieux et de l'économie de Seattle que les mesures conventionnelles comme la valeur des propriétés et la construction domiciliaire. Déjà, des centaines de citoyens de la ville ont consacré bénévolement des milliers d'heures à créer et à mettre à jour ces indicateurs.

Lee Hatcher souligne comment les liens entre les indicateurs peuvent engendrer une pensée holistique dans la communauté. «Prenez un indicateur : le nombre de saumons sauvages retournant frayer, dit-il. Celui-ci est relié à l'économie — tourisme, loisirs et pêche — aussi bien qu'à l'environnement — l'abattage d'arbres et le ruissellement qui polluent les ruisseaux. Si nous observons de plus grandes populations de saumons, cela veut probablement dire que nous prenons mieux soin de l'habitat que nous partageons avec eux[2].»

QUARANTE INDICATEURS DE DURABILITÉ À SEATTLE

- Saumon sauvage
- Marécages
- Biodiversité
- Érosion du sol
- Qualité de l'air
- Respect des piétons
- Espace libre dans les villages urbains
- Surfaces imperméables
- Population
- Consommation résidentielle d'eau
- Déchets solides générés et recyclés
- Prévention de la pollution, usage des ressources renouvelables
- Surface de terres agricoles
- Kilométrage parcouru et consommation d'essence
- Utilisation d'énergie renouvelable et non renouvelable

- Concentration de l'emploi
- Chômage réel
- Distribution du revenu personnel
- Dépenses de soins de santé
- Travail requis pour les besoins de base
- Ratio d'accès au logement
- Enfants vivant dans la pauvreté
- Occupation des salles d'urgence
- Capital communautaire
- Alphabétisation chez les adultes
- Diplômés d'écoles secondaires
- Diversité ethnique des enseignants
- Éducation artistique
- Engagement bénévole dans les écoles
- Criminalité juvénile

- Engagement des jeunes dans le service communautaire
- Égalité devant la justice
- Faible taux de natalité, enfants en bas âge
- Taux d'hospitalisation dû à l'asthme chez les enfants
- Participation de l'électorat
- Utilisation de la bibliothèque et du centre communautaire
- Participation publique dans les arts
- Activités de jardinage
- Bon voisinage
- Qualité de vie perçue

Si une communauté a un excellent pointage en éducation artistique pour les enfants, le taux de criminalité juvénile peut diminuer, le nombre de diplômés des écoles secondaires peut augmenter et l'emploi général peut également s'améliorer. Cependant, si le nombre d'enfants pauvres augmente, la criminalité et la maladie pourraient également augmenter, ce qui entraînerait des séquelles à long terme dans la société.

Pour Linda Storm, résidante de Seattle depuis 18 ans, les indicateurs fournissent un précieux feed-back sur des qualités précises. «Pour moi, la durabilité à Seattle, cela veut dire: pouvoir trouver des endroits proche de chez moi où je peux me rendre à pied pour rencontrer mes voisins (rues favorables aux piétons, espaces ouverts dans les villages urbains, bon voisinage), respirer de l'air frais et pur (qualité de l'air) et voir des plantes indigènes (biodiversité, marécages[3]).» Cependant, un grand nombre de ces indicateurs sont en déclin, en proportion directe de la croissance d'indicateurs négatifs tels que les surfaces imperméables (59 % du territoire de Seattle ont maintenant été pavés).

Les indicateurs ne nous disent pas toujours ce que nous voudrions entendre, mais une évaluation pertinente de la santé de nos communautés peut au moins stimuler les soins intensifs. Lee Hatcher dit ceci: «Les indicateurs ressemblent aux jauges et aux cadrans du tableau de bord d'un avion. Un design soigné et une observation attentive révèlent la situation de l'appareil et permettent de prendre de bonnes décisions concernant l'itinéraire. Sans indicateurs, on ne ferait que naviguer au pif.»

Le bilan de santé national: l'indicateur de progrès véritable (IPV)

Les médias, les courtiers en valeurs mobilières et les institutions de prêt font partie de ceux qui considèrent le produit national brut (PNB) comme un indicateur de la prospérité. Mais le PNB nous dit-il vraiment si l'économie est saine? Les économistes de Redefining Progress croient que non. Dans un rapport intitulé

«Pourquoi la taille n'est pas un critère de mieux-être», ils écrivent ceci :

> *Imaginez que des amis lointains vous envoient une lettre pendant leurs vacances annuelles, dans laquelle ils disent avoir passé leur meilleure année parce qu'ils ont dépensé plus que jamais. Cela a commencé durant la saison des pluies, alors que le toit coulait et que la colline située derrière chez eux s'est mise à s'affaisser. Pour reconstruire le toit, il a fallu enlever les nombreuses couches, jusqu'aux poutres, et on a eu recours à des ingénieurs pour empêcher la cour arrière de s'éroder. Peu après, Jane s'est cassé la jambe dans un accident de voiture. Un séjour à l'hôpital, une chirurgie, une physiothérapie, une nouvelle voiture et une aide à domicile, tout cela a entamé leurs économies. Puis, comme ils ont été cambriolés, ils ont dû remplacer un ordinateur, deux télés, un magnétoscope et une caméra vidéo. Ils ont également acheté un système de surveillance pour garder ces nouveaux achats en sécurité[4].*

Ces gens ont dépensé plus que jamais et légèrement contribué à l'augmentation du PNB, mais ont-ils été plus heureux ? Pas vraiment, en cette année infernale. Et que dire d'un pays dans lequel le PNB continue de croître ? Ses citoyens sont-ils plus heureux ? Cela dépend clairement de la façon dont on dépense cet argent.

L'une des missions principales de Redefining Progress est de repérer les aspects négatifs et cachés du PNB, montant étalon qui constitue, depuis un demi-siècle, la drogue préférée des économistes conventionnels. Tant que le PNB s'élève, tout va bien. Les politiciens citent le gonflement du PNB comme preuve de l'efficacité de leurs politiques économiques, et les investisseurs se rassurent : avec l'expansion générale de l'économie, la valeur de leurs actions va également s'accroître. Mais même le principal architecte du PNB, Simon Kuznets, disait qu'«on peut difficilement déduire le bien-être d'un peuple d'une mesure comme le PNB[5] ».

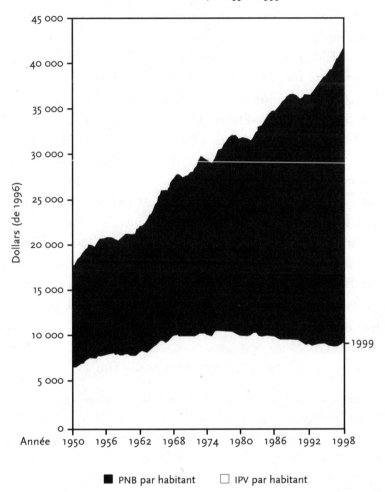

IPV CONTRE PNB, DE 1950 À 1999

■ PNB par habitant   □ IPV par habitant

Voici pourquoi : bien que l'ensemble des indices continuent de monter, de nombreuses variables clés se sont dégradées. Comme nous l'avons mentionné, l'écart entre les riches et les autres s'élargit. Les États-Unis empruntent de plus en plus à l'étranger — un symptôme d'épargnes anémiques et d'une dette intérieure monumentale. Les coûts économiques et écologiques de la dépendance aux carburants fossiles continuent de monter.

Lorsqu'une ville abat des arbres feuillus pour élargir une rue et que les résidants doivent acheter un climatiseur, le PNB s'élève. Il monte également lorsque des parents divorcent, lorsqu'on construit de nouvelles prisons et lorsque les médecins prescrivent des anti-dépresseurs. La pollution est également un facteur important, comme l'explique Joanne Kliejunas de Redefining Progress : « Le PNB comptabilise la pollution au moins quatre fois : lorsqu'elle est produite, lorsqu'on la nettoie, lorsqu'elle engendre des coûts de soins de santé et lorsqu'il y a des frais juridiques pour régler les poursuites[6]. » En fait, une analyse attentive révèle qu'une grande part de l'économie décrite par le PNB est fondée sur le crime, les déchets et la destruction de l'environnement !

Par contraste avec le PNB — qui additionne toutes les transactions monétaires —, l'IPV évalue les dépenses en ajoutant des actifs invisibles, tels que les travaux ménagers, les soins parentaux et le bénévolat, et en soustrayant de l'économie nationale les aspects négatifs suivants :

DÉPENSES INCLUSES DANS LE PNB

Coût de la criminalité	Coût de la pollution de l'air
Coût de l'éclatement des familles	Coût de la pollution par le bruit
Perte du temps de loisir	Perte des marécages
Coût du sous-emploi	Perte du sol agricole
Coût des biens de consommation durables	Épuisement des ressources non renouvelables
Coût du transport jusqu'au travail	Coût des dommages à long terme à l'environnement
Coût de la réduction de la pollution dans les maisons	Coût de l'épuisement de la couche d'ozone
Coût des accidents de voitures	
Coût de la pollution de l'eau	Perte des forêts anciennes

Pour faire le bilan annuel du pays, Joanne Kliejunas et de plus en plus d'économistes de premier ordre proposent que l'IPV apparaisse juste à côté du PNB annuel, pour montrer la qualité de l'économie.

Des mesures additionnelles sont nécessaires pour évaluer l'utilisation qu'on fait des ressources naturelles — celles dont on dispose par rapport à celles qu'on utilise. Des mesures comme l'empreinte écologique, utilisée par Redefining Progress, nous permet de voir d'année en année que notre style de vie basé sur la consommation dévore les ressources plus rapidement que la nature ne peut les régénérer. À ce rythme, tel un être dépensier qui se lance dans une frénésie d'achats en dilapidant son compte d'épargne, nous ne jouirons plus, dans les prochaines années, du revenu régulier que nous procurait la nature.

Mathis Wackernagel, économiste de Redefining Progress, dit ceci : « L'empreinte écologique est en train de s'imposer dans l'analyse des marchés. Certaines banques nous ont demandé d'analyser la sécurité des obligations gouvernementales. Elles veulent savoir si les pays ont des déficits écologiques et s'ils dépensent leur richesse naturelle de manière excessive. »

L'IPV et l'empreinte écologique se composent en fait de sens commun assorti d'un esprit analytique et pragmatique. La vitalité nationale, comme la santé individuelle et communautaire, n'est pas vraiment une question de tableaux PowerPoint et d'habitudes commerciales inconscientes. Elle dépend de réalités tangibles comme la santé des gens, des lieux, le capital naturel et les générations futures. À tous les niveaux de la société, il est temps de prendre rendez-vous pour un bilan annuel holistique.

CHAPITRE 30

De nouveau
en bonne santé

Chacun connaît ce sentiment : on s'éveille après une longue maladie et soudainement, miraculeusement, on se sent à nouveau plein de vie ! On a hâte de se replonger dans les choses qu'on a négligées et d'en entreprendre de nouvelles. On ne se sent plus isolé, impuissant ou mal à l'aise. C'est ce qui se passe lorsqu'on vainc la rage de consommer. Imaginez, sur votre bracelet-montre, un cadran qui n'aurait que deux positions : « Vie » et « Mort ». (Est-ce que ça ne serait pas plus simple ainsi ?) Lorsque vous changez de priorités pour vous consacrer à ce qui compte vraiment, l'aiguille de ce cadran pencherait soudain vers la vie.

Au cours de la rédaction de ce live, nous avons parlé à bien des gens dont les idées se sont intégrées à nos processus de réflexion. Un lecteur de la première heure a vu dans notre manuscrit une analogie entre les victimes de la rage de consommer et les prisonniers de guerre. «Nous sommes prisonniers d'une économie qui détruit notre environnement, nos communautés et notre paix intérieure. Imaginez ce que ce sera à la fin de la guerre, lorsque nous serons libérés. Ou quand la rage de consommer sera éliminée de nos vies. Nous aurons un tel sentiment de liberté et de légèreté.»

Après avoir lu un passage sur la chute sans précédent des taux d'épargne aux États-Unis, un autre de nos lecteurs a imaginé que 50 millions de gens retiraient tout leur argent d'un seul coup et, n'ayant plus aucune épargne, changeaient rapidement leur façon de vivre. «Il y aurait tout un bazar sur le trottoir devant les maisons, disait-il en hochant la tête. Je vois déjà les affiches: "Ford Excursion, presque neuve, 300$", "Télé à grand écran (56 pouces), gratuite. Bain à remous, gratuit.»

Un troisième lecteur était d'avis que chacun semble garder dans son salon un éléphant qu'il tente désespérément d'ignorer. «Comme nous ne savons pas du tout comment l'en sortir, nous apprenons tout simplement à vivre avec», remarquait-il.

Mais peut-être pas. Il y a des milliers d'actions à entreprendre pour vaincre le virus — et déloger l'éléphant. Bien qu'elles échappent largement à l'œil des médias grand public, elles sont déjà entreprises, façon de faire habituelle du peuple. Au travail, les changements vont des codes vestimentaires à l'autogestion. On constate une résurgence de la foi et de la spiritualité, et une préoccupation croissante pour l'amélioration de la santé, à travers la qualité de l'alimentation, les médecines douces et les produits de soins personnels tellement écologiques qu'on pourrait en manger (par exemple, de la crème pour la peau à l'avoine, du shampoing au riz et au gingembre). Un récent sondage mené par des constructeurs domiciliaires a révélé que l'efficacité énergétique est devenue, l'an dernier, l'une des considérations principales des acheteurs. On établit des liens entre ce qu'on consomme et le sort de l'environnement. Il est clair que l'économie est en transition.

Nous espérons que ce livre aidera les lecteurs à prendre des remèdes contre la rage de consommer qui ont déjà fonctionné pour des milliers de gens. Tout processus de guérison comporte une constante : reconnaître qu'on a un problème — et c'est tout aussi vrai à l'échelle individuelle, communautaire, régionale et nationale.

Retour à la vie

Leader spirituel, Joanna Macy presse notre civilisation de respirer profondément, d'avouer qu'elle a un problème majeur et de se sevrer collectivement. Elle travaille à créer une nouvelle éthique mondiale fondée sur la façon dont la nature — y compris la nature humaine — fonctionne vraiment (des modes de vie fondés sur la réalité, quelle idée !). Dans le passé, comme elle le dit dans son livre *Coming Back to Life*, le monde nous est apparu comme une collection de pièces détachées, mais nous sommes maintenant prêts pour un grand tournant, pour une nouvelle façon de comprendre[1].

L'idée de l'interdépendance et de l'auto-organisation de la vie a toujours été perçue sur un plan spirituel, mais cette perception se manifeste maintenant en biologie et en physique. La foi devient fait, dit Joanna Macy, à mesure que les scientifiques rassemblent des preuves que les systèmes vivants du monde «ne sont peut-être pas des tas d'éléments disjoints, mais plutôt des systèmes organisés d'une façon dynamique et délicatement équilibrés — interdépendants en chaque mouvement, en chaque fonction, en chaque échange d'énergie et d'information».

Beaucoup de gens soulignent que les systèmes de la Terre utilisent leur feed-back à la manière d'un thermostat, pour rester en santé. Mais Joanna Macy croit que le feed-back humain est en train d'être absorbé par une économie obsédée. «Il est naturel de s'inquiéter de l'état du monde, croit-elle. Nous en sommes des parties intégrantes, comme les cellules d'un corps plus grand. Lorsque ce corps est traumatisé, nous le sentons... Cependant, notre culture nous conditionne à considérer la douleur comme une dysfonction.

À voir les publicités et les campagnes électorales, nous concluons qu'une personne prospère déborde d'optimisme... "Soyez sociable", "Continuez de sourire", "Si vous n'avez rien de gentil à dire, ne dites rien". »

Mais, à moins de reconnaître que notre environnement et un grand nombre des aspects de notre culture sont malades, comment pouvons-nous entreprendre une action dirigée pour les guérir ? « Le problème n'est pas notre douleur devant le monde, mais le fait que nous la réprimions, conclut Joanna Macy. Nos efforts en vue de l'éviter ou de l'émousser empêchent une réponse efficace. » De même, notre retrait volontaire de la participation politique et sociale diminue le pouvoir collectif des citoyens. Lorsque nous fonctionnons strictement en tant que moi plutôt que nous, c'est que nous avons été divisés et conquis.

Nous vivons à l'ombre de délirantes idées préconçues comme « La Terre nous appartient » ou « Le plus vite est le mieux ». (Concernant cette dernière croyance, Gandhi répondait : « La vitesse, ce n'est pas ce qui compte si vous allez dans la mauvaise direction. ») Une vieille publicité pour les chips Doritos saisit bien cette vision du monde contaminée par la rage de consommer : « Croquez-en tant que vous voudrez, nous en fabriquerons davantage. » Mais Joanna Macy et beaucoup d'autres proposent de nouvelles façons de voir le monde qui renforcent notre système immunitaire contre cette mentalité de convoyeur. Ils voient, par-delà le prestige et les paillettes, une réalité plus enracinée et plus féconde. Au lieu de faire du lèche-vitrine (ou du lèche-écran), pour acheter de la vie, ils nous incitent à vivre avec plus de passion.

Un nouveau rêve

Betsy Taylor, directrice du Center for a New American Dream, fonctionne consciemment en mode nous. Elle a le courage de constater les dommages que nous infligeons et de travailler activement à les enrayer. « Notre maison est en feu, dit-elle avec conviction, et il y a des enfants à l'intérieur[2].» (Comme nombre de ses collègues, elle croit que le détecteur de fumée s'est déclenché au début de la révolution industrielle.) «Le réchauffement planétaire menace maintenant le tissu même de la vie, dit-elle. Mais l'homme reste dans le déni.»

«Des individus qui agissent seuls ne peuvent résoudre le problème», dit Betsy Taylor, bien qu'elle reconnaisse le rôle important de chacun. Elle envisage un avenir positif — un nouveau rêve — façonné par une combinaison d'innovations technologiques, de réformes politiques et d'un changement important de la conscience. «Dans 25 ans, de nouvelles politiques gouvernementales fourniront des mesures incitatives pour que nous utilisions différemment les matériaux et l'énergie, prédit-elle. Des nouvelles politiques de transport, de gestion des déchets, de recyclage et de taxation aideront les individus et les institutions à consommer intelligemment [...] Les prix des marchandises refléteront les véritables coûts écologiques de l'utilisation des ressources naturelles et de la production de déchets. Le gouvernement utilisera son pouvoir d'achat pour ouvrir des marchés à des produits verts.»

En effet, Betsy Taylor a décelé un bon signe avant-coureur de l'éveil de notre culture somnambule! «Allez dans n'importe quelle librairie et vous verrez des centaines de livres sur les valeurs, l'équilibre, la méditation et la simplicité, dit-elle. Notre site web en est un autre exemple. Cette année, nous aurons de huit à dix millions de requêtes, car les gens cherchent à s'informer davantage sur un mode de vie durable.» Par-delà la réduction de la consommation, la mission du centre englobe sa canalisation dans des choix plus intelligents, comme l'achat de produits durables. Autrement dit, puisque nous sommes intelligents, nous remplacerons de plus en plus la consommation par une optimisation du design et de l'information. Par exemple, nous soutiendrons l'agriculture durable dans laquelle le contrôle naturel des parasites — une banque d'information biologiquement riche — remplace l'application de pesticides. Nous soutiendrons la conception de communautés favorables à la marche à pied, ce qui réduira le besoin de passer des heures dans un embouteillage inutile.

« Les gens prennent pour acquis qu'une économie dite durable équivaut à des sacrifices et à l'abandon du bien-vivre, dit Betsy Taylor. Mais regardez ce que nous abandonnons avec notre rêve actuel : nous perdons les traditions culturelles, la sagesse indigène, des espèces, des langues, les relations, la confiance, la communauté et la santé — et tout cela est plus précieux que l'argent. » Dans le nouveau rêve de Betsy Taylor, le mot « simplicité » signifie bien plus qu'une réduction de la consommation. Il désigne la réduction des pensées inutiles, des déchets et du stress — l'élimination de l'artificiel et du superficiel en faveur de l'authentique. Ce n'est pas seulement la simplicité des choses, mais aussi celle des buts, et la clarté de l'esprit. C'est le contentement et la convivialité, plutôt que la confusion.

Le rêve en émergence qu'elle décrit n'est plus une vision ténue et fugace, il est précis, brillant et puissant. Lorsque nous nous éveillerons de notre actuel sommeil troublé, nous ne serons pas vêtus de sacs de jute — nous allons répondre à nos besoins de la *bonne* façon, sans nous surcharger de biens superflus et coûteux. Nous jouirons d'une richesse équivalente ou augmentée, mais elle sera redistribuée à des fins plus productives. Betsy Taylor cite la génération émergente de véhicules plus propres et plus légers ; l'énergie verte des turbines éoliennes d'allure spatiale ; les vêtements fabriqués sans fibres de pétrole ; les aliments biologiques de culture locale ; et les bâtiments qui ne rendent pas malades — surtout lorsqu'on ouvre les factures de chauffage. « Regardez ce qui est arrivé dans la culture d'entreprise, lorsque des compagnies ont fait la promotion de gammes de produits verts, comme les microprocesseurs plus efficaces de Philips qui pourraient rendre inutiles une demi-douzaine d'immenses centrales électriques. Regardez une ville comme Santa Monica, en Californie, avec ses édifices publics chauffés à l'énergie solaire et ses bars à salade bio dans les écoles publiques. »

« Une grande partie de ce qui est mis en marché actuellement n'est pas relié à la qualité de vie, mais au prestige et à l'image. Nous pouvons changer cela en développant de meilleurs modèles. » Elle parle de l'étoile du basket-ball Hakeem Olajuwon, qui a travaillé avec Spalding pour proposer des chaussures de sport à 35 $ sous la marque Olajuwon (bien des chaussures coûtent plus de 100 $ la paire). « Lorsqu'un nombre croissant de gens agiront selon leurs convictions et que celles-ci seront fondées sur des valeurs positives, nous ferons un nouveau rêve », prédit Betsy Taylor.

Avancer à la vitesse de la qualité

Les gens que nous avons interviewés s'entendent pour dire que notre répertoire actuel d'expressions est désuet. L'un des slogans les plus dépassés est : *The show must go on.* Ceux qui ont déjà réussi à éliminer la rage de consommer demandent : « Pourquoi ? » Si l'acheteur doit toujours se méfier, et si notre économie ressemble à une combine pyramidale dans laquelle les risques sont toujours repoussés vers les plus pauvres et vers l'environnement, pourquoi ne pas changer de scénario ? demandent-ils. Pourquoi ne pas lancer une nouvelle croisade, beaucoup plus grande que d'aller sur la lune ou même d'arrêter les nazis ? Pourquoi ne pas passer (rapidement !) à une nouvelle ère, dans laquelle la qualité, l'écologie, l'équité, la diversité, la flexibilité et la démocratie s'amalgameront en une économie durable ? Il est clair qu'en redistribuant la richesse sans précédent de notre génération, nous pourrons apporter des améliorations historiques à nos vies de même qu'à celles de nos arrière-arrière-petits-enfants. Pourquoi se contenter de pacotille quand on peut avoir de la qualité ?

En un sens, la qualité est à la rage de consommer ce que l'ail est aux vampires. La durabilité, les matériaux appropriés et le design adéquat éliminent le besoin d'avoir des montagnes d'objets, sans réduire la valeur générale. C'est une mathématique différente, où la question n'est pas « combien ? », mais plutôt « est-ce bien ? ».

Tout au long de ce livre, nous avons parlé des coûts cachés d'une économie qui tolère le gaspillage, la perte du capital naturel et les impacts sociaux négatifs. Une économie durable, quant à elle, comporte beaucoup d'avantages cachés. Par exemple, choisir des aliments biologiques contribue à empêcher l'érosion du sol agricole et permet de protéger nos lacs de la croissance des algues causée par les nutriments perdus qu'y apporte le ruissellement. Des aliments sains proviennent généralement de fermes saines. De même, l'achat de papier recyclé permet de rentabiliser l'industrie du recyclage, qui développe des produits fabriqués uniquement de matériaux recyclés. Nous parlons de changements très productifs mais relativement simples dans notre façon de vivre. Bien qu'il semble parfois renversant de penser à changer quelque chose d'aussi grand que sa vision du monde, le grand tournant de Jeanne Macy et le nouveau rêve de Betsy Taylor ne forment qu'un aspect de nos vies quotidiennes, tel que l'envisage Paul Hawken :

> *Joignez-vous à un groupe divers de gens dans une pièce — de genres, de races, d'âges, d'occupations et de niveaux d'éducation différents — et demandez-leur de décrire le monde dans lequel ils veulent vivre dans 50 ans. Voulons-nous passer deux heures en voiture pour nous rendre au travail ? Non. Voulons-nous être en bonne santé ? Oui. Voulons-nous vivre dans des endroits sécuritaires ? Voulons-nous voir nos enfants grandir dans un monde qui les remplit d'espoir ? Voulons-nous pratiquer notre religion sans craindre de persécutions ? Voulons-nous vivre dans un monde où la nature est abondante et non en voie de disparition ? Personne n'est en désaccord ; notre vision est la même. Nous avons besoin d'identifier ensemble les critères qui nous permettront d'y arriver[3].*

Avec une conception inspirée, nous pourrons disposer d'une architecture qui dure un millier d'années (au lieu de huit, comme bien des édifices de Wal-Mart). Avec une connaissance écologique mûrie, nous pourrons mettre au point un traitement des déchets qui imite la nature, comme les « machines vivantes » de John Todd, qui utilisent des biosystèmes divers et efficaces afin de purifier l'eau d'une façon esthétique. Nous pourrons avoir de l'énergie puisée directement dans les revenus (le soleil) plutôt que dans les économies (les carburants fossiles). Nous pourrons soutenir des banques locales qui, en retour, soutiennent des besoins locaux. Nous pourrons mener des vies moins stressées et avoir plus de temps pour notre famille et nos amis, comme le proposent les membres du mouvement *slow food*, pour qui le fast-food est synonyme d'anxiété. Nous avons des chances d'avoir ce que nous voulons si nous recyclons notre paradigme usé à la corde en un nouveau, dans lequel nos décisions et politiques seront inspirées davantage par nos espoirs que par nos peurs. Nous savons ce que serait un avenir dysfonctionnel : une suite sans fin de mauvaises nouvelles qui épuiseraient notre énergie et notre sentiment d'équilibre. Si nous continuons sur cette lancée, notre économie finira par faire naufrage comme le Titanic, et les eaux seront glaciales.

«Cela ne peut pas arriver, se dit-on les uns aux autres, notre économie est insubmersible.» Mais cela peut arriver — et cela arrivera —, si nous ne relevons pas nos manches. Nous devons convertir nos convictions en politiques, et nos idées sur le développement durable en réalités.

La dernière séance

Sur le plan individuel, pas besoin d'être millionnaire pour bien manger, bien dormir ou faire connaissance avec ses voisins. Certes, il faut vraiment consommer moins, sous peine de manquer de ressources abordables et d'endroits tolérables pour déverser nos déchets. Mais la question centrale de ce livre dépasse la réduction de la consommation : en fait, il s'agit de vouloir moins, d'avoir des besoins moindres. Au lieu d'envier la «vie des gens riches et célèbres», il nous est possible de nous tourner vers la «vie des gens contents et en santé», plus satisfaisante.

Pensez à tout l'argent que nous dépensons pour lutter contre diverses maladies, dont plusieurs (comme les allergies, le cancer, le diabète et les accidents cardiovasculaires) sont causées ou aggravées par nos styles de vie opulents. Puis rappelez-vous que la rage de consommer est la seule maladie dont nous puissions guérir en dépensant moins d'argent, et non plus.

En fin de compte, la question est la suivante : Lorsque votre heure sonnera et que toute votre vie se déroulera en un éclair devant vous, qu'est-ce qui retiendra votre intérêt ? Quelle part de l'histoire sera composée de moments de grâce et de clarté, de gentillesse et d'attention ? Le personnage principal — vous — paraîtra-t-il grand et noble comme la vie même, ou minuscule et absurde comme un personnage caricatural qui s'élance tel une flèche parmi des montagnes de marchandises ? Tout dépend de vous et, en fait, tout dépend de nous tous !

Notes

Introduction

1. Al Gore, *Earth in the Balance*, Boston, Houghton Mifflin, 1992, p. 221.
2. Entrevue personnelle, avril 1996.
3. Entrevue personnelle, octobre 1996.

CHAPITRE 1
La fièvre du shopping

1. *Statistical Abstract of the United States*, 1999.
2. *Harper's* Index, juillet 1999.
3. *All-Consuming Passion* (dépliant produit en 1998 par la New Road Map Foundation et Northwest Environment Watch), p. 6.
4. Entrevues à la station de télévision KCTS, octobre 1995.
5. *All-Consuming Passion*, p. 7.
6. Entrevue personnelle, avril 1996.
7. *All-Consuming Passion*, p. 6.
8. Bob Walker, «Mall Mania», *The Sacramento Bee*, 19 octobre 1998.
9. *Ibid.*
10. Paula Felps, «DotComGuy», *The Seattle Times*, 20 février 2000.

CHAPITRE 2
Une épidémie de faillites

1. Entrevue personnelle, mai 1996.
2. Robert Frank, *Luxury Fever*, New York, The Free Press, 1999, p. 46.
3. *Statistical Abstract of the United States*, 1999.
4. Entrevue personnelle, mai 1996.
5. Leslie Earnest, «Household Debt Grows Precarious As Rates Increase», *The Los Angeles Times*, 13 mai 2000.
6. Elizabeth Warren, «Bankruptcy Borne of Misfortune, Not Excess», *The New York Times*, 3 septembre 2000.

7. Leslie Earnest, *op. cit.*
8. Elizabeth Warren, *op. cit.*
9. Michael Mantel, « What Bush v. Gore Means for Empty Piggy Banks », *Business Week*, 11 septembre 2000.
10. Magazine *USA Weekend*, 12-14 mai 2000.
11. *All-Consuming Passion*, p. 11.

CHAPITRE 3
L'enflure des attentes
1. David Myers, *The American Paradox*, New Haven, Conn., Yale, 2000, p. 136.
2. Entrevue personnelle, avril 1996.
3. Entrevue personnelle, septembre 1996.
4. Entrevue personnelle, septembre 1996.
5. Keith Bradshear, « GM Has High Hopes for Road Warriors », *The New York Times*, 6 août 2000.
6. Voir l'abondance d'information sur le changement des attentes dans Richard McKenzie, *The Paradox of Progress*, New York, Oxford, 1997.
7. Paul Andrews, « Compaq's new iPac may be the PC for your pocket », *The Seattle Times*, 5 novembre 2000.
8. *All-Consuming Passion*, p. 4.
9. Entrevue personnelle, octobre 1987.
10. Entrevue personnelle, mai 1997.
11. James Lardner, « The Urge to Splurge », *U.S. News and World Report*, 24 mai 1998.

CHAPITRE 4
La congestion chronique
1. Michael Kidd, *White Paper on Self-Storage*, Self-Storage Association, mars 2000.
2. Entrevue personnelle, janvier 2000
3. John Fetto, « Time for the Traffic », *American Demographics*, janvier 2000, www.americandemographics.com.
4. Steven Ashley (dir.), *Mechanical Engineering*, disponible sur Internet, 1997.
5. Stephanie Simon, « Scientists Inspect Humdrum American Lives », *The Los Angeles Times*, 28 octobre 1999.
6. Ellen Goodman, citée dans *All-Consuming Passion*, 1998.
7. Erich Fromm, *Avoir ou être*, Paris, Robert Laffont, 1978.
8. Ellen Goodman, *op. cit.*
9. Entrevue personnelle avec Rathje, septembre 2000.

CHAPITRE 5

Le stress de l'excès

1. Entrevue personnelle, septembre 1996.
2. Entrevue personnelle, septembre 1996.
3. Extrait du documentaire *Running Out of Time*, 1994.
4. *Ibid.*
5. Staffan Linder, *The Harried Leisure Class*, New York, Columbia, 1970, p. 4.
6. *Ibid.*, p. 40.
7. Rodney Clapp, «Why the Devil Takes Plastic», *The Lutheran*, mars 1999.
8. Staffan Linder, *op. cit.*, p. 71.
9. Entrevue personnelle, octobre 1992.
10. Entrevue personnelle, septembre 1993.
11. Entrevue personnelle, octobre 1992.
12. Entrevue personnelle, mai 1993.
13. Voir, par exemple, Martin Moore-Ede, *The Twenty-Four Hour Societ*, Reading, Mass., Addison-Wesley, 1993.
14. Extrait du documentaire *Running Out of Time*, 1994.
15. Entrevue personnelle, octobre 1993.
16. Entrevue personnelle, octobre 1993.

CHAPITRE 6

Les convulsions familiales

1. Extrait du documentaire *Running Out of Time*, 1994.
2. William Bennett, *The Index of Leading Cultural Indicators*, p. 68.
3. Entrevue personnelle, mai 1996.
4. Entrevue personnelle, mai 1996.
5. Entrevue personnelle, mai 1996.
6. Entrevue personnelle, mai 1996.
7. Arlie Russell Hochschild, *The Time Bind*, New York, Metropolitan, 1997, dos de couverture.
8. Entrevue personnelle, mai 1996.
9. Entrevue personnelle, octobre 1996.

CHAPITRE 7

La fièvre infantile

1. Entrevue personnelle, avril 1996.
2. Voir par exemple James McNeal, *Kids As Customers*, New York, Lexington, 1992.
3. Sondage Harwood, *Yearning for Balance*, 1995.
4. Entrevue personnelle, octobre 1999.
5. Geoffrey Cowley et Sharon Begley, «Fat for Life», *Newsweek*, 3 juillet 2000, p. 40-47.

6. Montré dans le documentaire *Affluenza*, 1997.

7. Entrevue personnelle, octobre 1999.

8. Entrevue personnelle, avril 1996.

9. Entrevue personnelle, mai 1996.

10. Entrevue personnelle, avril 1996.

11. Entrevue avec Alex Molnar, avril 1996.

12. Entrevue avec le psychologue David Elkind, octobre 1993.

13. David Korten, *The Post-Corporate World*, San Francisco, Berrett-Koechler/Kumarian, 1999, p. 33.

14. Entrevue personnelle, mai 1996.

CHAPITRE 8

Des frissons dans la communauté

1. Ray Oldenburg, *The Great Good Place*, New York, Paragon House, 1991, p. xv.

2. Entrevue personnelle, mars 1997.

3. Robert Putnam, *Bowling Alone: the Collapse and Revival of American Community*, New York, Simon & Shuster, 2000, p. 49.

4. Eileen Daspin, «Volunteering On the Run», *Wall Street Journal*, 15 novembre 1999, p. W1.

5. «Our Separate Ways», *People*, 25 septembre 1995, p. 125.

6. Jeremy Rifkin, *L'âge de l'accès*, Paris, Pocket, 2002, p. 59.

7. Entrevue personnelle avec Stacy Mitchell, Institute for Local Self-Reliance, février 2000.

8. Entrevue personnelle avec Jeff Milchen, Boulder Independent Business Alliance, février 2000.

9. Entrevue personnelle, février 2000.

10. Entrevue personnelle, octobre 1998.

11. Edward J. Blakely et Mary Gail Snyder, *Fortress America: Gated Communities in the United States*, Washington, D.C., Brooking Institution Press, 1997.

12. Dyan Machan, entrevue avec Daniel Yankelovich, *Forbes*, 16 novembre 1998, p. 194.

13. Entrevue personnelle avec William O'Hare, Annie Casey Foundation, mars 2000.

14. *Ibid.*, p. 114.

15. Entrevue personnelle avec March Miringoff, mai 2000.

CHAPITRE 9

Le cœur serré par le sentiment d'inutilité

1. Entrevue personnelle, octobre 1999.

2. Entrevue personnelle, avril 1999.

3. Entrevue personnelle, septembre 1996.

4. Lee Atwater, «Lee Atwater's Last Campaign», magazine *Life*, février 1991.

5. Michael Lerner, *The Politics of Meaning*, Reading, Mass., Addison-Wesley, 1996, p. 5-8.

6. David Myers, *The American Paradox*, New Haven, Conn. Yale, 2000, p. 6-7.

7. Tim Kasser et Richard Ryan,« A Dark Side of the American Dream », *Journal of Personality and Social Psychology*, vol. 65, n° 2, 1993.

8. Tom Hayden, *Reunion*, New York, Random House, 1988, p. 82.

9. Entrevue personnelle, mai 1998.

10. William Willimon et Thomas Naylor, *The Abandoned Generation*, Grand Rapids, Mich., Eerdamns, 1995, p. 7-8.

11. Wilhelm Ropke, *A Humane Economy*, Indianapolis, Liberty Fund, 1971, p. 102.

12. *Ibid.*, p. 113.

13. *Ibid.*, p. 114.

14. Ernest van den Haag, « Of Happiness and of Despair We Have No Measure », dans *Man Alone*, p. 184.

15. *Ibid.*, p. 197.

CHAPITRE **10**

Les cicatrices sociales

1. Extrait du documentaire *Affluenza*, 1997.

2. Entrevue personnelle, novembre 1996.

3. Sylvia Nasar, « Even Among the Well-Off, the Richest get Richer », *The New York Times*, 24 mai 1992.

4. Felicity Berringer, « Giving by the Rich Declines », *The New York Times*, 24 mai 1992.

5. « The Widening Income Gap », Center on Budget and Policy Priorities, 4 septembre 1999.

6. « Millions Still Going Hungry in U.S., Report Finds », Reuters, 9 septembre 2000.

7. « Is Greed Good ? », *Business Week*, 19 avril 1999.

8. David Broder, « To Those who Toil Invisibly Amid Billionaires ». *The Seattle Times*, 16 avril 2000.

9. Barbara Ehrenreich, « Maid to Order », *Harper's*, avril 2000.

10. *Ibid.*

11. Entrevue personnelle, octobre 1996.

12. *Ibid.*

13. Barry Yeoman, « Steel Town », *Mother Jones*, mai-juin 2000. Voir aussi : Drew Leder, « It's Criminal the Way We've Put 2 Million in Cages », *The San Francisco Examiner*, 10 février 2000.

14. Entrevue personnelle, octobre 1996.

CHAPITRE 11
L'épuisement des ressources

1. Paul Hawken, Amory Lovins et Hunter Lovins, *Natural Capitalism: Creating the Next Revolution*, Boston, Little Brown, 1999, p. 51-52.
2. Sandra Postel, *Dividing the Waters: Food, Security, Ecosystem Health and the New Politics of Security*, Washington, D.C., Worldwatch Institute, 1996, vol. 132.
3. Energy Information Administration, *Annual Energy Review 1997*, DOE/EIA-0384(97), Washington, D.C., juillet 1998, tableaux 5.1 et 1.5.
4. John C. Ryan et Alan Thein Durning, *Stuff: The Secret Lives of Everyday Things*, Seattle, Northwest Environment Watch, 1997, p. 43.
5. Donella Meadows, « How's a Green Group to Survive Without Junk Mail? », *Global Citizen*, juin 2000.
6. John C. Ryan et Alan Thein Durning, *op. cit.*, p. 55.
7. Gary Gardner et Payal Sampat, « Forging a Sustainable Materials Economy », dans Worldwatch Institute, *State of the World 1999*, p. 47.
8. John C. Ryan et Alan Thein Durning, *op. cit.*, p. 8.
9. Entrevue personnelle avec Alan Durning, juillet 1995.
10. Conversation personnelle avec Mathis Mackernagel, août 2000.
11. Anthony Ricciardi, « Mass Extinction in American Waters », Society for Conservation Biology, 30 septembre 1999.
12. *Ibid.*

CHAPITRE 12
La diarrhée industrielle

1. Theo Colburn, Diane Dumanoski et John Peterson Myers, *Our Stolen Future: Are We Threatening Our Fertility, Intelligence, and Survival? A Scientific Detective Story*, New York, Dutton, 1996, p. 137.
2. *Living Downstream: An Ecologist Looks at Cancer and the Environment*, p. 99.
3. *Ibid.*, p. 6-7.
4. « Phasing Out Persistent Organic Pollutants », *State of the World 2000*, p. 85.
5. Dan Fagin, Marianne Lavelle, Center for Public Integrity, *Toxic Deception: How the Chemical Industry Manipulates Science, Bends the Law, and Endangers Your Health*, p. 43.
6. Chris Bowman, « Medicines, Chemicals Taint Water: Contaminants Pass Through Sewage Plants », *Sacramento Bee*, 28 mars 2000, en ligne.
7. Douglas Frantz, « E.P.A. Asked to Crack Down on Discharges of Cruise Ships », *American*, en ligne, 20 mars 2000.
8. Theo Colburn, *op. cit.*, p. 24.
9. Theo Colburn, *op. cit.*, p. 236.
10. Webster Donovan, « The Stink About Pork », *George*, avril 1999, p. 94.

CHAPITRE 13
Le virus de la dépendance
1. National Institute on Drug Abuse, Bethesda, Maryland.
2. Scott Cohen, «Shopaholics Anonymous», *Elle*, mai 1996, p. 120.
3. «News and Trends», *Psychology Today*, janvier-février 1995, p. 8.
4. David G. Myers, «Wealth, Well-Being, and the New American Dream», Center for a New American Dream website, 4 juillet 2000.
5. Entrevue personnelle, août 1997.
6. «Money Changes Everything», *American Behavioral Scientist*, juillet-août 1992, p. 809.
7. *Ibid.*
8. Alex Prud'Homme, «Taking the Gospel to the Rich», *The New York Times*, 14 février 1999, p. BU 13.

CHAPITRE 14
Insatisfaction garantie
1. Entrevue personnelle, juin 2000.
2. Donella H. Meadows, Dennis Meadows et Jorgen Randers, *Beyond the Limits*, Post Milles, Vt., Chelsea Green Publishing Company, 1992.
3. Taichi Sakaiya, *The Knowledge-Value Revolution, or, A History of the Future*, traduit en anglais par George Fields et William Marsh, Tokyo et New York, Kodansha International, 1991, p. 43.
4. Edward Hoffman, *The Right to Be Human: A Biography of Abraham Maslow*, Wellingborough, G.-B., Crucibe Press, 1989, p. 122 et 128.
5. Andrew Weil, *Eating Well for Optimum Health*, New York, Alfred A. Knopf, 2000, p. 21.
6. Eric Fromm, *Avoir ou être?*, Paris, Robert Laffont, 1978.
7. Jane Brody, «Cybersex Gives Birth to a Psychological Disorder», *The New York Times*, 16 mai 2000, p. D7.
8. Jerry Mander, *Four Arguments for the Elimination of Television*, New York, William Morrow, 1978.
9. Eric Schlosser, «Fast Food Nation: The True Costs of America's Diet», *Rolling Stone*, 3 septembre 1998, p. 3.
10. Entrevue personnelle avec D. J. Forman, décembre 2000.
11. Éditoriaux du *Rocky Mountain News*, 20 juin 2000, p. 31.

CHAPITRE 15
Le péché originel
1. Marshall Sahlins, «The Original Affluent Society», dans Neva Goodwin, Frank Ackerman et David Kiron (dir.), *The Consumer Society*, Washington D.C., Island Press, 1997, p. 18-20.
2. Entrevue personnelle, mai 1993.

3. Cité dans James Childs Jr., *Greed*, Minneapolis, Fortress, 2000, p. 1.
4. Jerome Segal, *Graceful Simplicity*, New York, Henry Holt, 1999, p. 167.
5. Entrevue personnelle, avril 1996.
6. Jerome Segal, *op. cit.*, p. 6.
7. *Ibid.*, p.189.
8. Entrevue personnelle, octobre 1996.
9. Entrevue personnelle, avril 1996.
10. T. C. McLuhan, *Touch the Earth*, p. 90.

CHAPITRE 16
Une once de prévention

1. Entrevue personnelle, avril 1996.
2. Jerome Segal, *Graceful Simplicity*, New York, Henry Holt, 1999 p. 13.
3. *Ibid.*, p. 13.
4. *Ibid.*, p. 14.
5. Extrait du documentaire *Running Out of Time*, 1994.
6. Juliet Schor, *The Overworked American*, New York, Basic Books, 1992, p. 44.
7. Rodney Clapp, *The Consuming Passion*, Dewner's Grove, Ill., Intervarsity, 1998, p. 173.
8. Karl Marx et Friedrich Engels, *Le manifeste du Parti communiste*.
9. Karl Marx, *Manuscrits de 1844*.
10. Erich Fromm, *La conception de l'homme chez Marx*, Paris, Payot, 1961.
11. *Ibid.*
12. Karl Marx, *Capital* III.
13. Perry Miller (dir.), *The American Transcendentalists*, Garden City, N.Y., Anchor, 1957, p. 313.
14. *Ibid.*, p. 309-310.
15. *Ibid.*, p. 310.

CHAPITRE 17
Le chemin le moins fréquenté

1. Entrevue personnelle, avril 1996.
2. Paul Lafargue, *Le droit à la paresse*, Paris, Mille et une nuit, 1994.
3. William Morris, cité dans A.L. Morton, *Political Writings of William Morris*, New York, International Publishers, 1973, p. 112.
4. Entrevue personnelle, avril 1996.
5. *Ibid.*
6. Benjamin Hunnicutt, *Work Without End*, Philadelphia, Temple, 1988, p. 82.
7. *Ibid.*, p. 75.
8. *Ibid.*, p. 88-97.
9. *Ibid.*, p. 99.
10. *Ibid.*, p. 53.

11. James Twitchell, «Two Cheers for Materialism», Utne Reader, novembre-décembre 2000.
12. Entrevue personnelle, octobre 1993.
13. *Ibid.*
14. *Ibid.*

CHAPITRE 18

Une épidémie en émergence

1. Extrait du documentaire *Affluenza*, 1997.
2. *Ibid.*
3. Entrevue personnelle, avril 1996.
4. *Ibid.*
5. Extrait du documentaire *Affluenza*, 1997.
6. *Ibid.*
7. *Ibid.*
8. Gary Cross, *An All-Consuming Century*, New York, Columbia, 2000, p. 169.
9. Extrait du documentaire *Escape From Affluenza*, 1998.
10. Wilhelm Ropke, *A Humane Economy*, Indianapolis, Liberty Fund, 1971, p. 109.
11. John Kenneth Galbraith, *The Affluent Society*, Boston, Houghton Mifflin, 1998, p. 258.
12. *Ibid.*, p. 266.
13. Tom Hayden, *Reunion*, New York, Random House, 1998, p. 264.
14. Mario Savio, «Stop the Machine», discours au Free Speech Movement, Berkeley, 1964.
15. Gary Cross, *op. cit.*, p. 161.
16. Entrevue personnelle, avril 1996.

CHAPITRE 19

L'ère de la rage de consommer

1. Pierre Martineau, *Motivation in Advertising*, New York, McGraw Hill, 1971, p. 190.
2. New Road Map Foundation and Northwest Environment Watch, *All-Consuming Passion*, Seattle, 1998, p. 6.
3. Kim Chapman, «Americans to Spend More on Media than Food in 2003», *Denver Rocky Mountain News*, 17 décembre 1999.
4. Michael Jacobson et Laurie Mazur, *Marketing Madness*, Boulder, Col., Westview, 1995, p. 131.
5. Entrevue personnelle, avril 1996.
6. Entrevue personnelle avec Laurie Mazur, avril 1996.
7. *Ibid.*
8. Pat Kearney, «Driving for Dollars», *The Stranger*, 4 mai 2000.
9. Entrevue personnelle, avril 1996.

10. Entrevue personnelle, avril 1996.
11. Susan Faludi, *Stiffed*, New York, Morrow, 1999, p. 35.
12. Wilhelm Ropke, *A Humane Economy*, Indianapolis, Liberty Fund, 1971, p. 128-129.

CHAPITRE 20

Y a-t-il un (vrai) médecin dans la salle?

1. Kalle Lasn, *Culture Jam*, new York, Eagle Brook, 1999, p. 27.
2. Entrevue personnelle, avril 2000.
3. Joel Makower, *The Green Business Letter*, mars 1994, p. 1, 6 et 7.
4. Sharon Beder, *Global Spin: The Corporate Assault on Environmentalism*, White River Junction, Vt., Chelsea Green Publishing Company, 1997, p. 28-29.
5. Site web de la Greening Earth Society, avril 2000.
6. Mark Dowie, introduction à John C. Stauber et Sheldon Rampton, *Toxic Sludge Is Good for You: Lies, Damn Lies and the Public Relations Industry*, p. 1.
7. John C. Stauber et Sheldon Rampton, *op. cit.*, p. 28.
8. Sharon Beder, *op. cit.*, p. 32.
9. Jamie Lincoln Kitman, «The Secret History of Lead», *The Nation*, 20 mars 2000, p. 6.
10. Joyce Nelson, «Great Global Greenwash: Barston-Marsteller, Pax Trilateral and the Brundtland Gang vs. the Environment», *CovertAction*, n° 44, p. 26-33 et 57-58.
11. George Orwell, *1984*.
12. John C. Stauber et Sheldon Rampton, *op. cit.*, p. 28.
13. Sharon Beder, *op. cit.*, p. 112-113.
14. Donella Meadows, Dennis Meadows et Jorgen Randers, *Beyond the Limits*, Post Mills, Vt., Chelsea Green Publishing Company, 1992.

CHAPITRE 22

Repos au lit

1. Entrevue personnelle, octobre 1997.
2. Entrevue personnelle, novembre 1996.
3. *Ibid.*
4. *Ibid.*
5. Voir aussi le livre *Getting a Life*, par Jacqueline Blix et David Heitmiller (New York, Viking, 1997).
6. Entrevue personnelle, juin 1996.
7. Sondage Harwood, «Yearning for Balance», 1995.

CHAPITRE **23**

Aspirine et bouillon de poulet

1. Entrevue personnelle, octobre 1996.
2. Entrevue personnelle, novembre 1996.
3. Entrevue personnelle, septembre 1996.
4. Entrevue personnelle, juillet 1996.

CHAPITRE **24**

De l'air frais

1. Bill McKibben, *The Age of Missing Information*, New York, Random House, 1992, p. 70.
2. *Ibid.*, p. 71.
3. Chellis Glendinning, «Recovery from Western Civilization», dans George Sessions (dir.), *Deep Ecology for the 21st Century*, Boston, Shambala Press, 1995, p. 37.
4. Aldo Leopold, *A Sand County Almanac*, p. 24.
5. Entrevue personnelle.
6. David Sobel, *Beyond Ecophobia: Reclaiming the Heart in Nature Education*, Great Barrington, Mass., Orion Society, 1996, p. 34.
7. Robert Greenway, «The Wilderness Effect and Ecopsychology», dans Theodore Roszak, Mary E. Gomes et Allen D. Kanner (dir.), *Ecopsychology*, San Francisco, Sierra Club Books, 1995, p. 128-129.
8. *Ibid.*
9. Entrevue personnelle, mars 2000.
10. Entrevue personnelle, avril 1996.

CHAPITRE **25**

Le bon remède

1. Entrevue personnelle, mars 1997.
2. Entrevue personnelle, juin 2000.
3. Entrevue personnelle, juillet 2000.
4. Michael Brower et Warren Leon, *The Consumer's Guide to Effective Environmental Choices*, New York, Three Rivers Press, 1999, p. 134.
5. Michael Brylawski, «Car Watch: Move Over, Dinosaurs», *RMI Solutions Newsletter*, Rocky Mountain Institute, printemps 2000, page 12.
6. Entrevue personnelle, juin 2000.
7. Entrevue personnelle, septembre 2000.
8. Tom Chappell, *The Soul of a Business: Managing for Profit and the Common Good*, New York, Bantam, 1993.
9. Terrance O'Connor, «Therapy for a Dying Earth», dans Theodore Roszak, Mary E. Gomes et Allen D. Kanner (dir.) *Ecopsychology*, San Francisco, Sierra Club Books, 1995, p. 153.

CHAPITRE 26

Retour au travail

1. Benjamin R. Barber, *A Place for Us*, New York, Hill and Wang, 1998, p. 73.
2. *Ibid*, p. 10.
3. «A Letter from Michael Moore to the Non-Voters of America», Internet, 1er août 2000.
4. Harry C. Boyte, «Off the Playground of Civil Society», mémoire, Duke University, octobre 1998, p. 5.
5. Entrevue personnelle, août 2000.
6. Doug McKenzie-Mohr et William Smith, *Fostering Sustainable Behavior*, British Columbia, New Society Publishers, 1999, p. 49.
7. *Ibid.*, p. 53.
8. Entrevue personnelle, octobre 2000.
9. Gary Gardner, «Why Share?», *World Watch*, juillet-août 1999, p. 10.
10. Leah Brumer, «Capital Idea», *Hope*, automne 1999, p. 43-45.

CHAPITRE 27

Vaccins et vitamines

1. Entrevue personnelle, novembre 1996.
2. Entrevue personnelle, octobre 1997.
3. Entrevue personnelle, avril 2000.
4. Entrevue personnelle, octobre 1996.

CHAPITRE 28

Prescriptions politiques

1. New Road Map Foundation and Nortwest Environment Watch, *All-Consuming Passion* (dépliant), Seattle, 1998, p. 16.
2. *Utne Reader*, septembre-octobre 2000.
3. Extrait du documentaire télévisé *Green Plans*, 1995.
4. Discours à Santa Barbara, Californie, 13 mai 2000.
5. Anders Hayden, *Sharing the Work, Sparing the Planet*, Londres, Zed Books, 1999, p. 36.

CHAPITRE 29

Bilans de santé annuels

1. Irvine D. Yalom, *Existential Psychotherapy*, p. 12.
2. Entrevue personnelle, octobre 1998.
3. Entrevue personnelle, octobre 1998.
4. Redefining Progress, «Why Bigger Isn't Better?» *The Genuine Progress Indicator*, Update, San Francisco, 2000.
5. Entrevue personnelle, octobre 1998.
6. Entrevue personnelle, octobre 1998.

CHAPITRE **30**

De nouveau en bonne santé

1. Joanna Macy et Molly Young Brown, *Coming Back to Life : Practices to Reconnect Our Lives, Our World*, Gabriola Island, B.C., New Society Publishers, 1998, p. 27.

2. Entrevue personnelle, octobre 2000.

3. Paul Hawken, «Natural Capitalism», entrevue d'Allan Hunt Badiner, *Yoga Journal*, septembre-octobre 1994, p. 68 et 70.

Présentation des auteurs

John de Graaf est producteur de documentaires pour la télévision publique depuis près de 30 ans. Une douzaine de ses émissions, parmi lesquelles *For Earth's Sake : The Life and Times of David Brower, Running Out of Time, Affluenza* et *Escape from Affluenza*, ont été présentées aux heures de grande écoute sur le réseau national de PBS. Il est invité régulièrement à parler dans des collèges et des universités, et a notamment enseigné la production documentaire à l'Université de Washington. Outre ce livre, il est l'auteur d'un ouvrage pour enfant, *David Brower : Friend of the Earth*, et vit à Seattle.

David Wann a écrit quatre livres et plus d'une centaine d'articles, et produit plusieurs vidéos et documentaires pour la télévision sur les modes de vie durables. Dans *Biologic* (1944), il aborde les comportements humains qui se fondent sur des réalités biologiques ; dans *Deep Design* (1996), il envisage la possibilité d'une économie entièrement fondée sur le développement durable. Il a enseigné au niveau collégial, travaillé pendant plus de dix ans comme analyste politique pour l'Agence de protection environnementale des États-Unis, et contribué à la conception et à la construction du quartier d'habitations communautaires où il vit, à Golden (Colorado).

Thomas Naylor est professeur d'économie à l'Université Duke depuis plus de 30 ans. Il a aussi enseigné au Collège Middlebury. Écrivain et critique social, il a travaillé comme consultant auprès de gouvernements et de grandes entreprises dans une trentaine de pays. En 1993, il s'est installé à Charlotte (Vermont) où il se consacre à l'écriture. Ses travaux portent sur la quête de sens et le besoin de communauté, ainsi que sur les manières de simplifier sa vie. Ses articles sont publiés dans les plus grands journaux américains et il est invité sur les principales chaînes de télévision. Il a écrit ou participé à l'écriture d'une trentaine d'ouvrages.

Redefining Progress (RP) est une organisation à but non lucratif qui se consacre à la recherche et à la politique, installée à Oakland (Californie). Cette organisation défend l'idée selon laquelle le véritable progrès implique une vie meilleure pour tous selon les moyens de la nature.

Les outils et les politiques dont *Redefining Progress* fait la promotion sont issus de trois grandes idées :

- Le concept de durabilité, enraciné dans le constat que nous sommes toujours plus nombreux à vivre sur une planète dont la capacité de régénération s'amoindrit. *Redefining Progress* utilise l'empreinte écologique pour signaler l'abus des ressources et les ateliers pour faire découvrir des façons plus justes et efficaces de vivre davantage selon les moyens de la nature.
- Le concept de prix justes, qui met de l'avant des mécanismes et des incitatifs donnant une idée juste du coût total de nos achats et de nos décisions, pour nous-mêmes, pour les autres et pour la nature.
- Le concept de biens communs, qui reconnaît la valeur de nos ressources naturelles et fondées sur la communauté. *Redefining Progress* appuie les politiques qui améliorent la santé de ces ressources afin qu'elles puissent combler efficacement et équitablement les besoins essentiels de nos communautés et de nos foyers.

Redefining Progress applique également ces trois grandes idées au problème du réchauffement climatique, par l'intermédiaire de deux campagnes de promotion de politiques justes et peu coûteuses au sujet des changements climatiques.

Table des matières

100% recyclé

AGMV Marquis

MEMBRE DE SCABRINI MEDIA

Québec, Canada
2004